ハートの図像学

共鳴する美術、音楽、文学

須藤温子【監修】
木村三郎
植月恵一郎【編著】

小鳥遊書房

はじめに

須藤温子

心臓ほど生命と密接に結びつき——心臓が止まれば死んでしまう——、心臓ほど直接実感できる——鼓動を聞き、感じられる——臓器は他にない。生を司る特別な臓器として身体の中心に位置することから、古来さまざまな文化圏で、心臓はたんなる物質以上の存在としてとらえられてきた。

心臓の歴史を調べれば、そこに哲学・医学・宗教・芸術・文学の歴史が互いに織り込まれていることがわかる。心臓のとらえ方は時代や地域によって実にさまざまであるが、心臓が人間の身体の各部分をまとめて有機的な統一体にしていること、人間を滅びゆく肉体と永遠なる魂の統一体にし、物質以上の特別な存在たらしめていることは共通している。[1] そして、それは今もなお赤いハートの中に脈々と息づいている。

＊

心臓を食べる——現代では耳を疑うようなモチーフがある。その起源は古代インドにあり、ヨーロッパでは一一〇〇年頃から知られ、フランスを中心にしてさまざまに変形しながら広く流布した。「食べられた心臓（The eaten heart)」の物語と呼ばれるもののうち、現存するヨーロッパ最古のものは一二世紀の『ギレム・ド・カベスタン』とされている。愛する者に心、あるいは心臓を与えるというヨーロッパ全体でみられる文学表現は、心臓を食べて特別な能力を得るという古来のアニミズムや、中世に行われた心臓の分割埋葬の習慣と深く結びついている。中世では旅先や十字軍の遠征先での客死が多かったため、メタファーではなく文字通り臓器としての心臓を愛する者に贈った。心臓が意味する永遠の愛は、メタファーのように軽やかに何度でも、誰にでも使用可能なものではなく、命がけの、たった一度きりの愛の現れであった。

「心臓」、「心」、外来語の「ハート」という三つの概念を使い分ける日本語と違い、ハートという言葉だけを用いるヨーロッパ言語では、日本語よりも指示対象同士の区別があいまいである。「脳」の機能がまだ十分に知られていなかったヨーロッパ中世にさかのぼれば、二つのハート——心臓と心——は現在とは比較にならないほど緊密な関係にある。ヨーロッパ中世文学・文化において、愛、心、魂などさまざまな抽象概念としてのハートが、メタファーやレトリック表現とは異なり、解剖学・医学的な臓器としての心臓と想像以上に密接に結びついていたことに、本書を読み進んでいくうちに、おのずと気づかされるだろう。

*

「少なくともヨーロッパ人によって、〈ハート〉ほど頻繁に使われ、関連づけられる名詞はほかにない。数えきれないほどの作家や詩人がこのテーマに没頭してきたし、幾何学的象徴のなかで十字を除いて、赤いハートほど芸術、建築、グラフィック、広告、装飾に用いられるものはない」[2]、と言ったのは二〇世紀ドイツの批評家マルセル・ライヒ＝ラニツキ（Marcel Reich-Ranicki、一九二〇〜二〇一三年）だ。まったくそのとおりである。ハートほど普遍的なシンボルはいまだかつてない。

（左）【図 1】M olton G laser I love NY ロゴ／（右）【図２】Banksy in NY, 2013.10

（左）【図 3】Banksy in NY, 2013.10 ／（右）【図 4】Banksy in NY, 2013.10

だれもがぱっと思い浮かべる赤いハートは「バレンタイン・ハート」[3]とも呼ばれる。世界的に有名な「I ♥ NY」のロゴを思い浮かべればよい【図1】。一九七七年、ニューヨーク州はミルトン・グレイザー（Milton Glaser, 一九二九年〜）のデザインによる「I ♥ NY」キャンペーンを開始した。以来、ハート形（♥）はハート（heart）ではなくラブ（love）と読み、愛するという意味を示す表意文字としてまたたく間に世界中に普及し、文字どおり愛された。二〇一三年一〇月の一か月間、ニューヨーク市内の路上に作品を描いた神出鬼没の画家バンクシーも、描いては当局に消される追いかけっこの中で、絆創膏だらけの赤いハートの風船【図2】、「I ♥ NY」Tシャツを着た大きなネズミなど【図3】、ハートをモチーフにした作品を壁に描いた[4]。その中のひとつに、「I ♥ NY」のポスターのハートマークに聴診器をあて、脈打つリアルな心臓の心音に耳を傾ける医師を描いた作品がある【図4】。医師はニューヨークを愛することを診察しているのだろうか。恋の病も心臓病も、いずれも致命的である。

＊

シンボルのハートはあまりにも身近で、私たちは普段目にするその形に慣れきっている。そのために、実はそれが心臓の原形をまったくとどめていないことにすら気づかない。シンボルとその実物がこれほどまで異なるものは、ハートをおいていまだかつてなかった。かろうじて心臓の名残りをとどめているといえるのは、筋肉と血管でできている心臓の赤い色だけかもしれないが、それとて色がついていればの話である。わたしたちの思考回路がハートの形と赤い色に直結させるのは、心臓の筋肉と血管の色よりもむしろ抽象的な愛、友情、共感、生命、平和、近年では思いやり、かわいらしさのイメージである。ハート形の視覚的な特徴をあげてみると、側面はトランプのハートのようにくびれているものや、まっすぐなもの、ふっくらしているものがあるが、一般的には左右対称、上の部分は真ん中がくぼみ、下の先端はとがっている。これらの特徴は実際の心臓にはない。

原形をとどめないマークが存在する。そのこと自体不思議なことだ。それなのに、そのマークが何を表しているかはだれでもわかる。そんなとびきり特別なシンボル、ハート。なぜわたしたちはハート形（♥）を、それとはあまりにもかけ離れた心臓と同一視でき、さらには愛や生命といったポジティブな意味を際限なくこめるようになったのだろう？　本書では主にヨーロッパの歴史と文化を旅して、知っているようで知らないハートの謎に迫ってみたいと思う。

旅前半にあたる第一部では、ヨーロッパにおけるハートと心臓をめぐる文化史を幅広く扱う（須藤）。後半の第二部は、ハートの図像学についての各論（徳井、伊藤、植月）、間奏曲（インテルメッツォ）には斉田のイタリア歌曲をめぐるエッセイをはさみ、再び各論（須藤、蜷川、木村）を配置した。ハートにまつわるコラムやエッセイも旅の息抜きにちりばめてある。

さあ、変幻自在なハートを追う旅に出発しよう！

【註】

（1）Cf. Konrad Hilpert: *Die Macht des Herzens. Interferenzen von Organbenennung, Ortsangabe und Sinnbildlichkeit. In: Münchener theologische Zeitschrift* 65, 2014, p. 37-54, here p. 39.／ロブ・ダン『心臓の科学史——古代の「発見」から現代の最新医療まで』（高橋洋訳）、青土社、二〇一六年、四五頁参照。

（2）Armin Dietz: Ewige Herzen: Kleine Kulturgeschichte der Herzbestattungen. München (Medien- und Medizin-Verlag) 1998, p. 9.

（3）Pierre Vinken: *The Shape of the Heart: A Contribution to the Iconology of the Heart. Amsterdam* (Elsevier), 1999, p. 8.

（4）レイ・モック『バンクシー・イン・ニューヨーク』（毛利嘉孝・鈴木沓子訳）、パルコ出版、二〇一六年。

ハートの図像学　目次

医学（古代～中世）

第二部

ハートの諸相

インテルメッツォ

【凡例】

・註は（　）の中にアラビア数字で示し、各章末にまとめてある。
・図版は章ごとに通し番号をつけてある。
・参考文献、引用文献等の表記は、各研究分野の通例に従った。その上で、各章末に付した。

第一部

ハートの文化史
——哲学・医学・美術・文学

須藤 温子

あるとき、かの有名な歴史家エルヴィン・パノフスキー（Erwin Panofsky, 一八九二〜一九六八年）は、わたしたちが実際のハートの形とは異なる形を描き、当たり前のようにハートとして認識していることに疑問がわいた。[1] そして、『ハートの形』の著者ピエール・ヴィンケンに宛てて一九六一年に手紙を書いた。

ハートはいつもわたしを虜にしてきました。血液が心臓の右側から左側に移動するために心臓の中にあるという穴（ペルガモンのガレノスが確信し、レオナルド・ダ・ヴィンチが見たと主張し、アンドレアス・ヴェサリウスも認めた）についての有名な議論だけではありません。いつ、どこで、どのように、わたしたちがハート形と呼ぶ形♥に図式化されたものが生じたのか、まったく発見できなかったからです。その形はすでに旧石器時代の洞窟の中で見つかっていますが、ハート形の上のほうが扇形の輪郭になった、ゲシュタルト心理学的なプロセスがわたしにはまったく理解できません。[2]

なるほど、われわれは原形の心臓の形とかけ離れているイメージを疑いもなくハートとして認識しているが、どういうわけでそうなったかは不明、というわけだ。

マンモスの心臓

パノフスキーが手紙の中で言及している「洞窟の中で見つかったハート形」とは、スペイン北部のエル・ピンダル洞窟に一万六〇〇〇年前から一万一〇〇〇年前に描かれた洞窟壁画のことである。この洞窟は一九〇八年にフランスの考古学者で司祭でもあったアンリ・ブルイユ（Henri Breuil, 一八七七〜一九六一年）によって発見された【図1】。洞窟にはマンモスが赤い色で描かれていた。ブルイユはマンモスの上半身に塗られた赤い印について、「体の中心にある大きな、おおよそハート形をした印は耳を表している」[3]と、一九一一年の報告書に書いた。後にブルイユは象ハンターから赤い印は耳ではなく心臓を表しているのではないかと示唆されると、[4]印がほぼマンモスの心臓に位置していることに同意した。先のパノフスキーの手紙にあるように、やがてエル・ピンダル洞窟壁画のマンモスの赤い印は、心臓を表すということが通念になった。だが、実際にはマンモスの上半身に施された赤い彩色は、輪郭がぼんやりしていてハート形とは言いがたい。マンモスにつけられた印は心臓ではないかもしれず、現在ではそれらの説に確証はない。

洞窟壁画は、ハートとは本来無関係なものをハートとして認識してしまう模範例である。ハート形のどれもがハートを表しているわけではないことを、わたしたちは忘れがちだ。ハートのイメージは、一八世紀にハートのシンボルの通俗化が始まってから、濫用されて日常的な文化になり、[5]現代では他のイメージをしのいでいる。心、心臓、愛のほかにも、さまざまな意味——かわいい、平和、母性、思いやりなど——がこめられている。

しかし、ふつうハート形としてわたしたちの頭に浮かぶ二次元のデザインは、心臓を表すようになる前から存在していた。[6]古代ではハート形はありふれていたが、心臓を表しているわけではなかった。それらは装飾に用いられ、ブドウの房と葉であったり、アイビーの蔓と葉であったし、ときにはトランプのスペードのように茎も一緒に描かれた。赤と黒の蔦の葉をモチーフにしたアッティカの杯（紀元前五五〇年頃）【図2】、

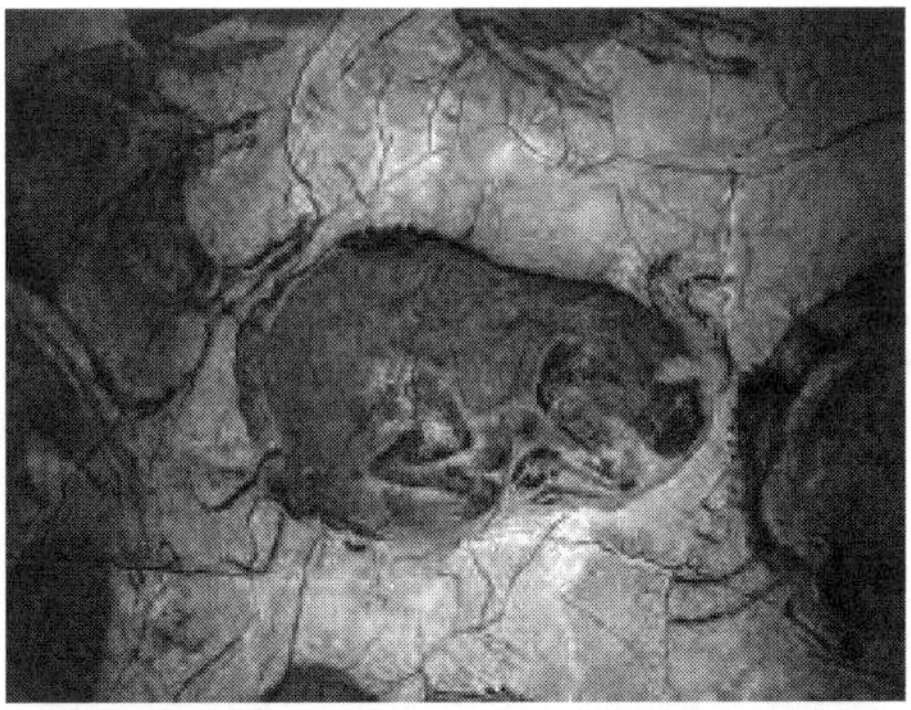

【図1】エル・ピンダル洞窟（スペイン北部）の洞窟壁画に描かれたナウマン象、16000年前から11000年前。

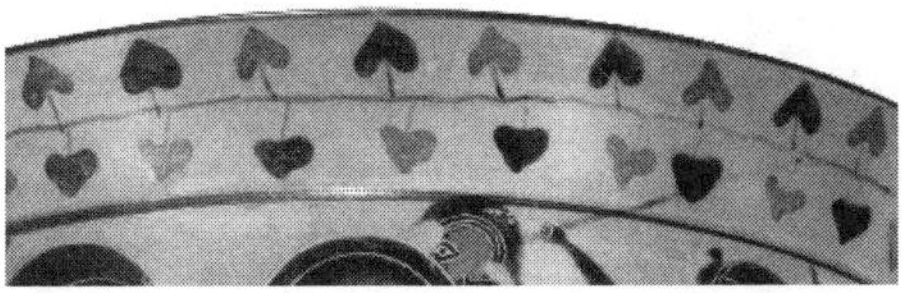

【図2】アッティカ様式のカップ（BC 565-555）、赤と黒のアイビーの葉の装飾があしらわれている。

【図 3】フェニキア人が建設した古代都市国家、カルタゴ（アフリカ北岸）の赤みがかった陶器のオイルランプ（AD 400-500）。円形中央にイルカ、周囲に丸型とハート型の装飾が施されている。

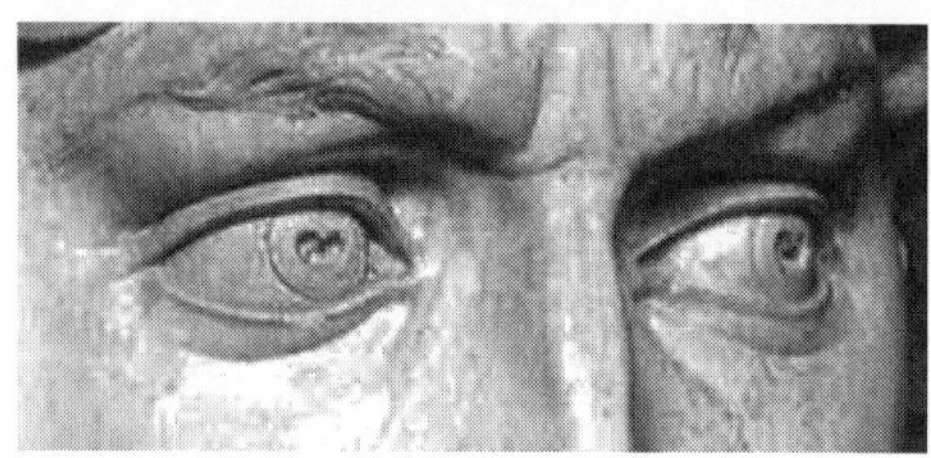

【図 6】ミケランジェロ作『ダビデ像（1501-1504）』拡大図。瞳がハート型にくりぬかれている。アカデミア美術館蔵（フィレンツェ）。

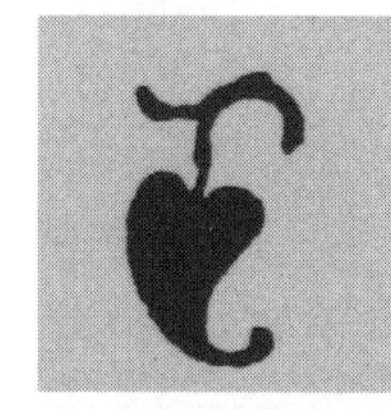

【図 7】ヨーロッパの紙の透かし模様（14 世紀以降）や印刷業者の商標（16 世紀）に用いられたハート形の葉の装飾。

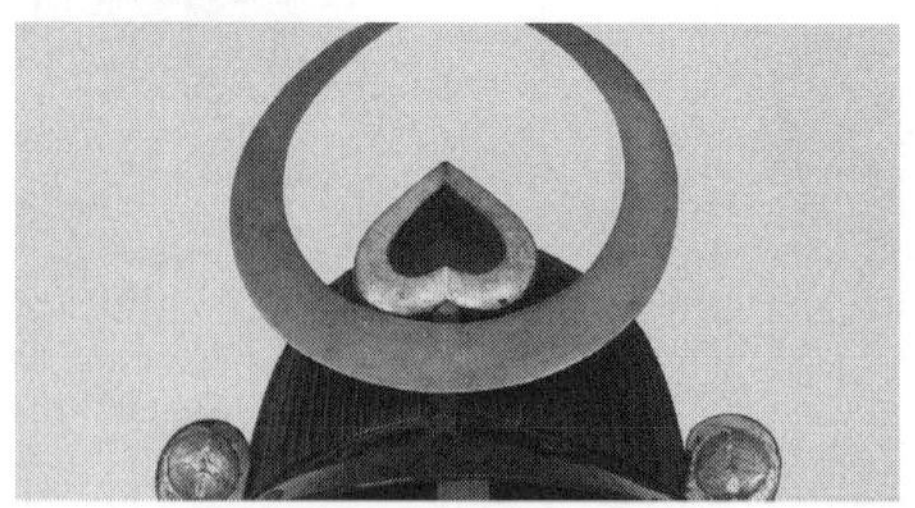

【図 9】松江藩に伝わる甲冑の兜（家老大橋家伝来の甲冑）。松江藩の合印「猪ノ目」（飾り中央）松江歴史館蔵。

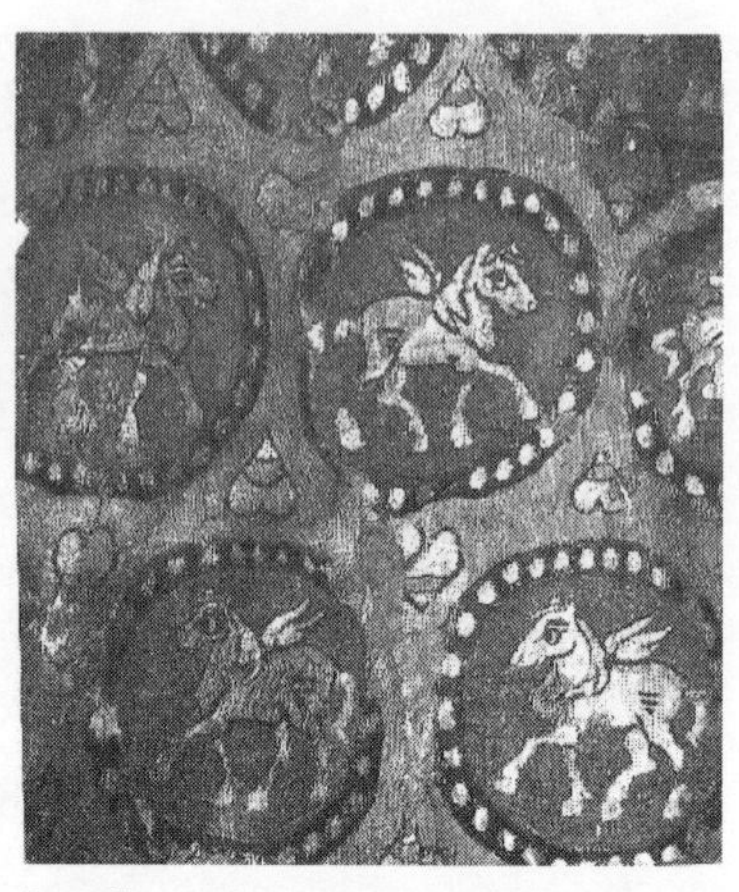

【図 4】コプト人の毛織物（67x39 cm, 6-7th）。今日伝わるその多くはアクミムやアンティノエの墓地から発見された屍衣の断片。ハート型の葉と、ペガサスが施された円形模様。

【図 5】詩歌集『カルミナ・ブラーナ写本』「森」の挿絵。（Codex Buranus, ca.1230）。19 世紀初めにバイエルン選帝侯領にあるベネディクト会のボイエルン修道院で発見された。古い歌を集めた写本は 11 世紀から 13 世紀の間に書かれたと推測される。

【図8】正寿院（京都）の猪目窓。

【図10】伊藤若冲『旭日鳳凰図』（部分）1755年

【図11】伊藤若冲『老松白鳳図』（部分）1766年

ハート形の模様のついた北アフリカの赤い陶器のランプ（五世紀）【図3】、ペガサスとハート形の葉をモチーフにしたコプト人の毛織物（七世紀）【図4】、写本『カルミナ・ブラーナ』（一二三〇年頃）の「森」の挿絵には、スペード、つまり剣の形状をした葉が生い茂っている【図5】。ミケランジェロ（Michelangelo Buonarroti, 一四七五～一五六四年）によるダビデ像（一五〇一～一五〇四年）の瞳もハート形に彫られている【図6】。一四世紀以降には、ヨーロッパでは紙の透かし模様に、一六世紀には本の表紙や印刷業者の標章に、ハート形の葉の装飾が用いられた【図7】[7]。日本にもハートの記号と類似した形に猪の目文様があり、剞形（くりかた）のひとつで器物や建築の装飾に用いられている。たとえば京都正寿院の猪の目窓【図8】。松江藩では、戦場で敵と区別する合印として猪の目紋を兜の前立にした【図9】。伊藤若冲（一七一六―一八〇〇年）の『旭鳳凰図』（一七五五年）や『老松白鳳図』（一七六六年）の鳳凰の羽の模様も紅のハート形だ【図10、11】。さらには自然の中に、岩の形、犬や牛などの動物の斑にハートを見つけ出

【図12】グラバー園（長崎）の石畳にはめこまれたハートストーン。

【図14】『マネッセ写本』(314v)、宮廷詩人ギュンター・フォン・デム・フォルステの挿絵。心葉をつけた生命の樹（または心臓の樹）が描かれている。

【図13】ガレノスの伝統に基づくピラミッド型の心臓と拡大図。11世紀の写本。Caius College, MS. 428, folio 50.（ケンブリッジ）。

すと、吉祥文として喜んだ【図12】。

逆三角形の上にシンメトリーの半円形をのせた心臓のイメージの起源は不明だが、初期の臓器のイメージ【図13】は、同じく三角形を起源とする神秘的な生命の樹、じきに心臓の樹とも呼ばれるようになるイメージと結びつく[8]。様式化されたイチジクの葉や葉柄、木葛の蔓、ブドウの葉や房といった植物の装飾模様には、すでにハートのイメージが先取りされている。ギリシアの墓碑、ローマの墓石、初期キリスト教のカタコンべ内に安置された墓石に描かれた木蔦は、現世での死を超越した愛を意味していた。

いわゆるトランプの赤いハート形へ、木蔦が決定的に変化を遂げるのは、宗教的なハートのメタファーが世俗化し宮廷文学に現れる時期である。一三世紀にドイツ語圏で編まれた恋愛叙情詩ミンネザング集の『マネッセ写本』には、心葉（心臓の形をした葉）をつけた生命の樹（または心臓の樹）が描かれている【図14】。一二、一三世紀の造形芸術では、木蔦の葉が恋愛の場面で登場し、次第に緑の葉の色から赤い色になっていく。赤は、温かい血液の色であり、有史以前から生命、幸運、健康、そして愛を意味した。こうして赤い心臓がヨーロッパで普及し、特にカトリック教会で広がった。その理由としては、心葉が肉体的な愛の象徴として世俗化する一方で、宗教芸術においても慈愛と献身を象徴したこと、聖心崇敬がこの心臓表象を継承したことがある。

ここで、医学における心臓表象について簡単に述べておこう。心臓は、ヒポクラテス学派の描写に基づき松かさ型やピラミッド型で表象され、ガレノス（Galen of Pergamon, 一二九頃～二〇〇／二一六年頃）やアラビア医学に影響を与えた。ヘレニズム時代の医者がもっていた解剖学的知識は宗教的医療の影響の元で忘れ去られてしまった。そこで、解剖学者たちは挿絵画家に着想を与え、心臓を逆さまの葉として描かせたのである。葉形と心臓はアナロジーで結ばれ、葉の先端は左に曲がり、その葉柄は心臓に至る血管の根本を象徴している。中世の解剖学書『マルガレータ・フィロゾフィカ』がその好例である。医学における心臓の表象については改めて詳述する。

古代～中世

古代エジプトで描かれた最古のハート——耳のついたハート

古代エジプトには心臓を表すのに二つの単語があった。肉体的な臓器としての心臓を表すハティ（haty）と精神的、

【図 17】『フネフェルのパピルス』（拡大）、審判場面（BC ca.1275）、大英博物館蔵。

【図 15】心耳がついているハートのアミュレット（エジプト、BC ca.1070）。

【図 16】スカラベに刻まれたヒエログリフの「心臓」、拡大図（上から二段目中央と右端、三段目右端）。

感情的、そして不滅の心臓または魂を表すイブ（ib）である[9]。ヒエログリフで心臓を表すイブとハティは壺のような形で、壺の上には蓋のようなものがつき、壺の両側には耳のような突起がある。突起は解剖学でも心耳（auricula）と呼ばれる部位に一致する【図15、16】[10]。『死者の書』のひとつ、『フネフェルのパピルス』（紀元前一二七五年頃）に描かれる審判の場面では、天秤にかけられた心臓はヒエログリフの心臓と同じ形で描かれている【図17】。

ハートの語源

心臓は鼓動を肌で感じ取り、耳で聞くことができる唯一の臓器である。日本語の「ドキドキ」、古代エジプト語の「デブデブ（debdeb）」、英語の「ドクンドクン（lubdub）」はみな心拍の擬音語だ。[11] それは、心房と心室のあいだの弁と、心室と動脈のあいだの弁が閉じるときに出る音である。[12] 英語をはじめヨーロッパ言語で心臓という言葉は、ハティとイブといった心臓を表す二つの言葉をもつ古代エジプト語ではなく、「跳躍するもの」を意味するサンスクリット語の"hrid"、"krid"に由来する。この"hrid"、"krid"がラテン語の"cor"やギリシア語の"kèr"、"kear"、"kardia"を経て、フランス語の"cœur"、イタリア語の"cuore"、英語の"heart"やドイツ語の"Herz"になった。これらの言語では、ひとつの言葉で心臓（ハート）を表す。つまり、可視的な肉体の心臓と同時に、抽象的な、精神的、感情的、そして不滅の心臓または魂を表現する。

日本語は古代エジプト語と同様、心臓を表す二つの言葉、臓器としての心（シン）と気持ちとしての「こころ」をもつ。心の字は像形文字で、心臓をかたどっている。「シン（心）」の音は細かい意の「纖（セン）」と関係がある。『大字源』には細かに鼓動を続けるもの、心臓の意とある。[13]「こころ」は「生命・活動の根源的な臓器と思われていた心臓。その鼓動の働きの意味が原義。そこから、広く人間が意志的、気分・感情的、また知的に、外界に向って働きかけて行く動きを、すべて包括して指す語。類義語オモヒが、じっと胸に秘め、とどめている気持ちをいうに対し、ココロは基本的には物事に向う活動的な気持ちを意味する。」[14]「こころ」では、動的な、肉体的な心臓の鼓動が重要であることがわかる。ヨーロッパ言語、日本語ともに臓器としての心臓と、感情と精神のありかとしての心臓（ハート）は、不可分なのである。

世界最古のハート型容器――神に生け贄の心臓を捧げるために

心臓を立体的に表現した最古のものとして現存するのは、メキシコで発見された、今から約三〇〇〇年前の中米の古代民族オルメック人による陶製の人型容器である【図18】。男性が抱える大きな心臓からは、太い三本の血管が突き出ており、二つの心室間には溝状の筋が走っている。この神供用の容器には、おそらく生贄の血液か心臓が納められ

【図18】南米の古代民族オルメック人の心臓の形をした彫像、人間の心臓の最古のイメージ、陶製（BC 1200-900）。

【図19】『マリアベッキアーノ絵文書』（16世紀中葉）、アステカ族の生贄の儀式。神殿左上に血を滴らせながら心臓が神に向かって上昇している。

ていた[15]。一六世紀に一大帝国を築いたアステカ民族は中米で人間の心臓を生贄にした最後の民族で、ピラミッドの上で神官が生贄の心臓をえぐり出して太陽神ウイツィロポチトリに捧げた。マリアベッキアーノ絵文書（一六世紀中葉）には生贄の心臓が血をしたたらせて太陽のもとへ飛んでいく様子が描かれている【図19】。

古代エジプトの心臓――心臓の計量

現世で倫理的に生きたかを神に問われ、それが死後の運命を決定するという観念は、古代エジプトでも、のちのキリスト教でもみられる。古代エジプト人にとって、地上での生と死は永遠の生に向かう通過点にすぎなかった。地上での死は、永遠で不死の生への誕生を意味するため、死してもなお身体を保存する必要があった。そのため、遺体は切開され内臓が取り出された。最初にとり出されたのは脳だった。脳はエジプト人にとって重要な臓器ではなかったのだ。心臓は防腐処理されて死者の胸腔に戻された。死者をミイラにする場合、心臓だけは内臓を保存するカノプス壺に入れられずに体内に残された。心臓が死後の世界でも必要であると信じられたからだ。

古代エジプト人にとって心臓は、理性、思考力、意思の場、愛憎、同情といった感情の場であり、良き願望・悪しき願望、特性の座でもあった。宗教的な意味では、心臓は神のすみかであり、生命の神秘、善行と悪行の総体、つまり心臓を所有する者の人生の集大成で、あらゆる経験を貯蓄する場であった[16]。

死者を待ち受ける審判では、心臓が全知の証人として現れ、心臓の計量により死者の倫理的資質が量られる。冥界に入る前に、死者の心臓は冥界を支配するオシリス神をはじめ神々の前で審判にかけられる。儀式を進める順序は『死者の書』によって定められている。心臓が、世界秩序・正義・審議を象徴する女神マアトの小像か、一本の駝鳥の羽と天秤にかけられ、生前に善良であれば小像や羽よりも軽く、無罪となり冥界へ行くことができる。一方、有罪となれば、ワニの頭部、ライオンの胴体、カバの下肢をもつ、「魂を食らう者」を意味するアンムットに心臓を食われてしまう。

心臓が冥界に案内するのを拒むかもしれないと不安になったエジプトの王たちは、代替物としてスカラベの護符をミイラの胸郭に戻すか、左胸の上に置かせた。防腐技術が進歩すると、心臓は胸郭に残された。

心臓の計量にはキリスト教の最後の審判が、冥界の王で死と復活の神であるオシリスにはキリストが、冥界の神で裁きの間に死者を導くアヌビスには大天使ミカエルが、そして心臓には魂が相当する。さらに、古代エジプトの埋葬儀式に、ヨーロッパ中世の高貴な人びとの埋葬儀式の起源を見ることもできる[17]。古代エジプトの埋葬儀式と同様にヨーロッパ中世でも、脳はもとより頭部は重視されず、それにたいして内臓、身体、特に心臓を別個に埋葬する「分割埋葬」が行われたからである。分割埋葬もハートの文化史と深い関係があるので、後程詳しく述べたい。

哲学と宗教における心臓——心臓か脳か

心臓は生命・思考力・感情の場、古代ヒンドゥー教の聖典リグ＝ベーダでは根源的な認識の場、ベーダ聖典の一部を構成する哲学的文献ウパニシャッドでは真実の場で、人は心臓によって真実を認識し、心臓の真ん中に精神が住むと考えられていた。仏教では心臓は意識（cittam）と呼ばれた。

古代ギリシアの抒情詩では心臓は情緒と感情の場であった。ソクラテス以前の哲学でも心臓にはさまざまな意味が与えられた。ピタゴラス（Pythagoras, 紀元前五六九頃～紀元前四七〇年頃）は心臓を高く評価した。一方、ピタゴラスの弟子で思想家・医者のアルクマイオン（Alkmaiōn, 紀元前五世紀頃）は知覚中枢が心臓にあるとする古来の説に対し、大脳にあるとした。ピタゴラス学派の哲学者フィロラオス（Philolaos, 紀元前五世紀中葉頃）は、ピタゴラス主義を体系化し、四つの根本原理の脳・心臓・臍・陰茎のうち、脳には人間の原理としての理性（分別・思考）の原理原則が、心臓には動物の原理としての魂と感覚の原理原則があるとした。自然哲学者で医者のエンペドクレス（Empedoklēs, 紀元前四九三頃～紀元前四三三年頃）は、万物は地・水・火・風の四元素からなり、愛と憎が動力因として働き、結合分離・生成消滅があるという四元素説を説いた。エンペドクレスにとって発生初期の最初に形成されるのは心臓で、心臓は思考をする場であり、思考力は血液として心臓のまわりに湧きたっていた。そして心臓は魂が占める場でもあった。プリニウスには心臓が生命の起源であり、魂（animus）と血がそのすみかだった。哲学史家ディオゲネス・ラエルティオス（Diogenēs Laertios, 三世紀頃）は『著名哲学者たちの生涯と教説』（*Bioi kai gnōmai tōn en philosophiai dokimēsantōn*）に、魂の王国は心臓から脳まで広がり、心臓に気力・気分の座があり、理性・分別・思考の座は脳にあるというピタゴラスの教えを記している。デモクリトス（Dēmokritos, 紀元前四六〇頃～紀元前三七〇年頃）は肯定的な感情特性の総体として心臓を理解した。プラトン（Platōn, 紀元前四二七頃～紀元前三四七年）は、霊魂三分割説をたて、「霊魂は、頭部に宿り理性をつかさどる不死なる魂、心臓を有する胸部に宿り知性と情念をつかさどる死すべき魂、そして肝臓が機能する腹腔に宿り動物的本能をつかさどる魂に三分割されうるとした。[18]」これに対してアリストテレス（Aristotelēs, 紀元前三八四～紀元前三二二年）は、霊魂はただ一つ、一か所にあると考えた。内なる熱によって温められ、身体の真ん中にある心臓である。「すなわち、心臓はあらゆる部分の中で最初に形成されるや否や血液を含んでいるのである。さらに快・不快の印象および一般にあらゆる感動はここから起こり、ここに終わるように思われる。[19]」それから四〇〇年後のローマ帝国で、再び思考部分は脳に、情緒の部分は心臓に、そして欲望的な部分は肝臓にその中枢があると考えたのがガレノス（Klaudios Galēnos, 一二九頃～一九九年頃）であった。[20]

ミクロコスモスとしての心臓

先に述べたように、古代ギリシアにおいて血液や心臓に魂や思考の座があると考え、地・水・火・風の四元素説をたてたのはエンペドクレスである。地・水・火・風からなる四元素は、大地、海、太陽、空という宇宙論的なマクロコスモスに類似的に照応し、これらの宇宙の諸力はミクロコスモスである人体の支配的原理とみなされた。[21] 四元素は血液、黄胆汁、黒胆汁、粘液からなる四大体液に照応し、中世になると四体液説に照応する項目が、方位、恒星、黄道一二宮など、さらに増えていく。四大体液の調和状態を健康の、不調和な状態を病気の基盤と考えたのが体液病理説である。ヒポクラテスがアリストテレスの説を拡大し、ヘロフィロスがヒポクラテスの遺法を守って体液病理説の注釈書を作り、ガレノスが踏襲したもので、ルネサンスまでの医学観の基礎となっていた。

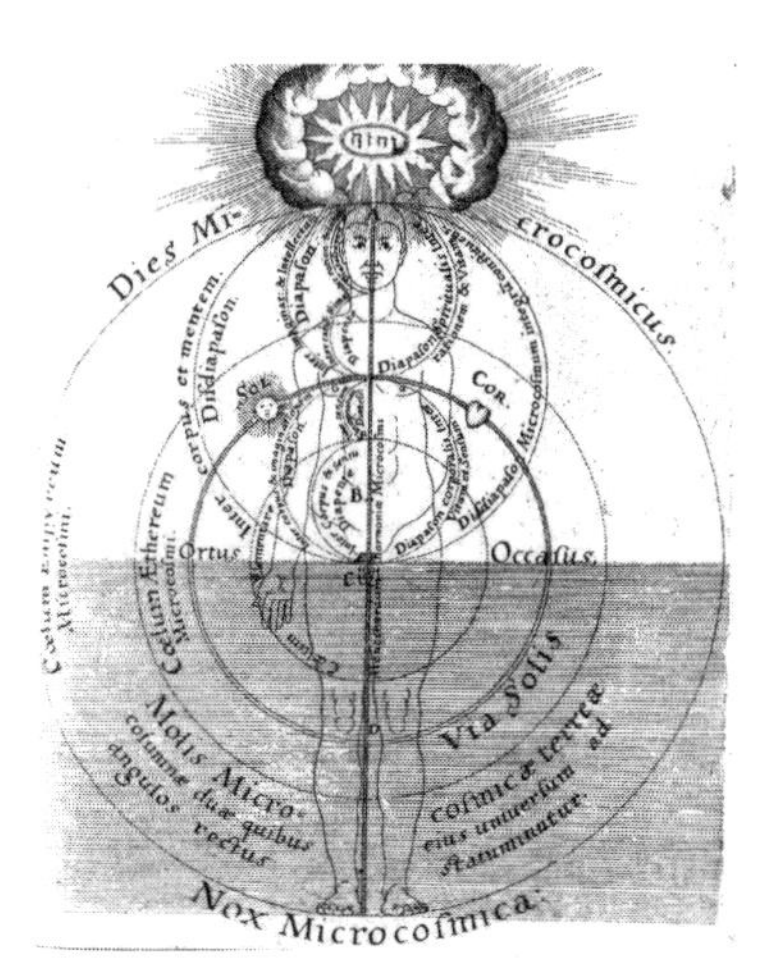

【図20】ミクロコスモスとマクロコスモスの照応図（17世紀）。Robert Fludd, Utriusque cosmi maioris scilicet et minoris Metahpysica, physica atque technical Historia, Oppenheim 1617-Frankfurt 1621, Vol. II, 275: バイエルン州立図書館蔵（ミュンヘン）。

こうして、古代から中世をへてルネサンスに至るまで、人間の身体はマクロコスモスの類似関係にあるミクロコスモスとしてとらえられた。マクロコスモスの恒星である太陽と照応するのは、ミクロコスモスである身体の中心に位置する心臓である【図20】。太陽のまわりを惑星が回り、太陽からエネルギーを得ているように、身体は心臓から生気を得ている。血液循環を発見した解剖学者のハーヴェイでさえ「心臓は生命の源泉であり、〈小〉世界の太陽である。同じく太陽は世界の心臓という名にふさわしい」と言って、心臓と太陽を対比せずにはいられなかったのである。

善悪の判断と良心

旧約聖書では、心臓はまず生理的・肉体的な生の中枢で、次に宗教的・神学的な意味で、思考、記憶、回想、感情の場であった。神は律法をイスラエルの民の「胸の中に授け、彼らの心に書き記す」（エレミヤ書三一：三三）。新約聖書では心臓は、回想の場以上のものになり、魂と同義語になった。ほかの人びとにたいしては隠された、神にだけ打ち明ける中心で、その中に人間の内的本質である魂が包み込まれていたからである。

聖書では心臓は感情の領域であるよりもむしろ、理解、熟慮、決心の領域である。ソロモンは神に「どうか、この僕（しもべ）に聞き分ける心を与え、あなたの民を治め、善と悪をわきまえることができるようにしてください」（列王記上三：九）と願う。すると神は「知恵に満ちた聡明な心」（列王記上三：一二）をソロモンに授けた。この神から授かった「聞き分ける心」は善悪についての知を含んでいるゆえに、心臓は倫理上の決定中枢とされた。

旧約聖書において神は人間の心を知り尽くしている。「心は何にも増して偽り、治ることもない。／誰がこれを知りえようか。／主である私が心を探り／思いを調べる。／おのおのが歩んだ道／その業（わざ）が結んだ実に応じて報いるためである」（エレミヤ書一七：九―一〇）。心臓は善や正しさを知っており、心臓を所有していた人が生前にどう生きたかを倫理的に記憶する。キリスト教において心臓は魂の住処とされ、心臓と魂は極めて密接に結びついている。心臓と同様、魂もまた、死後も存在し続ける人物の本質なのである。[22]

二世紀から八世紀にかけてキリスト教哲学の最初の段階を形成した教父神学では、聖書の心臓の概念と古典哲学――ギリシア哲学、特にプラトン哲学――が融合する。心臓（cor）は哲学用語の霊魂（anima）、予感（animus）、悟性（mens）、知性（intellectus）の同義語として用いられるようになる。[23] アウレリウス・アウグスティヌス（Aurelius

Augustinus, 三五四～四三〇年）からヒルデガルト・フォン・ビンゲン（Hildegard von Bingen, 一〇九八～一一七九年）に至る中世の神学者にとって、心臓は人格、思考、意思のありか、魂の住処、あるいは生命力、つまり身体に活力を与える精気のありかであった。[24] ヒルデガルト・フォン・ビンゲンにとって心臓は、熱と脳へ上っていく思考の源泉で、魂が住む家（domus）だった。ルネサンス期の医師にして錬金術師パラケルスス（Paracelsus, 一四九三～一五四一年）には心臓は人間の種であった。自然はその種から肉体の生育を促し、肉体が心臓の質を表した。太陽がその光を天体全体にふりそそぐように、心臓は自らの精神を肉体全体に与えたのである。観相学で有名な啓蒙期の思想家ラファーター（Johann Kaspar Lavater, 一七四一～一八〇一年）は詩「人間の心臓」（Das menschliche Herz, 一七八九年）で心臓を次のように絶賛する。

> 汝、計り知れぬものに満ちた最上のもの！　生の泉！　意識のありか！　喜ばしき命！　世界の中の世界！　心臓よ！　あらゆる現実の総体！　深淵と高みが汝の中でひとつになる！　あらゆる崇高な神々が、神性そのものが汝に見いだされるのだ！　おお、人間の心臓よ！　神秘にして神の啓示よ！　人類の栄光にして比類なき栄冠！　あらゆる力の根源！[25]

ジャン＝ジャック・ルソー（Jean-Jaques Rousseau, 一七一二～一七七八年）にとっても、心臓は共感、同情、感情移入能力の本質であった。ウィリアム・ハーヴェイ（William Harvey, 一五七八～一六五七年）と同世代のデカルト（René Descartes, 一五九六～一六五〇年）は、まったく新たなとらえ方をした。彼にとって心臓は単なる生理学的な器官にすぎなかった。理性と悟性の場は脳にある一方で、心臓は感情、意志、願望の中心であり、身体機能の中心であった。

脳と心臓――外科手術

脳を含む外科手術は古代メソポタミアや中国で行われていたが、心臓は例外だった。早くも八〇〇〇年前には祈祷師が圧力を開放するために人の頭蓋に穴をあけた[26]。これに対して、心臓は感情、こころ、魂のありか、活力や生命の源泉であり、機能的に神秘的で、哲学的にも不可侵の領域とみなされてきた。長らく心臓が外科手術の対象外だったのは、鼓動する臓器に外科的治療を施すことは、技術的に不可能だったからである。シカゴでダニエル・ヘイル・ウィリアムズ（Daniel Hale Williams, 一八五六〜一九三一年）が人間の心臓手術に史上初めて成功するのは一八九三年のことである[27]。

医学（古代〜中世）

心臓を医学的にとらえる　古代エジプト、古代ローマ帝国

紀元前二六〇〇年頃、古代エジプト第三王朝の宰相で医者のイムホテップ（Imhotep, 生没年未詳）によって書かれた医学百科事典エーベル・パピルスには、生物学的な心臓の最初の詳しい記載がみられる[28]。古代エジプトでは、心臓はそれに至る血管とそこから出ていく血管、さらには循環器全体をさしていた。医師たちは、胸部を聴診したり打診することは知らなかったが、すでに脈拍と心臓の関係については知っていたし、心臓がポンプとして機能することも、身体のすみずみまでいきわたる血管についても知っていた[29]。

それから二三〇〇年が経過すると、紀元前三三二年にアレクサンダー大王によってエジプトの都市アレクサンドリアが建設された。ヘレニズム文化の中心地アレクサンドリアで科学は飛躍的な発展を遂げる。医学校では解剖が許可

され、犯罪者は生きているうちに生体解剖された。アレクサンドリアの哲学者兼解剖学者たちは、古来のイムホテップの知識を基盤に、生きた人体にかんする明確な見方を獲得できた(30)。このアレクサンダー大王の家庭教師を務めたのがアリストテレスである。

アリストテレス

アリストテレスは心臓を自然科学の観点でとらえ、三つの部屋——左心室、左心房、右の部屋——からなるとした【図21】(31)。彼にとって心臓は魂が宿るだけではなく、思考する器官である一方で、脳は粘液に満たされた器官にすぎなかった。心臓で行われる血液の温度調節は脳が担ったが、心臓こそが最高器官で、心臓は最初に形成され、臓器および身体の発達の起源なのだった(32)。

【図21】アリストテレス(BC 384-BC 322)

外科医で解剖学者のヘロフィロス(Hērophilos, 紀元前三三五〜二八〇年)は解剖学の父ともいわれ、死体の剖検を行なった最初の一人である。心臓、動脈、静脈は空気で満たされているという考えが根付いていたが、ヘロフィロスは多くの解剖学的新知見を示し、動脈と静脈には血液が流れていることを発見した。ヘロフィロスとともにアレクサンドリア医学の双璧といわれたエラシストラトス(Erashistratos, 紀元前三〇四頃〜紀元前二五〇年頃)は、血液は心臓から身体各部に静脈で運ばれると信じたが、心臓が一種のポンプであることを正しく指摘した。彼はプネウマ(pneuma)と呼ばれる希薄な蒸気が生命活動のもとである考え、ヒトの呼吸する空気は肺と心臓に入って生命霊気となり、動脈で全身に運ばれ、肝臓で自然霊気となり、またその一部は脳に入って動物霊気となり、神経によって全身に運ばれ、運動のもとになるとし、これら霊気の活動の障害が病気であるとした。ヘロフィロスとエラシストラトスは、血管が身体に精気を与えているという点では一致していた。[33]

ガレノス

古代ローマ帝国の医学の状況はエジプトとはずいぶん異なっていた。ギリシア人医師ガレノスは剣闘士つきの外科医として剣闘士の傷ついた身体の治療にあたっていたが、ローマ皇帝つきの医師になって以来、人体内部を観察する機会をほとんど持てなかった【図22】。彼が生きた古代ローマ帝国では死後の世界を慮り、動物の解剖はできても人体解剖は許されなかったからである。[34] ガレノスが人間の身体を理解する際、自分の目で見たものではなく古代から蓄積されてきた医学の知識に影響された。古代の医学では、血液は肝臓で生産され、各器官で消費されると考えられてきたので、ガレノスは肝臓で血液が生産され、静脈が肝臓から始まり、血液は心臓をへて肺に流れ込み、そこで使われると信じていた。ガレノスは心臓で血液の一部が肺に運ばれると正しく理解したが、大部分は小さな穴を通って右心室から左心室に直接流れ込むと誤解していた。そして、肺から出てくる血液は心臓の左側に戻り、肺で集められたプネウマとともに、動脈を通って身体全体に運ばれると考えた。[35] ガレノスは、心臓を炉にたとえ、血液はプネウマとともに心臓の中に運ばれると、吸い込まれ、その中で熱せられ、浄化されると考えた。

【図22】ギリシア人外科医ガレノス（ca. 129-ca.199）

三九五年にローマ帝国は西ローマ帝国とビザンチン帝国に分裂し、西ローマ帝国は皇帝の乱立やゲルマン民族の侵入によって衰退、四七六年に滅亡する。六四〇年頃のアラブ人の攻撃で古代の図書館では最大とされたアレクサンドリア文庫は壊滅した。メソポタミア、エジプト、ギリシア、ローマ文化が継承してきた学問の貴重な蓄積は、アレクサンドリア文庫とともに消滅すると、科学的な知識は数千年単位で後退し、その後長らく停滞する。ガレノスの医学書は古代の知識全般とともにビザンチン帝国やアラビア世界で生きのびたのち、一二世紀にイタリアに持ち込まれてラテン語に翻訳された。こうしてヨーロッパ世界でガレノスの医学書が再発見されると、人体の科学にかんする「先端的な」聖典、絶対的な権威として君臨する。自ら解剖をした経験のあるレオナルド・ダ・ヴィンチ（Leonardo da Vinci, 一四五二〜一五一九年）ですらあえてガレノスの見解に疑念を挟もうとはしなかった。先述のイギリスの解剖学者ウィリアム・ハーヴェイが心臓のポンプ作用と噴出を解剖学的に明らかにするまでの約一五〇〇年間、ガレノスの見解は覆されなかったのである。[36]

失われた医学の知識――アラビア医学を経てふたたびヨーロッパへ
★心臓の部屋とかたち（1）――古代

古代における心臓のとらえ方はじつに多様である。アリストテレスは『動物誌』において、心臓には三つの空洞があり、右側のものが一番大きく左に行くごとに小さくなると述べた。紀元前四世紀ヒポクラテス学派では、心臓はピラミッド型で二つの空洞があり、右側がかなり大きいものだった。二世紀のペルガモンとアレクサンドリアで学んだガレノスは、古代医学の知識をまとめ、心臓は円錐形（松かさ型）であるとした【図23】[37]。

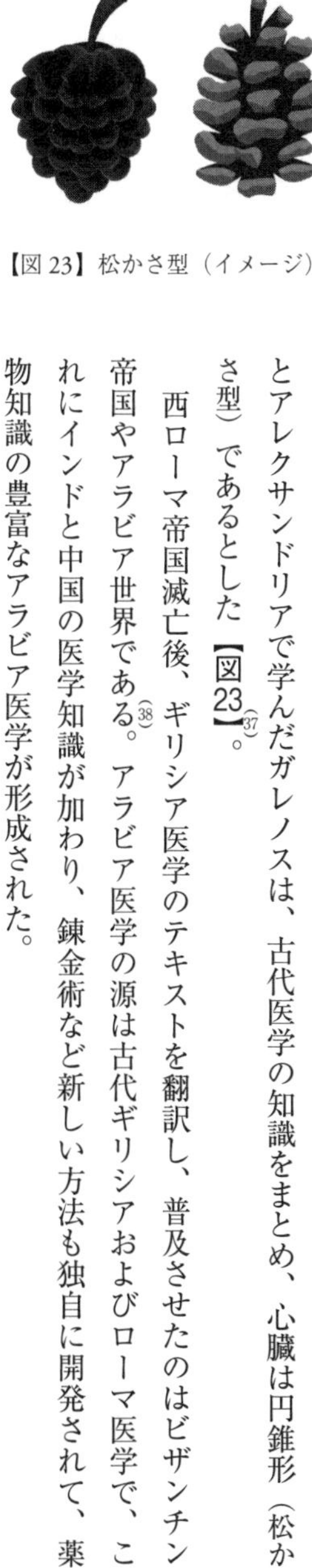
【図23】松かさ型（イメージ）

西ローマ帝国滅亡後、ギリシア医学のテキストを翻訳し、普及させたのはビザンチン帝国やアラビア世界である。[38] アラビア医学の源は古代ギリシアおよびローマ医学で、これにインドと中国の医学知識が加わり、錬金術など新しい方法も独自に開発されて、薬物知識の豊富なアラビア医学が形成された。

ハマダンの宮廷内科医で哲学者のペルシア人イブン・シーナー（ラテン名：アビセンナ、Avicenna, 九八〇～一〇三七年）は、[39]一一世紀頃にヒポクラテス、ガレノスの医学を集大成した『医学典範』（*Canon of Medicine*）を著し、中世ヨーロッパ医学に最も大きな影響を与えた。『医学典範』は一二世紀にラテン語に翻訳されると、ガレノスの学説とともに中世西洋医学の基礎になり、ガレノスの学説は一七世紀に至るまで教育や研究の基礎であり続けた。

『医学典範』には、心臓は円錐形（松かさ型）で、心室が三つあり、二つの大きい心室の間に三つ目が位置している。また心臓には二つの小さな耳がついており、二つの通路が特定でき、そこから血液と空気が心臓に入る。心臓はわずかに左に傾いているとある。イブン・シーナー以前の偉大な医学者・哲学者・錬金術師に、一〇世紀に活躍したアル・ラージー（ラテン名：ラーゼス、Rhazes, 八六五～九二三／九三二年頃）とアル・マジューシー（ラテン名：ハリー・アッバース、Haly Abbas, ?～九九四年）がおり、彼らはともに、心臓は逆さまにした松かさ型をしており、心室が二つであるとした。アル・ラージーの『医学総覧』（*The Comprehensive Book*）にはギリシア、シリア、アラビア、インドの医学知識が網羅され、ラージー自身の臨床経験も述べられている。アル・マジューシーの主著『王の書』は当時の医学を体系化した、イブン・シーナー以前における最も権威ある医学書で、のちにラテン語に訳された。

トマス・アクィナスの師でドイツのスコラ学者・神学者・自然科学者で「普遍博士」と呼ばれた、ドミニコ会修道士アルベルトゥス・マグヌス（Albertus Magnus, 一一九三頃～一二八〇年）は、アラビア語からラテン語に翻訳されたアリストテレスとイブン・シーナーの学説から医学の知識を得て、心臓は松かさ型をした円錐形であるとする古代からの学説を継承した。[40]

サレルノ医学校とコンスタンチヌス・アフリカヌス

一一世紀末にイタリアのサレルノ医学校が興隆したことが、アラビア医学と西欧キリスト教医学との結合の道を開く。アラビア語に翻訳されていた古代ギリシア医学の文献が、ようやく再びラテン語に訳され、中世ヨーロッパに伝えられた。中世アラビア医学と中世ヨーロッパ医学を架橋したひとりが、医師コンスタンチヌス・アフリカヌス（Constantinus Africanus, 一〇一五／一〇二〇頃～一〇八七年）である。北アフリカのカルタゴに生まれたコンスタンチヌスは、アラビア医学の重要文献を初めてラテン語に訳した。バビロニア、インド、エチオピア、エジプト各地を三〇～四〇年間放浪し、東洋語にもアラビアの文献にも詳しかった。アフリカヌスは、カイルアンで、イブン・シーナーと並んで名高いアル・ラージー、エジプト出身のユダヤ人イスハーク・アル・イスライーリーらの著作を知ったとされ[41]、魔術師として追われる身でサレルノに行き、サレルノ医学校で講義もした。モンテカッシーノのベネディクト会修道院の修道士になると、一〇七〇年以降はギリシアとアラビアの医学書のラテン語訳に専念し、アラビア語からヒポクラテス文献やガレノスの医術論を中世ヨーロッパに紹介した。こうして、中世ヨーロッパの医学は、アラビア世界をへて一二世紀に逆移入されたギリシア・ローマ医学を継承し発展、近代医学の礎になったのである[42]。

施療施設としてのベネディクト修道院

人体解剖の挿絵が入った中世の写本が修道院に残されていることがある。それは当時の修道院が施療施設の役割を担い、礼拝が治癒を祈る患者にとって治療行為の一環であったからだ。罹患した患者を受け入れ、薬草の投与や壊疽した部分の切断などの外科手術も行う修道院は、中世医学の現場のひとつであった[43]。たとえば、ドイツのバイエルン州にあるプリューフェニング修道院は一一五三年制作の、また同じくバイエルン州にあるシャイエルン修道院は一二五〇年制作の人体解剖図入りの写本を有している。この二つはともに、先にあげたコンスタンチヌス・アフリカヌスが属した修道院同様、ベネディクト修道会である。中世以来、ベネディクト修道会は学術・美術・教育に大きな業績を残し、写本制作によるギリシア、ローマの古典の保存に努めた。その中には医学の知識も含まれる。六世紀に成立した「聖ベネディクトの戒律」は病人の世話を最優先としており[44]、その戒律に沿って修道士の実践した教育と医療は、のちに学校、病院、福祉施設へと発展した[45]。

★心臓の部屋とかたち（2）松かさ型やヘーゼルナッツ型の心臓——中世

中世には大判用紙に描かれた解剖学的な人体の図解書が現れる。人体は大抵中腰の姿勢をしている。五枚一組の大判用紙で構成され、ガレノスの学説に倣い、それぞれに静脈、動脈、骨、神経、筋肉の体系を単純に表す人体が描かれていたので医学史的には「五図解シリーズ（five-figure series）」と呼ばれる[46]。ガレノスの学説と同様、こうした図解書のスケッチは、実際の人体解剖や観察に基づいたものではなかった[47]。死体を不浄とみなす古代以来の見方や、宗教上の人体解剖の禁止が、医学の、特に解剖学の発展を妨げたからである。

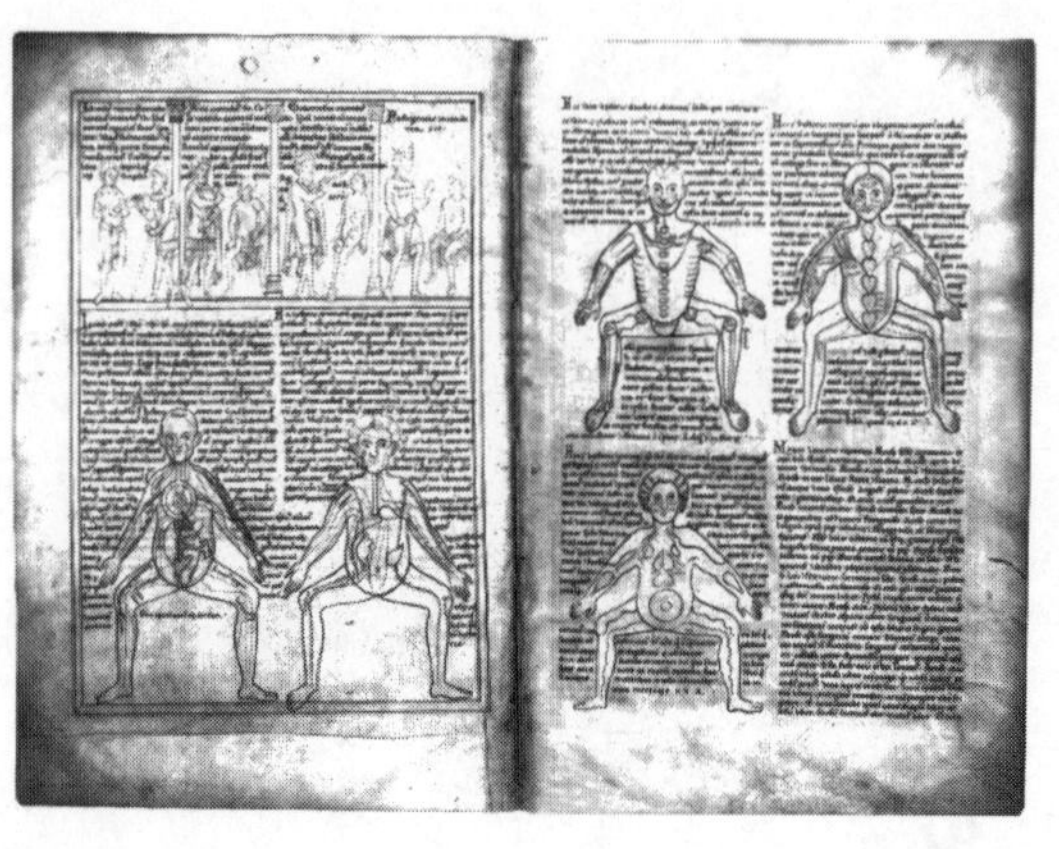

【図 24-25】『プリューフェニング写本』「五図解シリーズ」1158年、バイエルン州立図書館蔵（ミュンヘン）（Clm 13002, ff. 2v-3r. 1165）。

西洋で最も早い時期のものとして知られている解剖学的な人体イメージは、ザーロモ三世（Salomo III. von Konstanz, 八六〇頃〜九一九／九二〇年）[48]の作とされる『ソロモン辞典』（*Glossarium Salomonis*）の写本の前におかれた序文に示されており、一一五八年にバイエルン州にあるベネディクト会プリューフェニング修道院で編纂された『プリューフェニング写本』に見ることができる【図24、25】。解剖学的図解の周囲にラテン語による解説が書かれている。一二九八年頃にイギリスで作られた七三枚のベラム（上質皮紙）からなる医学概説書の『アシュモール写本』三九九もまったく同じ構成で、臓器に彩色が施されている【図26】[49]。発見された写本の中で最も新しい『ラウドニッツ写本』は、一三九九年にボヘミア王国で作られた。医学史家で自身も医師であったカール・ズードホフ（Karl Sudhoff, 一八五三〜一九三八年）が確認したところによると、『ラウドニッツ写本』も同様の構成、彩色、ラテン語による解説が記されており、血液の循環が赤色、プネウマ循環が青色で示されている【図27】[50]。

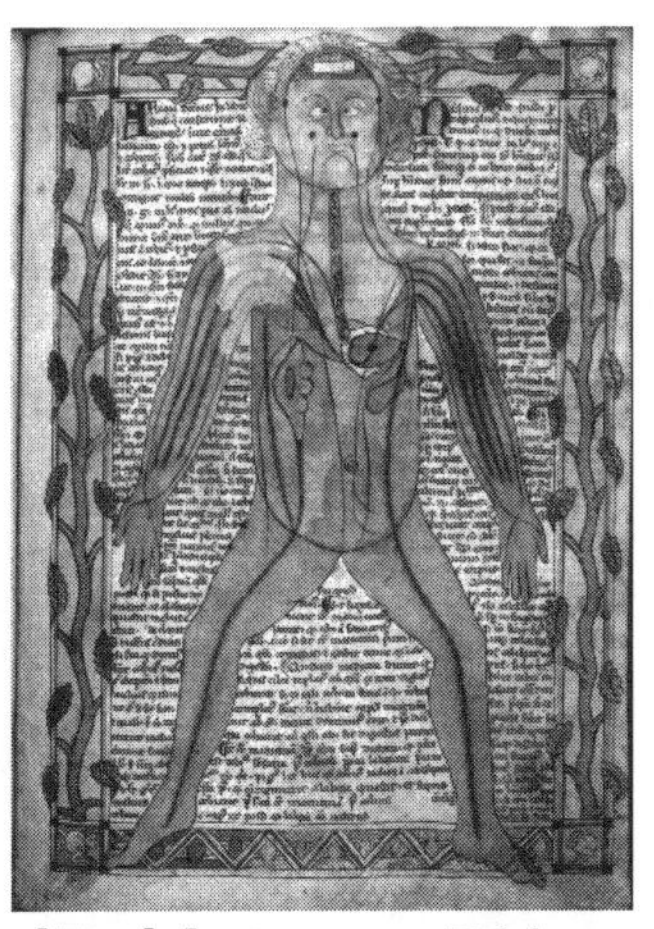

【図 26】『アシュモール写本』399、動脈図、Folio 19r。1298 年頃、ボドリアン図書館所蔵。

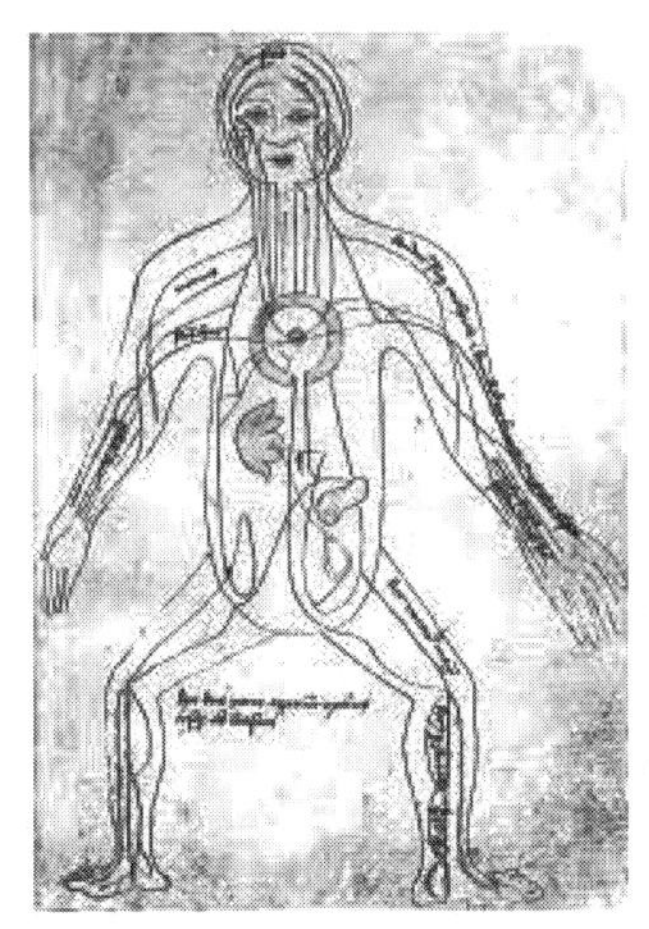

【図 27】『ラウドニッツ写本』動脈図、1399 年。血液循環が赤色、プネウマ循環が青色で示されている。

こうした五図解シリーズでは心臓は円錐形の松かさ型や、心臓—肺、気管—心臓—肺をひとまとまり——ヴィンケンの表現を借りるとヘーゼルナッツ型——に描かれている。ライプツィヒのメルヒオール・ロッターが出版したヨハネス・パイリクの『自然哲学概論』（*Philospoie naturalis Compendium*, 一四九九年）のトルソーが示す心臓は、三本の筋が入ったピラミッド型で肺と一緒に描かれている【図28】。その後ライプツィヒのヴォルフガング・シュ

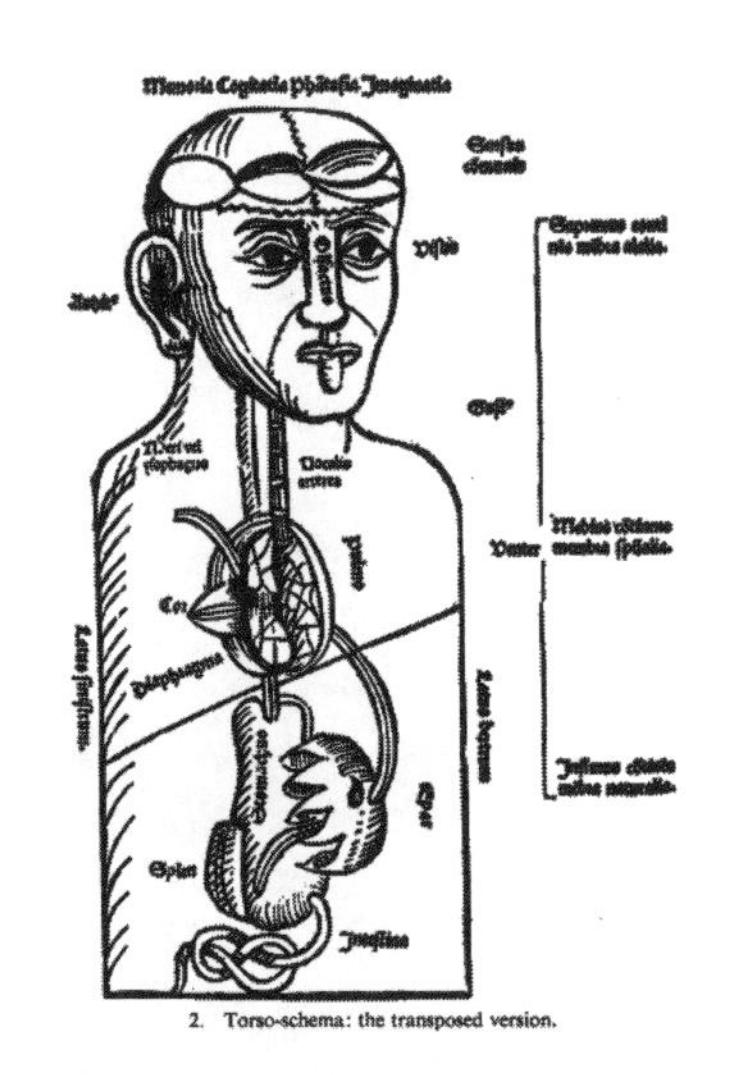
Cor
2. Torso-schema: the transposed version.

【図 28】ヨハネス・パイリク著『自然哲学概論』(1499)、トルソーが示すピラミッド型の心臓とその拡大図。心臓の横にラテン語 “Cor” の記載がある。

トッケルが「身体の章（Physical Capter）」を『自然哲学概論』から単独で出版し、一五〇〇～一五一〇年代にかけて版を重ねた。[51] は「身体の章」と一五〇一年に出版しているマグヌス・フントの『アントロポロギウム（*Antropologium*, 一五一〇）』においても、メルヒオール・ロッターが出版した『自然哲学概論』と同一の解剖図を用い、『アントロポロギウム』のトルソーと一五一八年版の「身体の章」のトルソーはほぼ一致している【図29、30】。『アントロポロギウム』の心臓は巨大な肺に覆われ、心臓には上にくぼみがあり、「身体の章」の心臓は松かさ型だ。心臓単独の図解は、両方とも真ん中に三本の筋が走り、溝を作ったようなハート形をしている。このように、ピラミッド型、松かさ型（円錐形）の伝統的な心臓表象は古代から継承され、一六世紀初頭までヨーロッパ中で描かれた。[52] これに他の臓器と心臓が一緒に記されたヘーゼルナッツ型、そして上部にくぼみがはっきり確認できるハート形が混在する。心臓の表象は不統一だったのだ。

　中世の伝統的な幾何学的、あるいは記号化した型どおりの図式による内臓の視覚的表現は、実際の臓器の正確な描写を目的にしてはいなかった。一五一〇年のパイリクによる「身体の章」と、一五一三年のダ・ヴィンチによるスケッチ「牡牛の心臓」を見比べてみればよい。パイリクの解剖図解を、一八六〇年の解剖学図解史にかんする報告

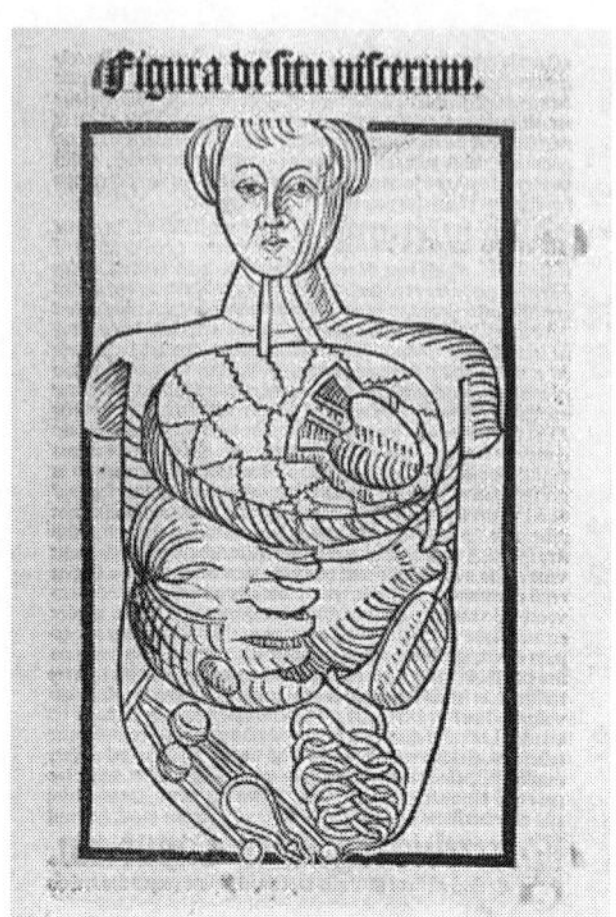

【図29】マグヌス・フント著、解剖書『アントロポロギウム』（1501）のトルソーが示す心臓。

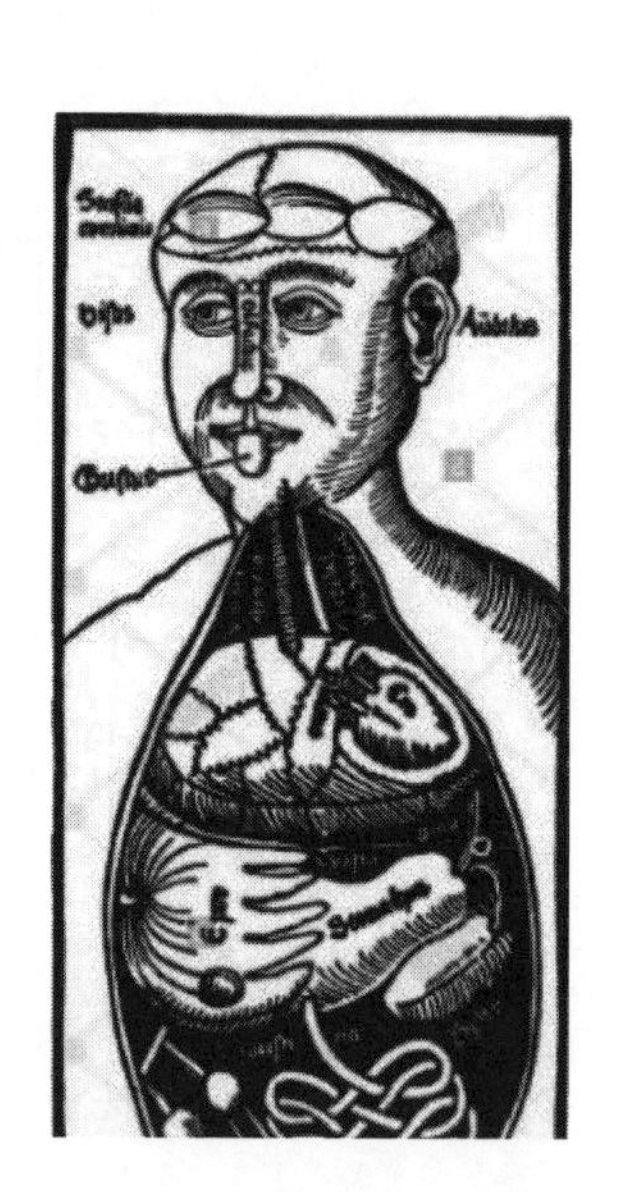
【図30】ヨハネス・パイリク著 Compendiosa declaratio, 木版画（1516）のトルソーが示す内臓の配置、心臓の拡大図。

は、「非常に珍しいが実りのない著作」で「解剖学を重視した図解は愕然とするほどできが悪い」と酷評し、パイリクの「身体の章」の出版状況を分析したウィリアム・レ・ファニュも「原始的な解剖学」[53]と呼んだ。ダ・ヴィンチのスケッチが高く評価される一方で、パイリクの解剖図は現代の見地からリアルな描写でないことを理由に批判されたわけだが、しかし、それは間違いである。実際に内臓を見たことがなかった中世の学者、解剖学者、写本の彩飾者たちにとって、[54]内蔵の体内での構成、位置関係、生理学的機能の幾何学的記号としての内臓表現こそが手本のすべてだった。彼らは古代医学から継承された知識と、ガレノスによって大成された人体構造の体系を一〇〇〇年以上にわたり真実とし、解剖図をそのまま再現することに忠実であったし、実際の内臓をそのように認識したのである。五図解シリーズは、そうした中世の解剖学の実態を示すとともに、その状況下で彼らが医学の知識を修得、特に身体の五つの体系、静脈、動脈、骨、神経、筋肉の体系と内臓のイメージを獲得するために重要な役割を果たしたのである。

五図解シリーズの典拠となった、ガレノスの『解剖史（*Historia incisionis*）』の冒頭にはこうある。「静脈、骨、筋肉、神経、これらをそのままに描写し、それぞれを単独に切り離す。観察者が予期しない過ちを犯さずに、目で見える真なる本質を理解するためである。したがって、第一の描写説明は、動脈、第二に静脈、第三に骨の位置、第四に神経、第五に筋肉、第六に生殖器、第七に胃、肝臓、腹部、第八に子宮、第九に脳と眼である。[55]」

解剖により可視化されたリアリティ

一一世紀後半になると、コンスタンチヌス・アフリカヌスが医学書をアラビア語から翻訳し戻し、サレルノの医学校では豚を用いて解剖の方法を指導していた。人間の体内に猿よりも豚の体内のほうが似ていると考えられていたからである。中世の学者にとってギリシア医学から受け継いだ知識を正しいものとして確認する作業こそが医学であり、修正するものではなかった。特にガレノスの権威を疑問視するのはタブーであった。[56]

ローマ教皇ボニファティウス八世（Bonifatius VIII., 一二三五頃〜一三〇三年）は、一二九九年の大勅書『デ・スプルトゥーリス』で、一二、一三世紀に普及した遺体の解体作業の実施を禁止した。十字軍遠征のさい、異郷で死去した場合は少なくとも遺骨を故郷で埋葬できるようにするために、遺体が煮沸され、内臓と筋肉から骨が取り分けられていた。ボニファティウスはこの行為に対し破門による制裁を科した。それが神聖を汚し、忌まわしく、故人に対して不誠実で残忍であるためである。[57] 禁令にもかかわらず、依然として遺体にたいしてこの措置がとられ、一三世紀以降に大学の医学部で広がりはじめた検死目的の解剖も、この禁令の影響下にあった。[58]

一三〇二年にボローニャで法的・医学的な理由で検死解剖が行われた。その後、一三一五年、フランスでは解剖医・外科医のアンリ・ド・モンドヴィル（Henri de Mondeville, 一二六〇〜一三二〇年）によりモンペリエ大学で非公認に、同年イタリアではモンディーノ・デ・ルッツィ（Mondino de' Liuzzi, 一二七五〜一三二六年）によりボローニャ大学で行われた。彼は人体についての既存の知識と解剖の方法を学生に教えるために犯罪者の死体を引き取り解剖を行い、中世最初の解剖学書である『解剖学』（一三一六年）を出版した。『解剖学』にはアリストテレス、ガレノス、アラビア医学、サレルノで明らかになった知識が盛り込まれた。解剖の目的は古来の文献の正しさを証明し、古来の解剖方法を再現することにあった。犯罪者の死体を用いて定期的に人体解剖を行ったルッツィでさえ、アリストテレスにならい、心臓の房室は三つであると考えていた。フランスでは死体解剖は一三四〇年から合法化される。一五世紀になると教会の態度にも変化が表れ、教皇シクトゥス四世（Sixtus IV., 一四〇四〜一四八四年）とクレメンス七世（Clemens VII., 1478-1534）は医学を支援し、検死解剖も推奨した。一四〇〇年初頭にはボローニャ、パドヴァ、フィレンツェの大学で解剖が認められた。[59] 科学が復活しつ

【図31】アンドレアス・ヴェサリウス（Andreas Vesalius, 1514-1564）。

【図33】『アシュモール写本』399、「罹病した貴婦人の医学雑録」の4番目にある「女性の死体の解剖」（上）、ヘーゼルナッツ型の心臓の拡大図（下）。肺が心臓を包み込む様式化された「肺－心臓」のイメージ。

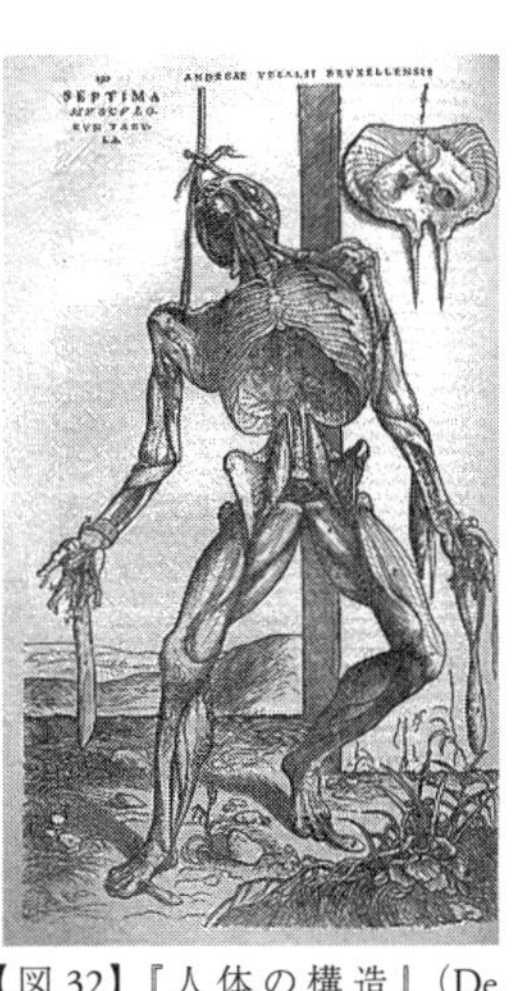

【図32】『人体の構造』（De Humani Corporis Fabrica, 1543）に描かれた解剖図。

つあったパドヴァ大学の解剖医として医学解剖を行ったアンドレアス・ヴェサリウス（Andreas Vesalius, 一五一四～一五六四年）【図31】が『人体の構造（*De Humani Corporis Fabrica*）』を出版したのは一五四三年のことである【図32】。

ヴェサリウスは、動物解剖とガレノスの文献解読によって人体構造を類推する旧式の医学とルッツィの伝統的な解剖学に満足せず、正確な知識を得ようと多数の死体を解剖した。彼は学生とともに死体安置所、墓地、絞首台、納骨堂をまわって死体を収集し、解剖したという[60]。すでに一三世紀末に制作された『アシュモール写本』三九九（一二九八年頃）にも、刀と肝臓を手にした人物が女性死体の解剖を内科医に阻止されている場面が描かれている。死体の腹腔が開かれ、周りにある肺や心臓は、死体に比べて大きく描かれている【図33】。

ヴェサリウスは画家に目で見たとおりに身体を素描させ、『人体の構造』に新たな人体を示した。『アシュモール写本』三九九のような従来の図式化された図解とは異なる、「エコルシェ（剝皮人体）」と呼ばれる解剖人体図である[61]。身体のリアリティは素描によって可視化され、素描を通して解剖学が発展を遂げる。

ヴェサリウスは『人体の構造』で、血液が肝臓で生産されると考えたガレノスの学説を疑った。そして一六二八年、パドヴァで教育を受けたウィリアム・ハーヴェイが『心臓の動きと血液の流れ』において、ついに血液が肺で活性化されて何度も使い回され体内を循環するという血管循環説を唱えたのである。[62]

心臓の中の謎めいた（黒）点——血液とプネウマの循環

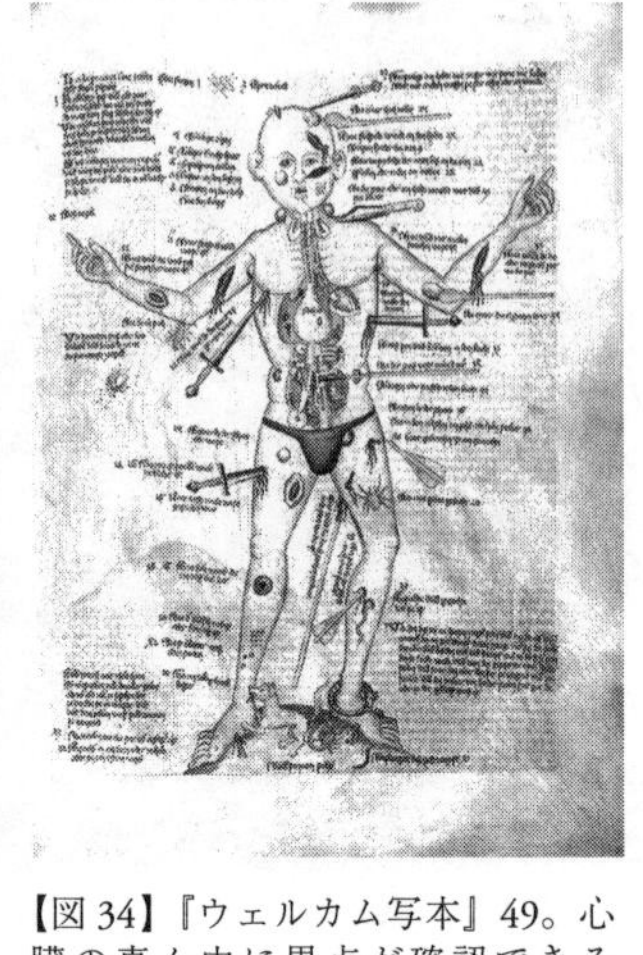
【図34】『ウェルカム写本』49。心臓の真ん中に黒点が確認できる（Folio 35v, c. 1420）。

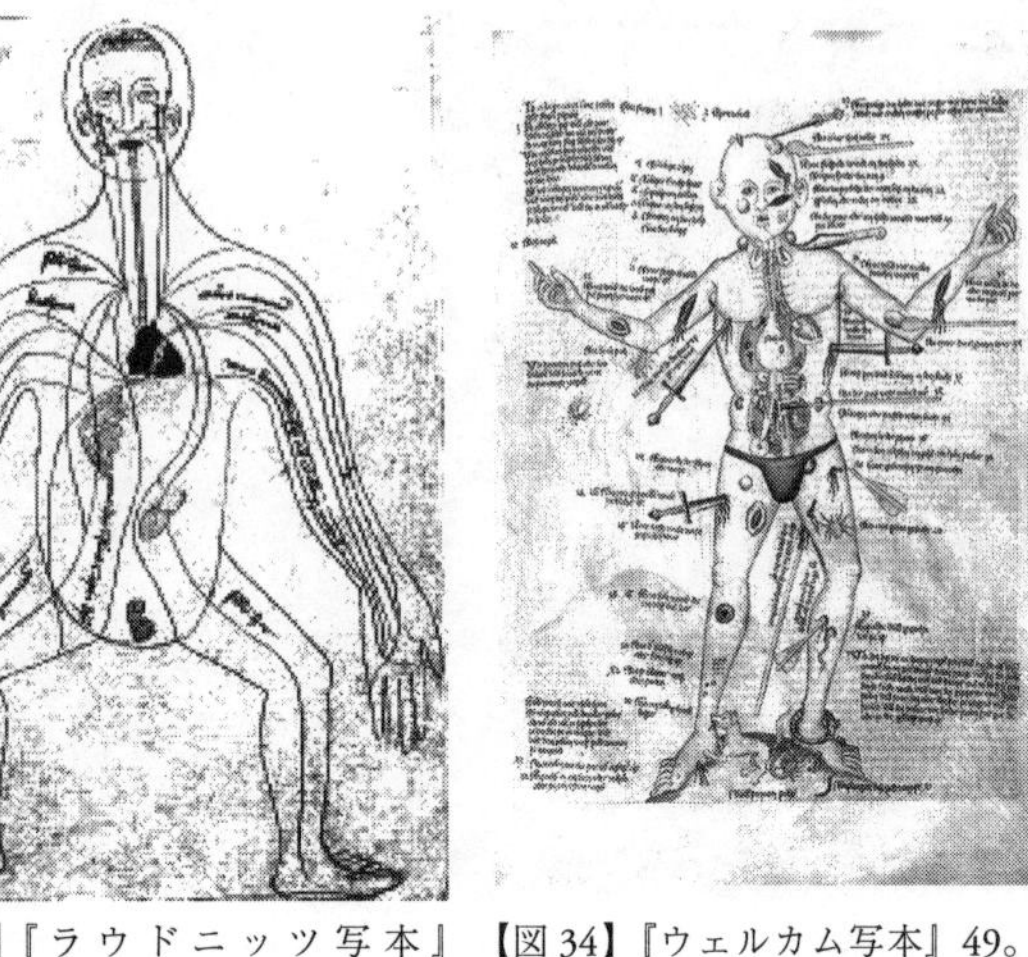
【図35】『ラウドニッツ写本』（1339）。心臓の真ん中に、黒い四角形をもつ。

解剖学における心臓の視覚表象には、心臓の中央部分に黒点がみられる場合がある。この黒点はイギリスで製作された『アシュモール写本』三九九（一二九八年頃）や、ドイツで制作された『ウェルカム写本』四九（Folio 35v, 一四二〇年頃）【図34】などの五図解シリーズにみられる。これは新約聖書にある、心臓に宿って育つ神の御ことばのたとえ「からし種」（マルコ四：三〇—三二）であるとする見方もある一方、古典・中世の解剖学者たちが記述した心臓の骨（os cordis）を表すという説もあるが、ヴェサリウスが人間の心臓の中にはこうした点がないことを明らかにした。解剖に使われた動物の心臓にもそれらしきものは見つかっていない。写本の彩飾者たちは、心臓の骨についての古来の曖昧な記述を、心臓の中心部の黒点を描くことでくり返し視覚化したのだろうか。しかし、権威的な古典的典拠であるアリストテレスやガレノスの記述では、心臓の骨は器官の基部にあるとされ、心臓の中心に心臓の骨を位置づけるのは根拠に乏しい。

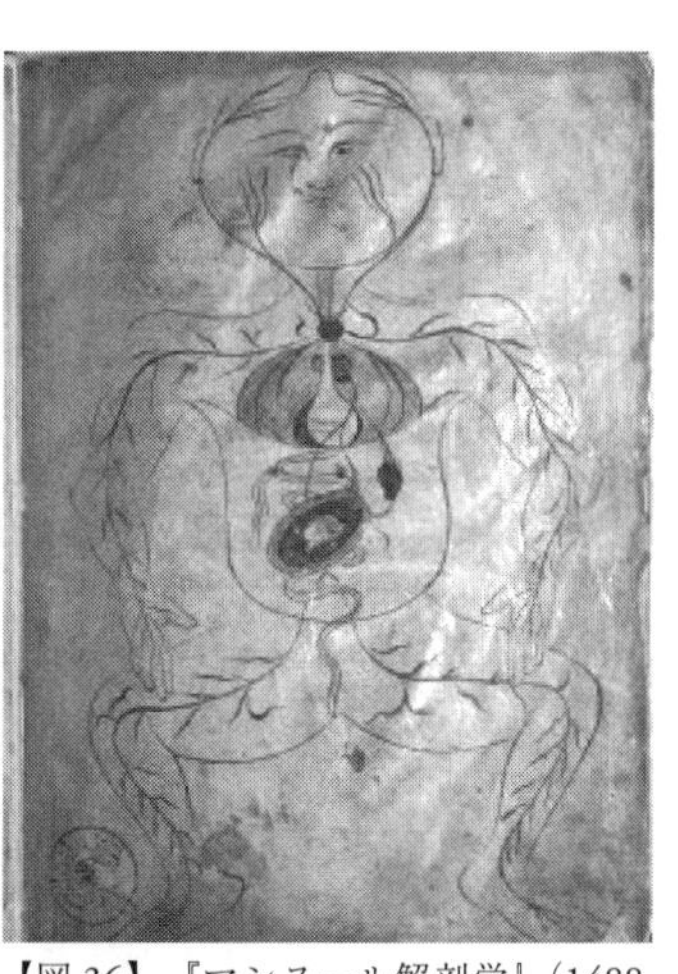

【図 36】『マンスール解剖学』（1488年）心耳をもつ心臓が赤黒く彩色され、その中心は白い。

【図 37】中国の古代文字、「心」。（西周時代 BC 1050-BC 770）の金文

【図 38】中国の明時代の古文字。「心」（1368-1644）。

ヴィンケンは『ラウドニッツ写本』（一三九九年）の五図解シリーズの記述にこの根拠を求めている。『ラウドニッツ写本』の血液循環を示す図解には、点ではなく黒い四角形をもつ心臓が描かれている【図35】。ラテン語のテキストには、この黒い四角形は、「心臓の中にある、心臓の本質たるプネウマを宿した黒い粒（higrum granum quod est intus in corde）」とある。

『ラウドニッツ写本』では、プネウマは心臓の中に黒い粒として図式化され、体内に運ばれるプネウマ、つまり「プネウマ循環」は青色で彩色されている。[63] 先にあげた『ウェルカム写本』にも同様の心臓の中の黒い粒からプネウマが体内を循環する様子が青色で示されている。

古代地中海の医学――アレクサンドリアの医学、ギリシア医学、ローマ医学――を受け継いだイスラム医学では、ペルシア人の解剖学者で内科医のマンスール・イブン・イリヤース（Mansur ibn Ilyas, 一三八〇～一四二二年）が一四世紀末に人体解剖の挿絵が入った解剖学書を書いている。[64] 解剖学書は『マンスール解剖学』（*Mansur's Anatomy*）と呼ばれ、マンスールはプネウマについても論じている。[65] 一四八八年の『マンスール写本』では、心耳をもつ心臓が赤黒く彩色され、その中心は白い【図36】。日本語で漢字の「心」が心臓の形象文字であることはすでに述べた。「心」の古代文字は中国の金文や篆文で【図37】[66]、金文や明時代の古文字にも中央に黒点が打たれている【図38】。

★心臓の部屋とかたち（3）解剖学における心臓
――ヨハネス・パイリクとレオナルド・ダ・ヴィンチ

ライプツィヒ大学の法学者・哲学者のヨハネス・パイリク（Johannes Peyligk, 一四七四～一五二二年）は、アリストテレスの医学書の概説として『自然哲学概論』（Philosophiae Naturalis Compendium）を一四九九年にライプツィヒで出版した。最終章にあたる「身体の章」には上半身の解剖図をはじめ、各臓器の挿絵が一一ある。印刷本のために特別に木版で製作されたものとしては、最初の解剖図解シリーズである。[67]

ヤングの指摘どおり、解剖図解は人体の中に何がどこにあるのかを図式的に示すのが目的であり、長い年月の間にくりかえし写し取られた末に完成したものでありながら、内容を吟味して新しい知識や修正が加わることはなかった。[68]パイリクの図解もきわめて型どおりの図式的な解剖図解で、二次元の平面上に記号化された臓器が配置され、臓器の名称がラテン語で併記されている。人体の上半身の解剖図解は、脳と胸部と腹部の三つの腔で構成されている。心臓は体内の中心に位置し、五葉の肝臓が胃を包みこみ、脾臓とバランスをとっている。緩やかに絡まった腸が申し訳程度に記されている。伝統的な表象として完全に様式化された内臓、心臓―肺、肝臓―胃―脾臓は、一見してそれと判別できない。

パイリクは心臓についてこう述べている。「生命の源である心臓は、翼の形状をした肺によって隠されている。それは肺から出る空気によって冷やされるためであろう。心臓で生み出された熱と精気も調節されているのだろう。心臓の位置と場所は明確だ。中心、つまり身体の前後左右の真ん中である。心臓の先端部分は左に向かって下がっている。それにより心臓の熱で左部位の冷たさが和らぐのだろう。心臓の形は平らで、松かさ型もしくはピラミッド型をしているため、いわゆる西洋梨のように先端に向かってすぼまっていく楕円形である。自然の心臓が円錐形になるのは、おそらくより強靭になるためであろう。」[69]

パイリクのテキストはラテン語で書かれ、純粋にスコラ哲学的で、トマス・アクィナスをはじめとする中世の注釈者たちの注釈を基盤にしていたが熱狂的に受容され、特に「身体の章」は単独で版を重ねていった。

レオナルド・ダ・ヴィンチ

ルネサンス期の芸術家のほとんどは、細密な身体描写の訓練に解剖が有益だと考えていた。ダ・ヴィンチもそのひとりであり、人間や動物の身体を徹底的にスケッチした。ガレノスの教えに強い影響を受けてはいたが、ダ・ヴィンチは動物の心臓と血管を解剖し、初めて四つの心臓の部屋を正確にとらえ、一五一三年以降にはバチカンの病院で働きながら牡牛の心臓の弁やその近くの血管の解剖を行い、詳細に描写した。ダ・ヴィンチの科学的功績は、克明に観察された全人体の解剖記録である。[70]

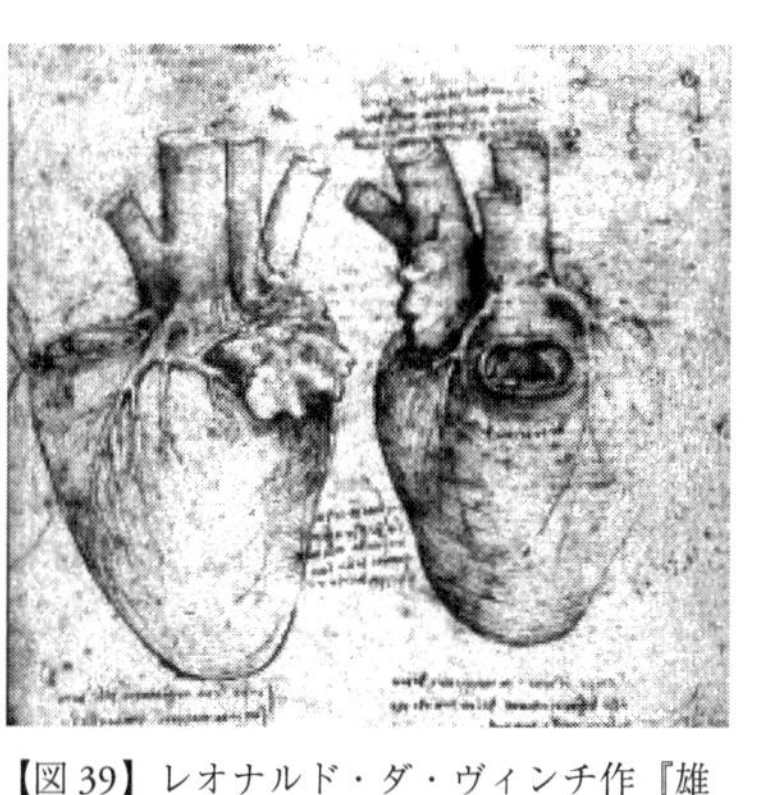
【図39】レオナルド・ダ・ヴィンチ作『雄牛の心臓』、1513年、英国王室所蔵。

解剖学の精巧な表現はルネサンス期の芸術家たちによる身体描写の訓練とともに始まったと言ってよい。彼らは細かな身体描写の訓練に解剖が有益だと考えていたからだ。[71] そのなかでもレオナルド・ダ・ヴィンチのスケッチは優れている。ヨハネス・パイリクの人体解剖図解「身体の章」がドイツで重版されたのが一五一〇年代、イタリアでダ・ヴィンチが「牡牛の心臓」をスケッチしたのが一五一三年。つまり、ドイツとイタリアでは記号化された心臓と細密描写された心臓が同時に存在したわけだが、その違いは歴然としており、ダ・ヴィンチのスケッチした牡牛の心臓はまるで苺のような円錐形（松かさ型）で、そこから太い血管の束が突き出ている【図39】。雄牛の心臓

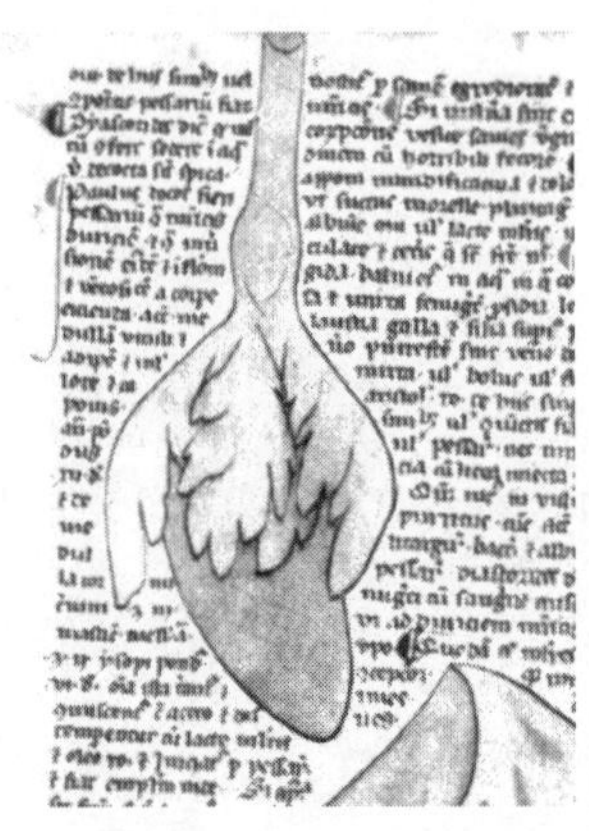

【図41】『アシュモール写本』399、「主要臓器」（左上）の拡大図。、ヘーゼルナッツ型の心臓―肺。

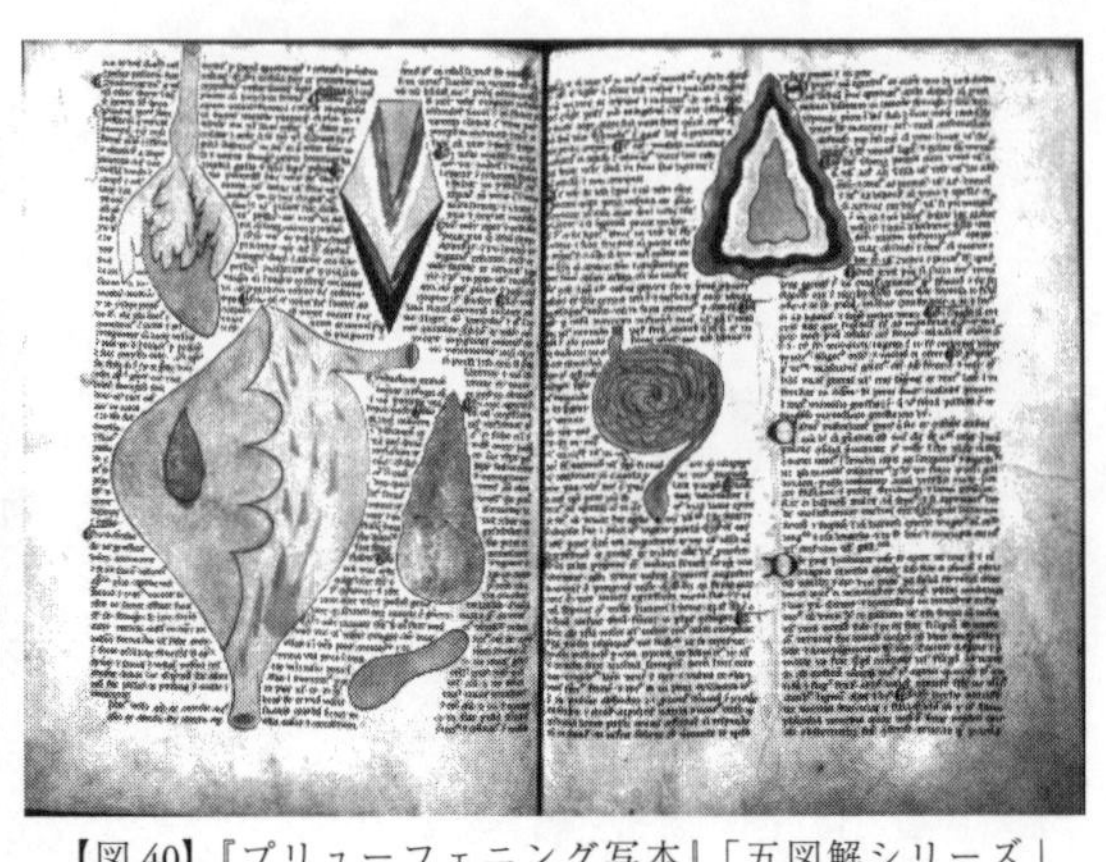

【図40】『プリューフェニング写本』「五図解シリーズ」1158年、バイエルン州立図書館蔵（ミュンヘン）（Clm 13002, ff. 2v-3r. 1165）。

をスケッチした一五一三年以降も、ダ・ヴィンチはミケランジェロ同様バチカンの病院で心臓の弁や心臓の血管の解剖を行い、観察し、スケッチすることができた。一九世紀後半になるまで、心臓の弁がダ・ヴィンチのスケッチ以上精密に描かれることはなかった。[72]

解剖図解における心臓

心臓―肺

肺が心臓を包みこむ様式化された肺―心臓の表象は、一三世紀末の写本ですでに確認できる。たとえば『アシュモール写本』三九九（一二九八年頃）にある四連作「罹病した貴婦人の医学雑録」の四番目にある「女性の死体の解剖」[73]や五図解シリーズの「動脈図」や「内臓図」である。【図40、41】。「心臓は肺に包まれており、肺により衝撃を緩和されている」というヒポクラテスの言葉が中世に誤解されて肺の機能が軽視されたことに加え、学者、医者、写本の装飾者が実際に内臓を見る機会がなかったことが、肺で心臓を包み込む表象の成立した理由であろう。肺はそのために実際には心臓の何倍もあるにもかかわらず、他の臓器と同様きわめて不正確に表現された。[74]

気管—心臓あるいは気管—心臓—肺

『アシュモール写本』の動脈図等にみられる気管—肺—心臓の表象は、すでに生贄の動物の臓器から神託を読み取る古代の宗教的儀式で用いられていた。紀元前五世紀、古代エトルリアの銅製の鏡には気管—肺—心臓が描かれている【図42】。エトルリアやローマには犠牲獣の内臓で神意を占う腸卜師・祭司であるハルスペクス（Haruspex）がいた。銅製の鏡には、ハルスペクスであった有翼の預言者カルカスがかがみこんで羊の肝臓を右手にもち、左手で今にも触ろうとしている姿が描かれている。右側にある机の上には一体化した気管—肺—心臓が置かれている。(75)

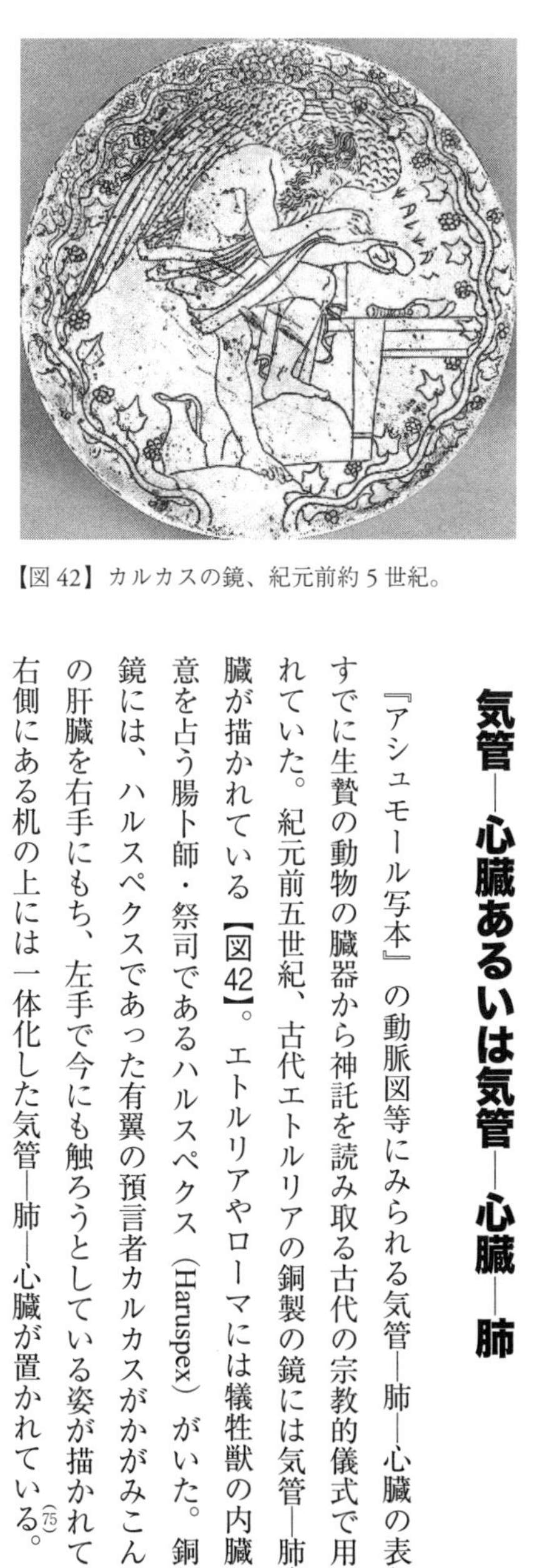

【図 42】カルカスの鏡、紀元前約 5 世紀。

気管—肺—心臓—肝臓

さらに、キリスト教の守護聖人像の持物に気管—肺—心臓—肝臓が用いられた例がある。一六世紀初頭にティベリオ・ディ・アッシジ（ティヴェリオ・ダッスィスィ、Tiberio d'Assisi, 一四七〇頃〜一五二四年）により描かれたフレスコ画では、聖アンサヌス（St. Ansanus, 三〇三年没）が気管—肺—心臓—肝臓を右手に持っている【図43】(76)。聖アンサヌスはシエナの最初の守護聖人で、ローマ皇帝ディオクレティアヌス（Diocletian, 二四五〜三一六

【図 43】 聖アンサヌス (303 没)。キリスト教の守護聖人像の持物に気管—肺—心臓—肝臓が用いられた。16 世紀初頭ティヴェリオ・ダッスィスィ (ca.1470-1524) により描かれたフレスコ画。The Barber Institute of Fine Arts 、バーミンガム大学蔵。

年）のキリスト教徒迫害により殉教した。聖アンサヌスは拷問による殉教との関連で胸部の器官をもつことから、胸部疾患に苦しむ人びとの守護聖人でもある。

芸術（美術・文学）（中世〜）
★心臓の部屋とかたち（4）——くぼみのある心臓の出現（一四世紀）

心臓の形は複雑な発展をする。ギリシアの解剖学史は容易にたどれるが、古典時代の作者たちの様々な概念形式の違いは中世に重大な混乱や誤解を招いた。[77] 松かさ型の心臓の表象に混ざって、一四世紀には視覚芸術とともに解剖学書に心臓の上部中央にくぼみのあるものが現れる。一三二〇年頃の作とされるフィレンツェの法学者フランチェスコ・バルベリーノ（Francesco Barberino, 一二六四〜一三四八年）作『愛の神についての報告』（*Documenti d'amore*）は当時広く読まれた教訓詩で、その彩色画には視覚芸術で初めて扇形で上部中央にくぼみがある、いわゆるハート形の原形が確認できる。この本の内表紙には、ハート形の心臓から炎が噴き出ている「燃える心臓」が描かれている【図44】。[78] さらに、彩色画では、愛神アモルが有翼裸体の少年姿で空を舞う馬上から人びとに矢を放っている。アモルのかたわらには薔薇が咲きこぼれ、馬は矢筒と、矢で心臓を射抜かれた人びとの心臓を下げている。この馬の首にかけられた六つほどの心臓が扇形で上部中央にくぼみのある心臓だ【図45、46】。フィレンツェとボローニャで学んだバルベリーノの『愛の神についての報告』の彩色画は、ボローニャの絵画様式に従っている。

【図44】フランチェスコ・バルベリーノの教訓詩『愛の神についての報告』(Documenti d' Amore)』(ca.1320)。燃えるハートが描かれた内表紙。

一四世紀当時の北イタリア、特にボローニャは解剖学の

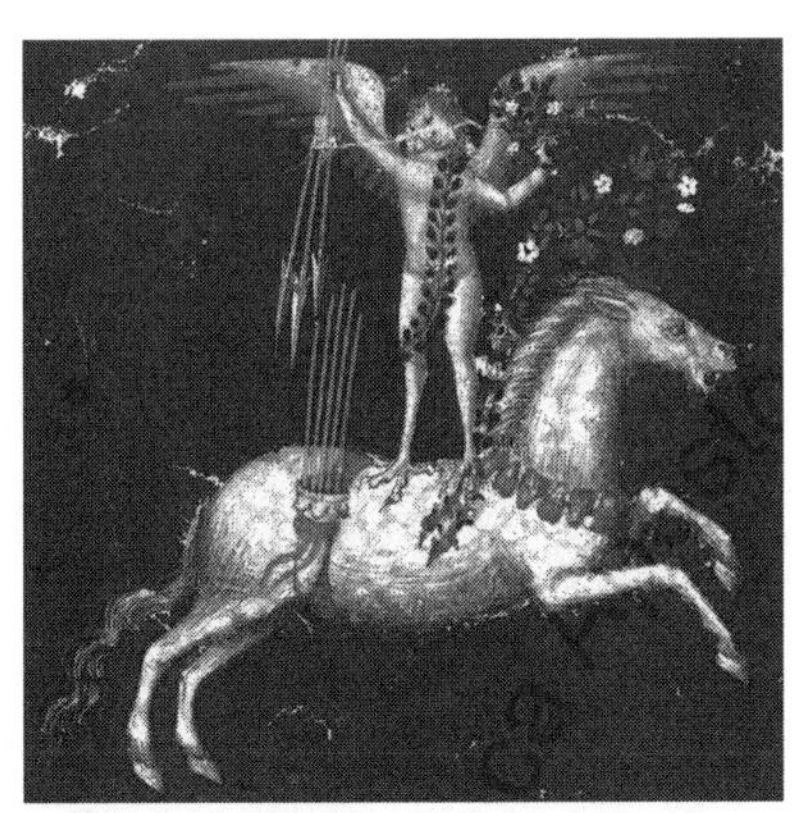

【図46】『愛の神についての報告』(Documenti d' Amore)』(ca.1320) 挿絵、心臓部分(拡大図)。心臓は扇形で中央部分にくぼみがある。

【図45】フランチェスコ・バルベリーノの教訓詩『愛の神についての報告』(Documenti d' Amore)』(ca.1320) 挿絵。

ヨーロッパにおける中心地でもあり、古典医学のテキストが集中的に研究されていた場所でもあった。扇形で上部にくぼみがある心臓表象の起源は、心臓には第三の心室があるというアリストテレスの記述と、心臓の基部表面の真ん中に小さなくぼみがあるというガレノスによる記述のラテン語訳にかんする註釈に求めることができる。[79] つまり、古典医学では他の心室と比べて小さい第三の心室が位置すると考えられた場所――アリストテレスとガレノスの記述はともに不正確で曖昧である――が、心臓の上部中央のくぼみにより視覚化されたというわけである。

『愛の神についての報告』の完成後、扇形の心臓表象は解剖学書にも現れる。解剖学書では北イタリアの外科医グィード・デ・ビジェバノ(Guido da Vigevano, 一二八〇頃〜一三四九年頃)による解剖学書(*Anathomia designata per figuras*, 一三四五年)で初めて【図47】、五図解

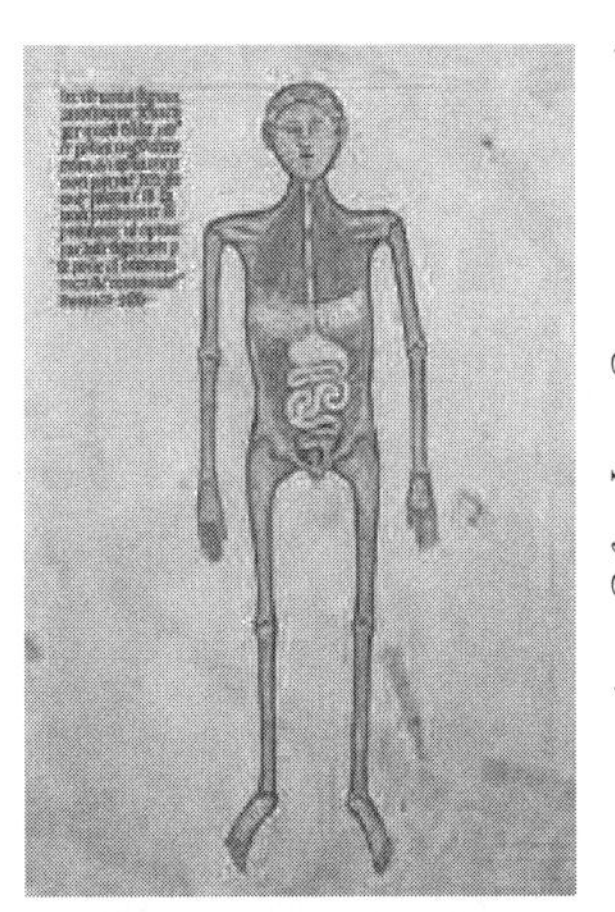

【図47】外科医グィード・デ・ビジェバノによる解剖学書 Anathomia designata per figuras, 1345

シリーズではボヘミア王国の『ラウドニッツ写本』（一三九九年）で初めて見られる。その後も扇形の心臓は、パイリクの『自然哲学概論』（一四九九年）や『身体の章』（一五一〇年）、ドイツ医師マグヌス・フント（Magnus Hundt, co.1449-1519）の解剖書『アントロポロギウム（*Anthropologium*, 一五〇一年）』や、フライブルクのカルトジアン会修道院長で人文主義者のグレゴール・ライシュ（Gregor Reisch, 一四六七頃〜一五二五年）が書いた百科事典『マルガリータ・フィロゾフィカ（*Margarita philosophica*, 1503）』**【図48】**に現れた。

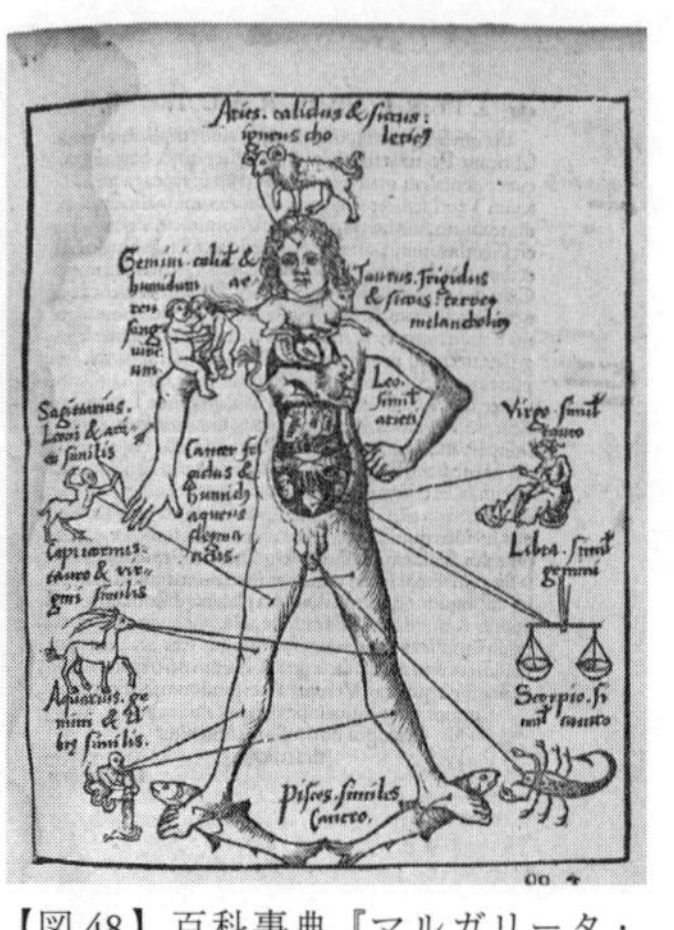

【図48】百科事典『マルガリータ・フィロゾフィカ』（1503）。

フントの解剖書にある心臓の図解はハート形の原形としてわかりやすい。心室が三つに分かれており、心臓上部中央のくぼみによってほかの二つよりも小さな心室が表現されている。

ブルクハルト・フォン・ヴォルムス（九六五頃〜一〇二五年）

ヴォルムス司教ブルクハルト・フォン・ヴォルムス（Burchard von Worms, 九六五頃〜一〇二五年）が編集した『贖罪規定書（*Liber Corrector*）』には民衆の間で広まっていた迷信や魔女の夜間飛行や動物への変身についての記述がある。この書から、教会による初めての魔女教書『司教法令（カノン・エピスコピ）』に多く引用されている。そこには、心臓を切り取り、胸から出して、穴に藁を詰めるという魔術についても報告されている。当時の民衆は呪いや攻撃的な言葉の呪力を信じていたし、また家族や家畜を傷つけられた、病気になった、牛乳や蜂蜜を盗まれたなどといった「他人の財産を盗む魔法」に対する信仰も根強かった(80)。

『贖罪規定書』の第一七〇章には、悪魔が主催するサバトで魔女たちがキリスト教徒を料理して食べる様子が描かれている。

お前は信じていたのか、多くの女たちが悪魔を信仰していると。そしてお前は不穏な夜のしじまにお前の夫がお前の懐で眠っているとき、お前の身体はそこにはありながら、閉じられた扉から外へ抜け出ることができ、似たような過ちで欺かれた他の多くの者とともにその地域一帯をさまよい歩くことができ、洗礼を受け、キリストの血で救済された人びとを目に見える武器も用いずに殺してその肉を食べることができ、彼らの肉が料理されたのちには心臓の代わりに藁や木といった類のものをあてがい、食べられた人びとをふたたび生き返らせ、人生に猶予を与えることができると、悪魔を信仰する女たちが、それを真実であると確信し、信じているように、お前も信じるのか。お前がそれを信じていたなら、今後七年間、四旬節の四〇日間をパンと水で過ごし、贖罪せねばならない。[81]

キリスト教徒たちは料理されて食べられるが、心臓が藁や木といった類で代替されると息を吹き返す。一一世紀にはまだ、民衆にとって魔女は日々の危険が擬人化された存在であり、古代ローマのディアナ信仰やゲルマンの魔女信仰のような異教とキリスト教が併存していた段階では、教会に魔女とその悪行は問題視されなかった。教会は魔女の夜間飛行や動物への変身という民間伝承を、民衆の中の異教的迷信として否定していたにすぎなかったのである。[82]『贖罪規定書』から一五〇年後の一二五〇年頃には、フランシスコ会の説教師ベルトルト・フォン・レーゲンスブルク（Berthold von Regensburg, 一二一〇頃～一二七二年）も「六人の殺人者」という説教の中でこの迷信を信じることを否定している。

心臓が抜かれてその代わりに藁などが入っているというモチーフは、テューリンゲン方伯ヘルマン一世（Hermann I., 一一五五頃～一二一七年）の宮廷で生まれた『トロイの歌』（*Liet von troye*）にも用いられている。『トロイの歌』は詩人ヘルボルト・フォン・フリッツラー（Herbort von Fritzlar）が一三世紀頃に中高ドイツ語で書いた英雄叙事詩で、[83]次の場面ではギリシアの英雄アキレスが恋人との別れを嘆いている。

彼女はわたしの心（臓）（herze）を彼女とともにもっていってしまった
わたしのこの体の中にわたしの心（臓）はない
それがないまま、肉の身体の中にいるだけ
わたしの魂もわたしの感覚も
すべてひとりの女性のものになり
わたしの肉体の中から心臓（herze）がぬけてしまった
心臓があるべきところには一本の糸くずか
あるいは藁くずか藁のたばがあるだけ
わたしは魚のごとく彼女から離れられない（V. 9418-9427）

『トロイの歌』では、アキレスの心臓がその身体から抜け出て、愛する女性のものとなり、その代わりに藁などが入っている。この箇所から、ヘルボルトは、魔女がキリスト教徒の心臓を奪うという宗教的で魔術的なモチーフを、男性の世俗的な愛を表現するために用いていることがわかる。

『梨物語』――差し出される心臓

一三二〇年頃に成立したフランチェスコ・バルベリーノ『愛の神についての報告』をハート形の起源とするならば、

【図 49】『梨物語』、ca.1255, fol.41 of Ms. fr.2186。心臓を差し出している。

その当時、心臓は解剖学以外の分野ではどのように描かれていたのだろうか。文学作品で最も早く心臓を描いた事例は、それよりも七〇年ほどさかのぼる。一二五五年頃にフランスで制作された宮廷恋愛詩『梨物語』（*Roman de la poire*）の写本の装飾画にみられる。[84] 情愛を象徴する西洋梨（Purus communis）をタイトルにした『梨物語』は最も著名なトルベールのひとり、チボー・ド・シャンパーニュ（Thibaut de Champagne, 一二〇一〜一二五三年）の作とされる。写本の章のはじめを飾る大文字「S」の中で、〈甘きまなざしの擬人像〉が貴婦人の前に跪き、淡い赤色の心臓を差し出している【図49】。平たく細長い松かさ型をした心臓は逆向きに——心室を上、心房を下にした円錐形（松かさ型）——貴婦人へ差し出されている。

みずからの心臓を相手に差し出すしぐさは、献身や愛のモチーフとして中世の宗教・世俗芸術でともに頻繁に用いられた。宗教画の最も早い例は、ジョット・ディ・ボンドーネ（Giotto di Bondone, 一二六六〜一三三七年）によるパドヴァにあるスクロヴェーニ礼拝堂のフレスコ画〈慈愛（カリタス）の擬人像〉（一三〇五年）である。〈慈愛の擬人像〉がイエスに彼女の心臓を差し出している。慈愛には後光がさしており、花冠をかぶった女性として描かれ、右手で果物と花が入った平鉢をもち、左手で自らの心臓を主イエス・キリストに差し出している。[85] 心臓の下部にあたる心房を上に、心臓の上部にあたる心室を下にし、心房からは大動脈が下に突き出ている。心室の先の部分をイエスが両手で受け取っている【図50、51】（次頁）。

みずからの心臓を相手に差し出すという仕草は、ジョットの「慈愛」の擬人像よりも早く、『梨物語』にみられた。ジョットの〈慈愛の擬人像〉と同じく、騎士は心臓の下方を占める心室の先を貴婦人に向けて差し出している。『梨

【図52】ミラーケース『恋人に花冠を授ける貴婦人』(ca.1300)、製作地パリ、ヴィクトリア・アンド・アルバート博物館蔵（イギリス）。

【図50】ジョット・ディ・ボンドーネ作（1266-1337）〈慈愛の擬人像〉、スクロヴェーニ礼拝堂のフレスコ画（パドヴァ）。

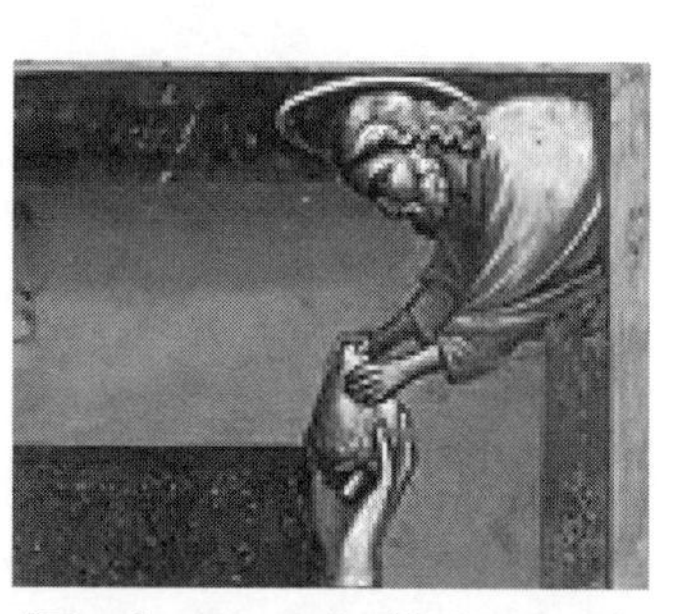

【図51】ジョット作〈慈愛の擬人像〉拡大図（右上）。心臓を差し出している。

物語』の挿絵とジョットの「慈愛の擬人像」の大きな違いは、ジョットの心臓が細身とはいえ解剖学的に描かれ、大動脈や心臓に走る裂溝を描いていることである。細身の形状からすると、ジョットは鶏の心臓を目にしたことがあるのかもしれない。〈慈愛の擬人像〉は、宗教画・世俗画ともに、一四世紀初頭では他に類をみない解剖学的な描写である。(86)

一三〇〇年頃にパリで作られた象牙のミラーケースにも、同じ構図で自分の心臓を貴婦人に差し出す男性が彫刻されている。一三世紀フランスの寓意文学の最高傑作『薔薇物語』(*Roman de la Rose*, 第一部一二二五～一二四〇年、第二部一二七五～一二八〇年）にみられるような宮廷恋愛の一場面である。恋人たちの左側にはフードを被った従者が口輪をはめた二頭の馬

【図53】タペストリー『心臓の贈答』（1400-1410）パリ、ルーヴル美術館蔵。

を手綱で御しており、見る者に鷹狩の途中を連想させる。[87] 貴婦人が恋人に花冠を授け、恋人は彼女の前に跪き、手をケープで覆って自らの心臓を——下部を下にして——差し出している。ミラーケースの構図は『梨物語』の写本挿絵やジョットの〈慈愛の擬人像〉の心臓と同じく、上下さかさまの状態の、円錐形の心臓が差し出されている。心臓は細身で、当時の解剖学書に図式的に描かれた心臓と同じ「松かさ型」の形状をしている【図52】。

一五世紀初頭に同じくパリで制作されたタペストリー『心臓の贈答』【図53】には花が咲き乱れる「愛の園」で、当時流行した衣装に身を包んだ恋人たちが色彩豊かに描かれている。[88] 左手に鷹をとめた貴婦人に、男性が右手で心臓を捧げている図だ。鷹狩は宮廷恋愛のモチーフであり、彼らが貴族階級に属することを表している。まるで一輪の花を贈答するかのように、男性がつまんで差し出す赤く小さな心臓は、もはや松かさ型でも円錐形でもなく、ハート形をしている。

アモル、ヴィーナス、ミンネ夫人——愛の神々と世俗の愛

次に紹介する詠み人知らずの詩は、一一八〇年頃に成立した初期中高ドイツ語による恋愛歌で、『テーゲルンゼー書簡集（*Codex Latinus Monacensis* 19411）』に収められている、中世ドイツ文学でも非常に有名なテキストのひとつである。

あなたはわたしのもの、わたしはあなたのもの

それをあなたはわかっているはず
あなたは閉じこめられた
わたしの心臓のなかに
その小さな鍵はもうなくなった
あなたはその中にずっといないといけない[89]

この恋愛歌は、心臓が（恋愛）感情の臓器であることを示している。心臓にかける鍵というメタファーが用いられ、心臓は恋人だけが入ることを許される部屋として表されている。中世ヨーロッパには、今日ではもはや知られていないハートのメタファーが多くある。身体的な内部空間は、住んだり歩いて通ったり、手に入れることができたり、支配できる家としてとらえられた。この起源は、人間の心臓の中に住まうという聖書の言葉にあった。[90] 叙情的な恋愛文学では、たとえば、『マネッセ写本』にも登場するハインリヒ・フォン・モールンゲン（Heinrich von Morungen, 一三世紀末）が、「愛する女性が目を通ってひそかに心臓に達する。わたしの心臓を二つに破れば、その中に私の美しい人がいるのを目にするだろう」と歌っている。

心臓と愛の結びつきは、中世以降に知られるようになるが、ギリシア・ローマの古典期にはこの二つはまだ結びついておらず、モチーフも存在しなかった。ギリシア神話の愛の女神アフロディーテもローマ神話の愛の女神ヴィーナスも人間に愛の証として心臓を捧げさせようとはしなかったし、愛神エロスやアモルは弓矢で心臓を狙い撃ちすることはなかった。[91]「心臓」と肉体的な痛みが世俗的な愛のなかで補完しあいひとつとなるのも中世の宮廷文学やミンネザングにおいてである。

キリスト教において、心臓は聖なる愛、精神的な人間の、神やキリストへの愛を象徴する。一二世紀には神秘主義思想に同様の表現がみられると同時に、宮廷文学とミンネザングにおいて心臓は世俗の愛を示す臓器になる。

一三世紀の『マネッセ写本』はその典型だ。中世中期・後期になると、特に男性の心臓はヴィーナスをはじめとする愛の神々や貴婦人によってさまざまな方法で痛めつけられる対象となる。

中世ドイツ、とくに一二世紀から一四世紀の騎士階級の恋愛歌であるミンネザングにはミンネ夫人（Frau Minne）が登場する。彼女は愛の女神ヴィーナスと同一視され、持ち物（アトリビュート）や服装の色も共通する。[92] 一四七八年制作の『ハイデルベルク写本』には、クピドあるいはヴィーナスと見紛うミンネ夫人の挿絵がある。ミンネ夫人は全裸で目隠しをし、冠を戴き、豊かな長い髪をそのまま垂らし、両翼を広げて円柱に立っている。矢筒を腰から下げ、右手に大きな弓、左手に松明をもちながら、三本の矢を放とうとしている【図54】。ヴィーナス、アモル、クピド、そしてミンネ夫人は人物の違いこそあれ、彼らはみな愛の神として同じ役割を果たすのである。[93]

傷ついた心臓や胸の傷は、貴婦人への絶対的な忠誠と愛の奉仕のしるしであり、世俗的な愛に身も心も捧げていることを表している。聖職者トマージン・フォン・ツェルクラーレ（Thomasin von Zerclaere, 一一八六頃～一二三八年頃）作『イタリアの客（*Der wälsche Gast*）』（一二一五／一二一六年）は、約一万五千詩行からなるドイツ語で書かれた初め

【図54】『ハイデルベルク写本』（1478, Cpg. 313）。

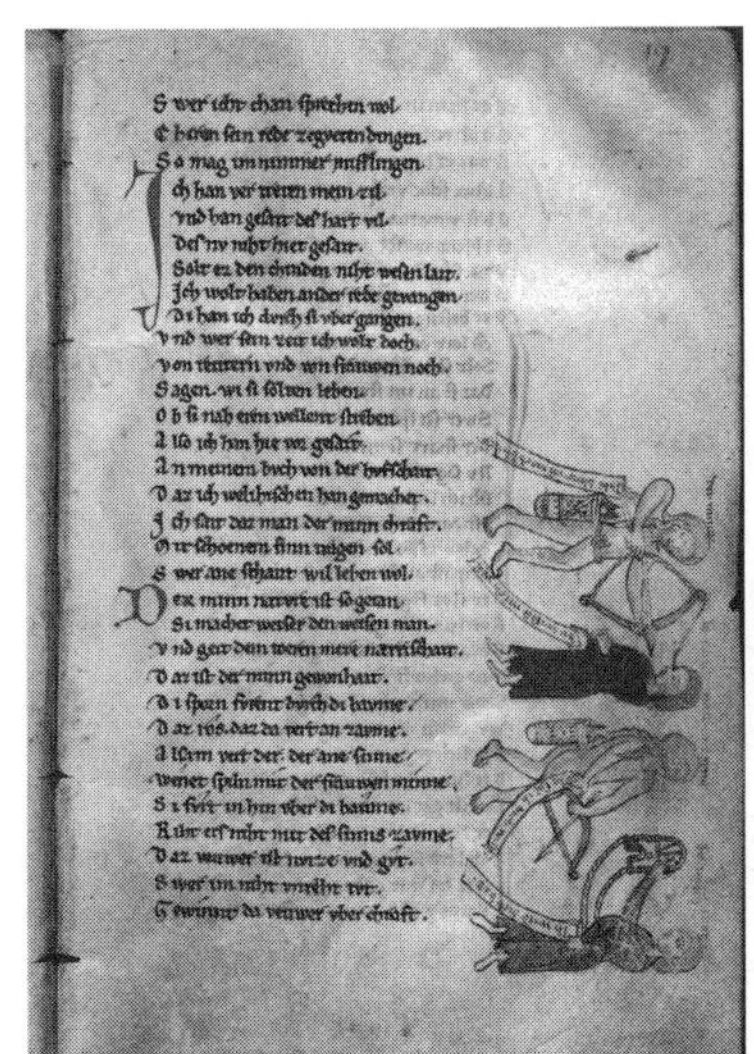

【図55】『イタリアの客』（ca.1256, 19r.）（トマジン・フォン・ツェルクラーレ）、ハイデルベルク大学蔵。

【図 56】『梨物語』、パリ（ca.1260/70)、フランス国立図書館蔵。有翼の愛神が恋人たちに矢を放っている。

【図 57】象牙のミラーケース「愛神と恋人たち」（ca.1300-1320）制作地フランス、ヴィクトリア&アルバート博物館蔵（イギリス）。

【図 58】時禱書に描かれた恋人たち。
The Maastricht Hours, Stowe 17, f.273

ての網羅的な行動規範書である。ハイデルベルク図書館所蔵の写本は一二五六年頃のもので、ミンネ夫人に眼を矢で射られている若者と、彼女に馬勒をとりつけようとする若者が並んで描かれている。馬勒は、引き起こされた衝動の抑制と制御を象徴している【図55】[94]。

宮廷恋愛において愛の矢に射貫かれるのは男性だけではなく、愛神の矢は貴婦人にも放たれる。前出の『梨物語』の一二六〇／七〇年頃制作された写本の装飾画では、天使ケルビムのように翼に包まれて冠を戴き弓を引く愛神が、ベンチに並んで座る恋人たちに矢を放ち、放たれた矢は恋人たちの心臓部に突き刺さっている【図56】。同様の構図は一四世紀初頭に制作された、宮廷恋愛の伝統的な図柄の象牙のミラーケースや、ローマ・カトリック教会の時祷書にもみられる。ミラーケースでは、愛神が木の枝に腰掛けている。愛神は両手に矢をもち、木の下に立つ恋人たちに狙いを定めている。時祷書では木の上には愛神をはさんでフィドルとツィター奏者がおり、木の下で恋人たちが仲睦まじく寄り添っている【図57、58】。

【図59】木製のミンネ箱、ドイツ上部ライン地方、1325頃～50年頃に制作。メトロポリタン美術館蔵（ニューヨーク）。

ドイツ上部ライン地方で一三二五年頃から五〇年頃に制作された木製のコフレ（小箱）あるいはミンネ箱（Minnekästchen）のふたを開けると、ふたの裏側と箱の中は朱色で、ふたの裏側は剣葉飾りのついたゴシック様式の三つのアーチが四つの小尖塔で仕切られており、左右のアーチには恋人たちが、中央のアーチには盾形紋章と冑飾りが描かれている。左のアーチには、赤い花冠と緑の衣服を身に着けた女性が弓を引いており、青いフード付きの頭巾を身に着けた男性の胸には矢が一本刺さっている。(95) 男性の周りには「奥様、わたしは忠誠を誓いました（"GENAD FR … ICH ERGEBEN"）」と書かれている。右のアーチでは、同じ男女が右手を結び、女性は弓矢を左にもち、男性は三本の矢が刺さった大きな赤い心臓を、胸の位置で左手に持っている。男性の周りには「私の心臓は傷ついています（"SEN … VOM HERZ IST WDT"）」と書かれている【図59】。

もうひとつ、同じくドイツ上部ライン地方で一五世紀初頭に制作された木製のミンネ箱のふたに施された彫刻を見たい【図60】。ふたの四隅は五花弁の薔薇で飾られ、周囲に文字が刻まれている。「私の愛しい人、あ

【図60】木製のミンネ箱、ドイツ上部ライン地方、15世紀初頭制作。

【図61】チューリヒの大工組合の建物から発見されたミンネ夫人の壁画（ca.1400）。

なたは私に優しくして下さらないといけません。なぜならあなたのせいで傷ついたのですから（min hort dv bist gnadig mir won ich mich scheden sol vo[n] d[ir]）」。中央にはミンネ夫人が四つん這いになった男性の上に堂々と座っている。男性にはひげが生えていて、彼女を見上げている。ひげは哲学者のアトリビュートであることから、この構図は中世に広く流布した「フィリスに馬乗りにされたアリストテレス」の物語を連想させる。ミンネ夫人は大きく翼を広げ、長い髪をおろし、腰から下を布で覆い、正面を向いている。彼女の右には同じ男性が右手で胸元に大きなハート型の心臓をもち、帯状の説明文「彼女は持って行った」（"sie hat dahin"）の片方の端を左手でもっている。もう片方の端はミンネ夫人が右手で持っている。彼女の左には頭に覆いをした女性が大きなハート型の心臓を手にしており、ミンネ夫人が男性の心臓をこの女性に渡したことがわかる。

同じ時期に類似の構図でミンネ夫人が描かれた壁画が発見されている【図61】。二〇〇九年チューリヒの大工組合の建物から、一四〇〇年頃に成立したミンネ夫人の壁画が発見された。ドイツ中世中期から後期文学において重要な役割を果たしたミンネ夫人は、暖炉用タイル、彩色あるいは彫刻されたミンネ箱や壁掛け織物などの中世世俗芸術において好まれたモチーフであったが、壁画で残されているものは極めてまれである。[96] 冠を戴いた有翼のミンネ夫人は、赤い宮廷衣装に身を包み、二人の男性を玉座にして座っている。向かって左の男性は、ミンネ夫人の前にひざまずき、自らの胸を開いている。その傷口からミンネ夫人が今にも手にした矢で心臓を射止めようとしている。向かって右の男性もひざまずいており、胸がはだけ、心臓部には傷口が開いている。ミンネ夫人はすでにそこから引き抜いた心臓を手にしている。その横には恋人たちと吹奏者が描かれている。

オウィディウスの『変身物語』では、ウェヌスの息子で有翼のクピドは、恋の火を燃えたたせる松明をもつだけではなく、弓と矢筒に二本の矢をもっている。「ひとつは、恋心を逃げ去らせ、もうひとつは、それをかきたてる。この、かきたてるほうの矢は、金で作られていて、鋭い鏃がきらめいている。恋を去らせるほうは、なまくらで、軸の内側に鉛がはいっている。」[97] クピドが放つ最初の矢には、神や人びとに愛を運搬し、運搬した相手を負傷させるという特性がある。[98] こうして、矢が命中したハートはこんにちまで恋人たちの換喩として用いられている。

命中した矢により生じた愛は、心臓の傷により視覚化される。中世文学・中世芸術では、様々なバリエーションで愛の矢が恋人の胸に刺さり、恋人は傷を負う。愛の女神ヴィーナス（ウェヌス）、愛神アモル、クピドといったギリシア・ローマの愛の神々とともに、ドイツでは愛の女神ミンネ夫人、時には貴婦人が弓矢あるいは槍を手にし、それらを人びとの眼や心臓に射ち込む。[99]

宮廷社会では、騎士は貴婦人に献身し、愛の奉仕を貫徹する。騎士はみずから差しだした心臓、すなわち愛と、そのさいに拵えた傷の代償に、自分よりも身分の高い貴婦人からの愛を要求しない。たとえば、『マネッセ写本』には宮廷詩人ヴァックスムート・フォン・ミュールハウゼンによる次のミンネザング（恋愛詩）が残されている。

お前の輝く眼は
光線を射かけた
私の心臓の中へ

（右）【図 62】『マネッセ写本』宮廷詩人エンゲルハルト・フォン・アーデルンブルク。ハイデルベルク大学蔵（Cod. Pal. germ. 848, fol. 181v）。／（中）【図 63】『マネッセ写本』宮廷詩人ヴァッハスムート・フォン・ミュールハウゼン。ハイデルベルク大学蔵（Cod. Pal. germ. 848, fol. 183v）。／（左）【図 64】『マネッセ写本』宮廷詩人ウルリヒ・フォン・リヒテンシュタイン、ハイデルベルク大学蔵（Cod. Pal. germ. 848, fol. 237r）。

それゆえ私はいとわずに
お前の終生の従僕であらねばならない
（『マネッセ写本』184r）

傷ついた心臓

『マネッセ写本』（一二八〇頃〜一三三〇年頃）

中世世俗絵画の重要作品であり、宮廷詩人の恋愛歌が収録された『マネッセ写本』では、愛神の姿はないが、類似するモチーフの装飾画を確認できる。宮廷詩人エンゲルハルト・フォン・アーデルンブルクは、胸を開いて矢が刺さった心臓部の傷口を貴婦人に見せている【図62】。同じく前出のヴァクスムート・フォン・ミュールハウゼン（Wachsmut von Mühlhausen、一三世紀中葉）を描いた装飾画では、貴婦人が馬上から詩人の心臓を槍で射止めようとしている【図63】。宮廷詩人ウルリヒ・フォン・リヒテンシュタインは、冑に女神ヴィーナスを飾り、馬上試合に出場する騎士の姿で描かれている。ヴィーナスは冠をかぶり赤い衣をまとい、赤く燃える松明と赤い矢を手にしている【図64】。

『キリストと恋する魂』（一五〇〇年頃）

『マネッセ写本』が成立した一四世紀前半に起源をもつ絵物語をもとに、半聖半俗のベギン修道女によって神秘主義的な教訓詩『キリストと恋する魂』が書かれた。神秘主義的な信者は神の顕現や神との合一（ウニオ・ミュスティカ、unio mystica）を直接感じとることができる。「恋する魂」（die minnende Seele）は神秘主義的な信者を象徴し、キリストの花嫁として描かれる。『キリストと恋する魂』は新郎新婦の恋する魂とキリストによる寓意的な対話で、花嫁の恋する魂は、当時の地上的な夫婦関係とは反対に、新郎のキリストのために主体的に判断して行動する。神との合一は、恋する魂とキリストによる水入らずの、エロティックで親密な関係として描かれる。『キリストと恋する魂』の挿絵は、一五〇〇年頃の作品が残っており、キリストの心臓を狙う恋する魂が描かれている。一四九五年頃に成立した写本の挿絵には彩色が施され、恋する魂とキリストは見つめ合っている。恋する魂は、赤い衣服をまとい金髪を長く垂らした若い女性で、弓を構えており、キリストの赤い心臓は衣服の上に描かれ、矢が命中している。一五〇〇年に制作されたエアフルトの木版画では、恋する魂もまた冠を戴き、豊かな長い髪を垂らした若い女性で、弓矢でキリストの心臓を狙っている【図65、66】。

【図65】『キリストと恋する魂』、挿絵（ca.1495）。

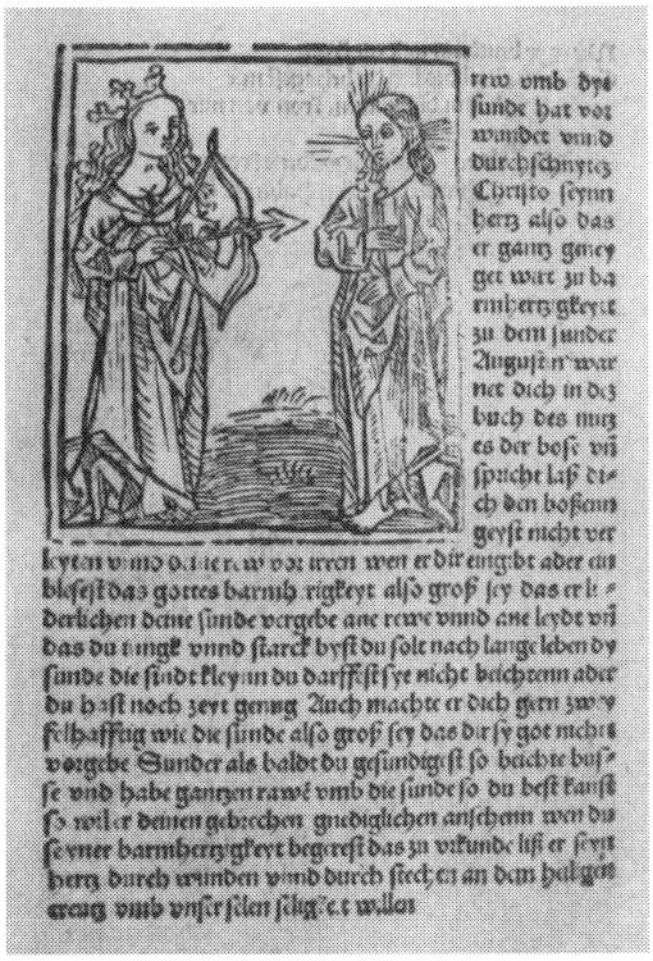

rew vmb dye
sunde hat vor
wundet vnnd
durchschnytez
Christo seynn
hertz also das
er gantz geney
get wer zu ba
rmhertzigkeyt
zu dem sunder
Augustinus war
net dich in dem
buch des nutz
es der bose vn
spricht las di-
ch den bosenn
geyst nicht ver
[illegible] wenn er dir eingibt aber ein
bleset das gottes barmhertzigkeyt also groß sey das er [illegible]
derlichen deine sunde vergebe ane rewe vnnd ane leyde vn
das du iungk vnnd starck byst du solt nach lange leben dy
sunde die sindt kleyn du darffst sye nicht beichtenn aber
du hast noch zeyt genug Auch machte er dich gern zwy
felhafftig wie die sunde also groß sey das dir sy got nicht
vergebe Sunder als balde du gesundigist so beichte buß
se vnnd habe gantzen rawe vmb die sunde so du best [illegible]
[illegible] deinen gebrechen gnediglichen anschenn wen du
seyner barmhertzigkeyt begerest das zu vrkunde lies er seyn
hertz durch wunden vnnd durch stechen an dem heiligen
creutz vmb vnser selen seligkeit willen

【図66】『キリストと恋する魂』、オットー・シェーファーによる木版画（ca.1500）

聖女カタリナ――心臓の交換

女性神秘家であったシエナの聖女カタリナ（Caterina da Siena, 一三四七～一三八〇年）も恋する魂のように、「一三六八年に見た幻視で、自分がキリストの霊的花嫁に迎えられたと確信した。（…略…）カタリナはあるとき、新しく純粋な心臓を求めて祈った数日後に、彼女は恍惚の中で…その心臓が彼女の身体を離れ、キリストの脇の傷に入っていき、そこで彼女の心臓と一つになった」[100]と述べている。彼女は、自分の心臓が愛するキリストの中に移動し、そこで合一する「心身分離」を経験したといえる。

【図67】ジョヴァンニ・ディ・パオロ作《キリストと心臓を交換するシエナの聖女カタリナ》（1475）、メトロポリタン美術館蔵（ニューヨーク）。

ジョヴァンニ・ディ・パオロ（Giovanni di Paolo, 一三九八～一四八二年）作《キリストと心臓を交換するシエナの聖女カタリナ》には、彼女の空中浮揚の奇跡と自らの心臓を差し出し、キリストと「心臓の交換」を行う様子が描かれている。カタリナは右手でハート型の心臓をキリストに差し出しているが、あたかも身体の中から切り出してきた臓器であることを表すように、その心臓からは血が滴り落ちている【図67】[101]。

《ヴィーナスと恋人》と《愛の魔法》

マイスター・カスパー（Meister Casper）による一五世紀の木版画《ヴィーナスと恋人》（*Frau Venus und der Verliebte*, 一四八〇頃）では、やっとこ、ねずみ捕り器、矢、剣、槍、圧搾機、筌（うえ）、塩樽、締め鋏、鋸、ナイフ、釣り針、火に

【図69】《愛の魔法》、造形芸術博物館蔵（ライプツィヒ）。（1470/1480）

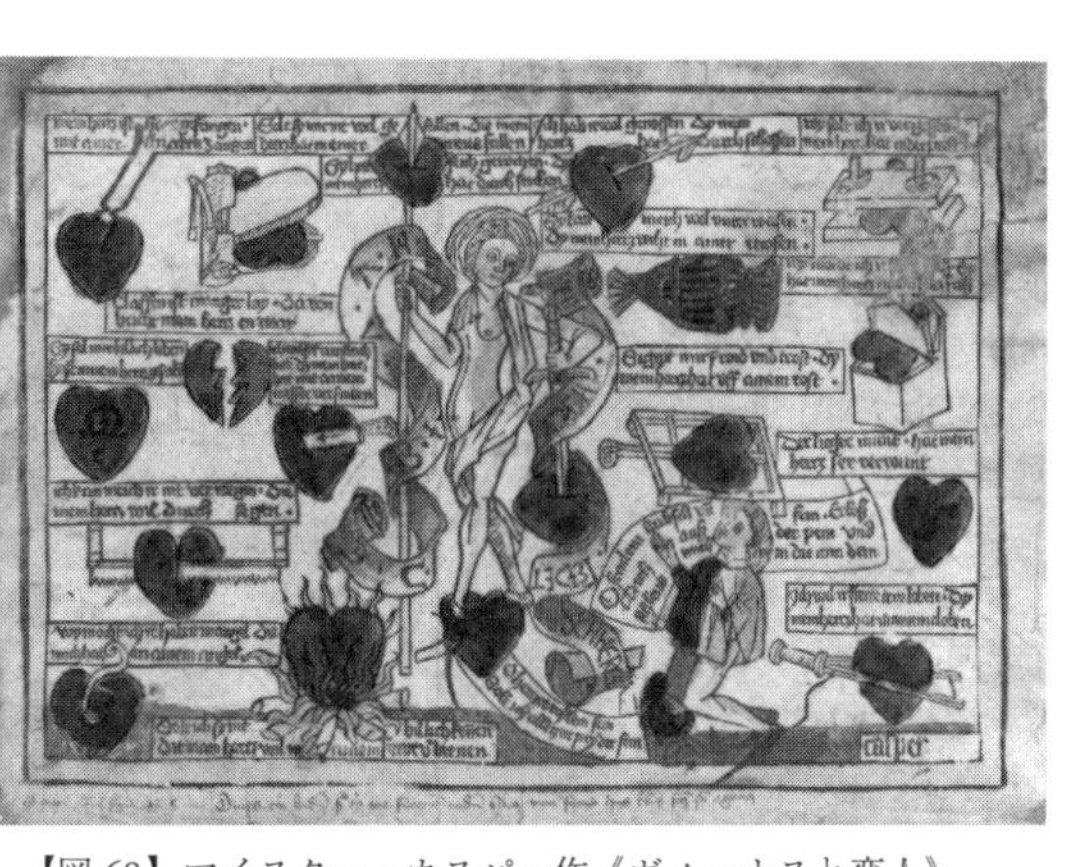

【図68】マイスター・カスパー作《ヴィーナスと恋人》、15世紀末木版画（c.1480）

くべるなど、様々な方法で世俗的な愛によって傷ついた赤い一八の心臓がヴィーナスの周りを取り囲んでいる【図68】。中央には、布を巻き付けただけの全裸に近い姿のヴィーナスが、心臓を突き刺した槍を右手に、心臓を突き刺した剣を左手にもっている。帯状の説明文には「私の心臓は痛みに耐えている」（"MEIN HERCZ LEIDET SCHMERCZ"）に加えて解読不明なアルファベット（"HVVIDE"）が確認できる。彼女の足元では若者が薔薇の上にひざまずいて両手を広げ、腕に抱いてくれるよう乞うている。[102] 帯状の説明文には「おお、麗しく素晴らしいお方。苦痛から私を解き放っておくれ、お前の腕の中で私を抱きしめておくれ」（"O freulein hubsch und fein. Erloß mich auß der pein und schleus mich in die arm dein"）とある。

ヴィーナスのように身体にはかろうじて薄布が巻かれているだけで、一方の足を正面に向け、その後ろにもう一方の足を直角において上半身をひねって正面を向いた立ち姿は、特にミンネ夫人の姿として、一五世紀後半において誘惑者を示す典型的なものである。[103] ルーカス・クラーナハによる《ウェヌスとミツバチ泥棒のクピド》（一五三一年、ボルゲーゼ美術館（ローマ））のウェヌスやニーダー・ライン地方のマイスターによって描かれた油彩画《愛の魔法》（*Liebeszauber*, 一四七〇／八〇）の金髪を垂らしたほぼ全裸の少女も同じスタイルをとっている【図69】。《愛の魔法》では、少女が部屋の中央で心臓を見ながら愛

【図70】《愛の魔法》、コフレに入った心臓（拡大部分）

の魔法をかけている。少女は心臓に火をつけようとしながら、海綿でその火を消そうとしている【図70】[104]。心臓は少女の右手から垂れ下がった薄布の上に置かれており、さらにミンネ箱あるいは宝石などを入れるコフレの中に収められている。少女と比べて心臓は非常に大きく、赤くふっくらとしたハート型をしているが、上部のくぼみの部分に、宗教画で描かれる心臓でみられるような漏斗状の開口部がある。

《ヴィーナスと恋人》と〈五つの聖痕とキリスト〉（一五世紀）

ドイツ中世のミンネ箱の研究者ユルゲン・ヴルストは、このマイスター・カスパーの世俗的な木版画《ヴィーナスと恋人》と、それ以前の一四六〇年に制作された宗教的な木版画〈五つの聖痕とキリスト〉との類似性を指摘している[105]。

アッシジの聖フランチェスコ（Francesco d'Assisi, 一一八二～一二二六年）が受けた五つの聖痕をきっかけに、フランシスコ修道会ではその元となったキリストの聖なる五つの傷――傷ついた両手と両足と心臓――に対する崇拝が起こり、他宗派にまで広がった[106]。〈五つの聖痕とキリスト〉では、中央に磔刑された救世主イエス・キリストの上半身が配され、その前に心臓がある。心臓からは人類を救済する血が流れ、二人の天使が聖杯で受け止めている。聖なる五つの傷は、キリストの四肢と心臓の代わりに、五つの心臓で表されている。他の四つの心臓は四隅にある。矢が刺さった心臓は人類にたいするイエスの愛を示し、茨の冠に囲まれた心臓と槍が突き刺さった心臓――槍は左隅の心臓と同時に十字架上のキリストの右脇を貫いている――はともにキリスト受難の物語を示している。四つめの心臓は有翼の

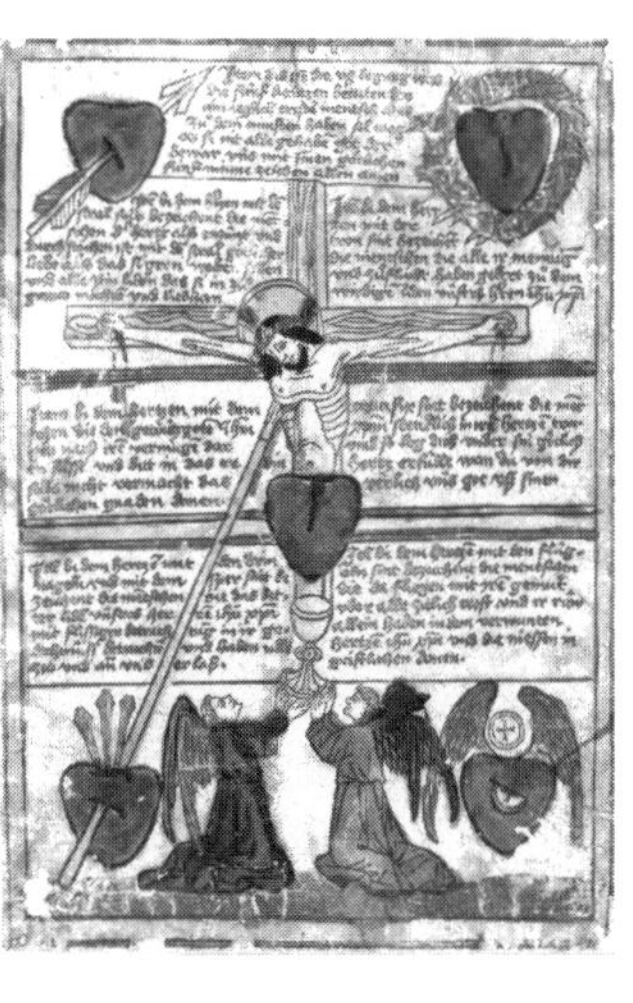
【図71】〈五つの聖痕とキリスト〉、15世紀

心臓で、心臓の上と傷口にはホスチア（祭餅）がある【図71】[107]。

木版画〈五つの聖痕とキリスト〉と《ヴィーナスと恋人》との間には、制作に二五年の開きがあるが、ともに緑と赤の二色刷で、傷ついた心臓をモチーフとしている。キリストを崇敬しひざまずく二人の天使とヴィーナスを崇敬しひざまずく若者の構図も類似し、キリストの心臓が受難の道具（アルマ・クリスティ）で傷つけられているように、《ヴィーナスと恋人》の心臓も様々な道具で傷つけられている。

心臓を食べるなかれ（cor ne edito）——嫉妬と慈愛

ピタゴラスの信条の三〇番目には、「心臓を食べるなかれ（cor ne edito）」とある。それは他の人、とりわけ隣人を妬まずに、慈愛に満ちた率直な態度で接せよという意味である[108]。哲学史家ディオゲネス・ラエルティオスは、ピタゴラスのこの信条が、心配や悲嘆でわれらの魂を消耗してはならないということであるとし、プルタルコス（Plutarchus, 四六頃～一二〇年頃）も『モラリア』で、ディオゲネスとほぼ同じように述べている。「〈心臓を食べるなかれ〉とは、われらの魂を苦しめてはならない、われらのスピリットを消耗してはならないという意味である。」

キリスト教では慈愛（Charity, ラテン語ではCaritas）は三つの対神徳のうちで最も大切なもので、慈愛とは神の愛（amor dei）であると同時に隣人愛（amor proximi）でもある。

慈愛に対立する悪徳は、中世では七つの大罪のひとつ、貪欲であった。ルネサンス期には同じく七つの大罪のひとつ、嫉妬（Envy, ラテン語ではInvidia）に置き換えられた。その起源はジョットの〈慈愛〉と対置される〈嫉妬〉で、ともに女性の擬人像である【図72、73】。〈慈愛〉が神に捧げる心臓を手にもつ一方で、〈嫉妬〉は自分の心臓に食らいついている。ジョットの描く〈嫉妬の擬人像〉では、その後一般的になる心臓を食べるポーズはとっていない。オヴィディウス作『変身物語』によれば、嫉妬は蛇の肉を常食とし、不健康な顔色で、目はやぶにらみ、歯は欠け、肉体は疲弊し、舌からは毒が垂れている。[109] こうしたことから〈嫉妬〉は蛇を持物とし、ジョットの描く〈嫉妬〉のように蛇が口から突き出ていたり、髪が蛇になっていることがある。

【図72】ヨハネス・ウィーリクス作〈嫉妬の擬人像〉（1579）

【図73】ジョット作〈嫉妬の擬人像〉（ca. 1306）、スクロヴェーニ礼拝堂のフレスコ画（パドヴァ）。

感情のありかとしての心臓——ハートは「慈悲」を表すものへ

心臓は生命原理や魂のありかだけではなく、情緒や感情とも結びつけられた。心臓は感情が芽生え、とどまり、動く場である。勇ましい心、恐怖心や臆病は、文字どおり敏感で動的に反応する心臓の特性を表している。旧約聖書では勇敢な戦士にたいして「獅子のような心をもつ勇者」（サムエル記下一七・一〇）という表現が用いられている。それゆえ、獅子心王（the Lion-Heart）の異名をもつリチャード一世（Richard I, 一一五七〜一一九九年）は、勇敢かつ寛大で、中世騎士の理想であった。キリスト教では、特に他者にたいする感情を呼び起こす、「貧者、哀れなひとのための心臓をもつ者（miseri*cordia*）」という心臓の性質が強調され、「ミゼリコルディア（misericordia）」という言葉で「慈悲」が言い表された。〈慈悲の擬人像〉の持物（アトリビュート）が心臓であるのはこのためだろう。ジョットによるフレスコ画「清貧のアレゴリー」（一三二〇年頃）では〈慈悲の擬人像〉が〈清貧の擬人像〉に歩み寄り、心臓を差し出している【図74、75】。

【図74】ジョット作『清貧のアレゴリー』、サン・フランシスコ聖堂下堂（アッシジ）、祭壇頭上フレスコ画、（ca.1320）

【図75】『清貧のアレゴリー』、拡大部分、心臓を差し出す《慈愛の擬人像》（右端）

【図76】ジョット作『貞節のアレゴリー』、サン・フランシスコ聖堂下堂（アッシジ）、祭壇頭上フレスコ画（ca.1320）

【図77】『貞節のアレゴリー』と〈愛神アモル〉の拡大部分。赤く膨らんだ心臓を八つぶら下げている。

「清貧」と「貞節」のアレゴリーに描かれた心臓

パドヴァにあるスクロヴェーニ礼拝堂の〈慈愛の擬人像〉（一三〇五年）でジョットが描いたのは、当時類を見ない解剖学的な心臓であった。その後、ジョットは一三二〇年頃にアッシジのフランシスコ教会下堂の天井に、フランシスコ会のアレゴリー「清貧」、「貞節」、「従順」と聖フランチェスコを描いている。そのうちの「清貧のアレゴリー」には〈慈愛の擬人像〉が、「貞節のアレゴリー」にはアモルが描かれており、両者はともに形状の異なる心臓をもっている。

「清貧のアレゴリー」では、聖フランチェスコがキリストに導かれて、中央に立つ〈清貧の擬人像〉に結婚指輪をはめようとしている。「清貧」のむかって右に、対神徳のうち、緑色の服を着た〈希望（Spes）の擬人像〉と、赤い服を着て心臓を差し出す〈慈愛（Caritas）の擬人像〉が並んでいる。スクロヴェーニ礼拝堂の〈慈愛の擬人像〉（一三〇五年）の心臓よりもやや小ぶりでほっそりとした心臓で、同じように心室を上にして差し出されている。一方、「貞節のアレゴリー」には愛

【図78】『貞節のアレゴリー』の拡大部分。〈改悛〉と〈死〉により追放される〈愛神アモル〉〈情火〉〈不貞〉。

神アモル（Amor）が、肩にかけた矢筒の紐に赤く膨らんだ心臓を八つぶら下げている。アモルの集めた心臓は、スクロヴェーニ礼拝堂の〈慈愛の擬人像〉が差し出す解剖学的な心臓と比べ、非解剖学的で、心房の先に大動脈や、心臓の裂溝を認めることはできない。

愛神アモルは目隠しをして「世俗的な快楽を表す」[110]薔薇の花冠をつけ、左手には弓と白い薔薇の花束、赤い翼と猛禽類の爪をもった少年の裸体姿をしている【図76、77、78】。愛神は異教の神にして世俗の愛、官能的な情欲の象徴、キリスト教における悪徳として、同じく裸の〈情火（Ardor）〉や猪頭の〈不貞（Immuditia）〉とともに純潔の塔から追放されている。愛神に射止められて集められた心臓は、官能的な情欲の虜となり悪徳に染まった人びとのものであろう。〈愛神〉、〈情火〉、〈不貞〉を追放しているのは、有翼で笞をもち、頭巾から髭を覗かせて修道僧の服装をした〈改悛（Penitentia）〉と大鎌を持った〈死（Mors）〉である。[111]

もう一人の愛神アモルが、ジョットによるフランシスコ会のアレゴリー「清貧」「貞節」「従順」のフレスコ画と同時期に、フランチェスコ・バルベリーノ（Francesco Barberino）の『愛の神についての報告』（Documenti d'Amore、一三一八年以前）に登場する。

『愛の神についての報告』の挿絵に描かれたアモルは、三本の矢を手に天を疾駆する馬上に、猛禽類の爪でしっかりと立つ有翼裸体の少年の姿をしている。心臓は馬具の胸懸（むながい）として白馬に掛けられている。心臓は、八つの平たく赤いハート型の心臓で、交互に向きを変えて連なっている。アモルと馬を飾る白と赤の花が咲きこぼれて地上にまで達し、矢を心臓に受けた人びととアモルとを結びつけている。パノフスキーは、奇しくも成立時期がほぼ同時であった

【図79】タッデオ・ガッディによるフレスコ画、サンタクローチェ教会（フィレンツェ）。（ca.1330）Cappella Baroncelli

【図80】アンブルージョ・ロレンツェッティ《荘厳の聖母（マイエスタ）》（1334-1336）サン・ガルガーノ、モンテシエーピ礼拝堂

ジョットとバルベリーノによるアモルの解釈の違いを「ただ組み合わせが異なり、目的が反対なだけ」[112]と考えた。つまりアモルの表現は類似していながら、ジョットは異教の愛神アモルに、禁じられた官能的情欲を象徴させ、卑しいアモルに貶めた[113]。これにたいし、バルベリーノは官能的情欲と、それとは対照的な人びとの間に許される「聖なる愛」とを区別し、後者を賛美するためにアモルを登場させたのである。

慈愛の擬人像

一四世紀前半のイタリアでは、ジョットの他にもタッデオ・ガッディやアンブロージョ・ロレンツェッティ（Ambrogio Lorenzetti, 一二九〇頃〜一三四八年）が〈慈愛の擬人像〉を描いている。ジョットの弟子であったガッディは、サンタクローチェ教会付設バロンチェッリ家礼拝堂のフレスコ画を描いた。アーチ形天井は四分割され、対徳神の擬人像と〈敬虔（Humilitas）の擬人像〉が描かれている。〈慈愛の擬人像〉は、有翼で左手に松明、高くかかげた右手に炎に包まれた心臓を持つ【図79】。モノトーンで描かれているが、松明の

【図81】《荘厳の聖母》拡大部分、〈慈愛の擬人像〉が心臓を差し出している。

【図82】アンブルージョ・ロレンツェッティ《善政の寓意》(1338-1339)、プッブリコ宮殿（市庁舎）（シエナ）

【図83】《善政の寓意》拡大部分、右手に矢、左手に燃え上がる心臓をもつ〈慈愛の擬人像〉。

【図84】アンブルージョ・ロレンツェッティ《荘厳の聖母（マイエスタ）》c.1342、マッサ・マリッティマ美術館（イタリア）

【図85】《荘厳の聖母》拡大部分、右手に矢、左手に燃え上がる心臓をもつ〈慈愛の擬人像〉。

先と心臓を包む炎は赤く彩色されている。

アンブロージョ・ロレンツェッティが〈慈愛の擬人像〉を描いたのは、《荘厳の聖母（マイエスタ）》【図80、81】、《善政のアレゴリー》【図82、83】、そして《荘厳の聖母（マイエスタ）》【図84、85】においてである。モンテシエーピ礼拝堂の《荘厳の聖母》では〈慈愛の擬人像〉は赤い衣服に身を包み、冠をつけて豊かな髪を垂らし、聖母子を見上げながら左手で心室を上にして心臓を差し出している。図式的な松かさ型の、大きくて平たい赤い心臓である。

プッブリコ宮殿（現在は市庁舎）の平和の間に描かれたフレスコ壁画《善政のアレゴリー》

【図 87】『聖トマス・アクィナスで擬人化されたカトリック教義の勝利』、拡大部分
〈慈愛の擬人像〉。右手に心臓、左手に炎をもつ。

【図 86】アンドレア・ディ・ボナイウト作『聖トマス・アクィナスで擬人化されたカトリック教義の勝利』、スペインチャペル（フィレンツェ）（1366-1367）。

の向かって右寄り中央には、白髭をたくわえた男性が座っている。彼は〈善政の擬人像〉であると同時に、頭の周囲の四つの頭文字 CSCV（Commune Saenorum Civitatis Virginis）から〈都市シエナの擬人像〉でもあることがわかる。善政にして都市シエナの擬人像の頭上には、対徳神——向かって左から信仰（Fides）・慈愛（Caritas）・希望（Spes）——の擬人像が舞っている。中央の〈慈愛の擬人像〉は、全体的に赤く、翼を広げて冠を戴く。着衣している〈信仰〉と〈希望〉とは異なり、〈慈愛〉は上半身に赤い薄布を巻いており、女性的な胸が透けて見える。[114] 右手に矢、左手に炎がめらめらと燃え上がる心臓を、心室を上にしてもっている。慈愛はヴィーナスのように描かれ、神への愛は烈火のごとき愛として表されている。一三四二年頃に制作されたもうひとつの《荘厳の聖母》にも、聖母子の座る台座の足下に対徳神——向かって左から、希望・慈愛・信仰——の擬人像が座っている。塔をもつ「希望」、白い衣を着た「信仰」、そして中央上段に〈慈愛の擬人像〉が座っている。《善政のアレゴリー》の〈慈愛の擬人像〉とほぼ同一の格好をしており、翼を広げて冠を戴き、薄赤色の透けた薄布からは女性的な上半身が透けて見える。右手に矢、左手に心室を上にして心臓をもつ。この宗教画とチューリヒで発見されたミンネ夫人の世俗的な壁画（一四〇〇年頃）の構図や、〈慈愛の擬人像〉とミンネ夫人が赤色の薄布を身にまとい、有翼であること、冠を戴き豊かな髪を垂らしていることが一致するのは偶然だろうか。

最後に〈慈愛の擬人像〉が描かれた一四世紀後半の作品をひとつ見ておきたい。アンドレア・ディ・ボナイウト作『聖トマス・アクィナスで擬人化されたカトリック教義の勝利』である【図86、87】。作品の中央に座すトマス・アクィナスの頭上にも赤い装束の〈慈愛の擬人像〉が舞い、右手に心臓、左手に炎をもっている。

〈慈愛の擬人像〉は神に愛を捧げる女性の姿で描かれたが、中世の宮廷文学において貴婦人に愛を捧げる騎士と同様、聖俗ともに、自らの心臓を相手――神あるいは貴婦人――に、心室を上にして差し出す仕草が一致していた。

一四世紀には、心臓は非解剖学的で図式的な松かさ型に、平たく描かれることが多い。その背景に、いわゆる修道院医学が数百年ものあいだ支配的であったことはすでに述べた。一四世紀の医学においても依然としてスコラ哲学の強い影響下にあり、人間の心臓の正確な解剖学的構造にかんする知識は失われたままであった[115]。宗教的なタブーによって長らく人体解剖は禁止されていたからである。そのため、解剖学的で詳細な心臓の描写は、一六世紀のダ・ヴィンチのスケッチや解剖学者アンドレアス・ヴェサリウスの『人体解剖学（*De Humani fabrica*, 一五四三年）』の登場を待たねばならなかった。そうした中でジョットがスクロヴェーニ礼拝堂で描いた〈慈愛の擬人像〉が差し出す心臓が解剖学的に描かれたのは例外的であるといえよう。

世俗芸術としては、『梨物語』の写本挿絵が現存する最古のものでありかつ好例であった。また、キリスト教絵画においては〈慈愛の擬人像〉は、異教の女神ヴィーナスやミンネ夫人と同様、有翼で冠を戴き、たいていは豊かな髪を垂らし、赤い衣服または薄布を身にまとっていた。対徳神の擬人像において、ヴィーナスのように薄布から女性的な身体が透けて見えるのは〈慈愛の擬人像〉だけであった。片方の手には心臓、ときには燃える心臓をもち、もう片方の手では矢、あるいは弓、ヴィーナスが時おりもつ松明を手にしている場合もある。時代が下って一五〇〇年頃の神秘主義的な挿絵で、「恋する魂」がキリストの心臓を弓で狙う姿で表象されていることはすでに見たが、一七世紀バロックの時代になると矢によって射抜かれる心臓と、炎をあげて燃える心臓とが混合して描かれ、やがて燃える心臓に完全にとって代わられるようになる。[116] もちろんこの二つのモチーフは、現代においてもなじみのあるものである。宗教画で描かれる心臓は、世俗の愛と混同されないように、傷がクローズアップされ、心臓上部のくぼみに漏斗状の開口部がある場合が多い。[117] イエスが磔刑時に受けた傷がそのまま心臓に描かれることで、それが特別な、イエスの心臓、すなわち聖心であることを視覚的に明示するためだ。したがって、聖心の特徴は、大きく切り裂かれて血が流れ出る脇の傷口、心臓を取り囲むような荊冠、心臓上部のくびれにある漏斗状の開口部からは、炎が噴き出し、十字架が出ている場合が多い【図88】。同じ理由から、聖心を崇敬する聖心信仰が盛んになる一八世紀末の祈念画に描かれたのも、解剖学的な心臓であった。[118] 心臓上部には大動脈の一部が残され、浮き出た血管が描かれたのである。

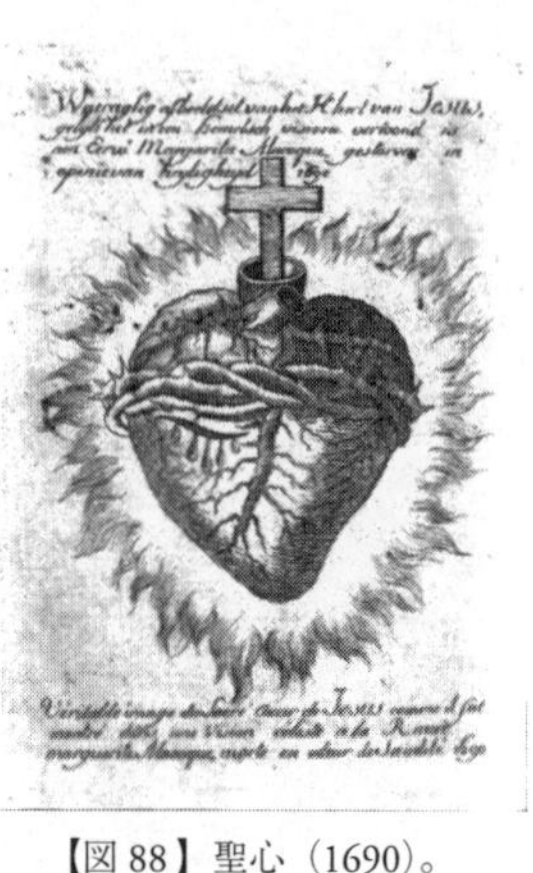

【図 88】聖心（1690）。

三分割埋葬——心臓の埋葬

ヨーロッパにおいて心臓は、生前影響力をもっていた、比類なき特性を備えた人物の代理を務めた。分割埋葬は十字軍以降、王室において行われた習慣の中に現れた。心臓と遺骸を別々に埋葬する二分割埋葬あるいは心臓・内臓・遺骸を別々に埋葬する三分割埋葬である。この埋葬方法は、二か所または三か所といった異なる場所で、死後なお現前を可能にしたり、聖地や霊験あらたかな聖像の庇護を得たいと願うという本人の希望をかなえたのである。[119]

心臓をある場所に埋葬してほしいという故人の願いから、ヨーロッパでは心臓の埋葬という不思議な習慣が生まれた。この習慣は権力者や富裕層によって何百年ものあいだ続けられ、一六、一七世紀に最盛期を迎える。一二世紀から二〇世紀までに六〇〇近くの心臓が別個に埋葬された。[120] その一方で、遺体をそのまま埋葬することを望む貴族も多く

【図 89】ガラス容器に収められたルイ17 世（1785-1795）の心臓。

いた。

西ローマ帝国滅亡後、西欧を支配したメロビング朝、カロリング朝は、聖遺物崇拝を庇護し、修道院に聖遺物を置かせた。そして支配者たちは死後もなお、領土内の特定の都市や地域を自分自身や王家に結びつけておこうとする意図から、特定の教会や修道院に心臓を埋葬した。さらに聖人、守護聖人、殉教者の庇護を求めて祭壇や聖遺物の近くに心臓を埋葬することは、故人の―魂の―安寧を保証するものだったし、心臓の埋葬場所は親族や子孫が故人を偲ぶ場にもなった。

心臓の埋葬が必要に迫られる場合もあった。異郷で戦死すると遺体を故郷へ持ち帰るのは困難だった。そのため遺体は客死した場所に埋葬され、死者の本質を内包する心臓が故郷に運ばれた。戦死した英雄や支配者の心臓を取り出し、保管することは、中世初期に支配的であったアニミズムに起源がある。

一六世紀から一八世紀にかけて、聖心崇拝、さらには聖母マリア崇拝の伝統をもつ地域では心臓の埋葬が増加し、これまで男性に特化していた習慣を女性も行うようになる[121]。ヨーロッパの王族、特にフランスを統治したバロア家、ブルボン家、オーストリアのハプスブルク家、バイエルンのヴィッテルスバッハ家は心臓を教会に納め、また教会はこれを収入源とした【図89】[122]。

ハプスブルク家の心臓

ハプスブルク家の心臓は、ウィーンの聖アウグスティン教会内のロレート礼拝堂に安置されている【次頁の図90】。

【図 90】ハプスブルク家の聖遺物箱。心臓が納められている。聖アウグスティン教会内ロレート礼拝堂（ウィーン）

一六三四年に聖アウグスティン教会が宮廷内教会になると、ロレート礼拝堂は皇帝一家の礼拝堂になる。フェルディナント二世（Ferdinand II., 一五七八～一六三七年）の聖母崇拝は有名で、彼の後継者たちも聖母マリアの庇護に身をゆだねた。フェルディナント四世（Ferdinand IV., 一六三三～一六五四年）は、死後、自分の心臓を聖母マリアに捧げると遺言した。一六五四年七月九日に死去すると、その日のうちにフェルディナントの遺体から心臓がとり出され、翌日には聖アウグスティン教会内のロレート礼拝堂に運ばれ、聖母像の足元に埋葬された。このときからハプスブルク家の心臓がロレート礼拝堂に埋葬される習慣が始まる。ほかの教会にすでに埋葬されていた三つの心臓もロレート礼拝堂に新たに作られた心臓の霊廟に移された。皇后アンナ（Kaiserin Maria Anna, 一五八五～一六一八年）の心臓にはじまり、一八七八年に死去した大公フランツ・カールの心臓まで、全部で五四の心臓が納められている。[123] この習慣は一九世紀まで続けられ、ロレート礼拝堂は時代が経るにつれてウィーンの人びとや貴族の霊場参詣の中心になっていった。ハプスブルク家では三分割埋葬が一八七八年の大公フランツ・カールの葬儀まで行われ、遺体はウィーンにある三つの教会に分けられた。遺体は皇帝の霊廟をもつカプチン教会、心臓はロレート礼拝堂、一五六四年から一八七八年までのあいだ内臓は大公の霊廟をもつシュテファン大聖堂に納められた。

　フランス革命でピークを迎える啓蒙思想においても、心臓の神秘的な意味は失われなかった。ロマン主義における心臓崇拝も手伝って、やがて裕福な市民層や芸術家の間でも心臓の埋葬が行われるようになる。フリードリヒ・フォン・ハルデンベルクの本名をもつドイツの詩人ノヴァーリス（Novalis, 一七七二〜一八〇一年）の親せきで政治家のカール・アウグスト・フォン・ハルデンベルク（Carl August von Hardenberg, 一七五〇〜一八二二年）は、一八二二年に旅先のジェノバで客死すると、生前の取り決めに従い心臓を透明なガラス容器に入れ、ノイハルデンベルクにあるシンケル教会の祭壇裏に納めた【図91】。作曲家のショパン（Fryderyk Franciszek Chopin, 一八一〇〜一八四九年）が亡命先のフランスで客死すると、遺体はパリのペール・ラシェーズ墓地に埋葬された。心臓は、本人の遺志で姉が故郷ワルシャワに持ち帰った。現在ショパンの心臓は、聖十字架教会の柱の最下部に納められている【図92】。

【図91】シンケル教会（ノイハルデンベルク）に収められた政治家のカール・アウグスト・フォン・ハルデンベルク（1750-1822）の心臓

【図92】作曲家ショパンの心臓が収められた聖十字架教会の柱の最下部（ワルシャワ）

心身分離の観念とトルバドゥール

心臓に感情の中枢があるという認識から、一二世紀南フランスに叙情詩人トルバドゥールが登場して以来、ひとを想うのは心臓であり、それゆえに心臓が身体から離れて愛するひとの身体にとどまるという「心身分離」の観念と文学レトリックが生まれた。[124] トルバドゥールは宮廷に仕えた詩人で、王や貴族の詩人もそう呼ばれた。彼らはオック語を用いて身分の高い貴婦人への憧れや恋心を歌い、貴婦人への愛を捧げる宮廷風恋愛を賛美した。その影響はヨーロッパ全土におよび、心身分離の観念は、一二世紀の南フランスで活躍したトルバドゥールの作品から一五世紀のフランスやイタリアの抒情詩に受け継がれていく。

【図93】『愛に囚われし心の書』(1457) バルテルミー・ディックによる写本挿絵 (1460-70)。

自らは心臓を失い、愛する人が「心臓を二つ持っている」と、中世の叙情詩人たちは歌う[125]。中世では、心臓が身体から着脱可能な一つの独立したもののように扱われる。抽象概念としての心ではなく、心臓が、身体から離れ、愛や痛みを携えて、愛する人に捧げられるのだ。一二世紀後半から一四世紀にかけてドイツの宮廷でも叙情詩人ミンネゼンガーがトルバドゥールの影響を受け、身分の高い貴婦人に対する騎士の献身的な愛、すなわち「高きミンネ(愛)」を歌っている。

トルバドゥールでは「愛」が擬人化され、恋する者は擬人化された「青春」と同一化して、至福と試練のはざまに身をおいた。抽象概念が擬人化されて物語が展開する寓意(アレゴリー)文学の最高傑作が、一三世紀のギヨーム＝ド＝ロリスの『薔薇物語』(*Roman de la Rose*, 一二二五~一二四〇年)や、一五世紀にプロヴァンスの支配者アンジュー公ルネ(René d'Anjou, 一四〇九~一四八〇年)が著した『愛に囚われし心の書』(*Le Livre du Coeur d'Amours épris*, 一四五七年)であった。ここでは、ルネ王の「心」が「欲望」を従者にして、囚われの身になった「甘き愛」を救出する旅に出る。バルテルミー・ディックによる写本挿絵(一四六〇~七〇年)では、寝台に頬杖をついてまどろむルネ王の左わき腹から大きなハート型の心臓が抜き取られている。挿絵の中央には三本の矢が入った矢筒を腰にした有翼の愛神が心臓を手にとり、その右側で待つ〈欲望の擬人像〉を見ている。〈欲望の擬人像〉は、オレンジ色の炎があしらわれた白い上着を着ている【図93】。

小さな赤いハートが織りこまれたタピストリー《心臓の贈答》(一四〇〇/一〇年)が製作されたちょうど同じこ

【図95】《ウェヌスの子どもたちの心臓を抱えるウェヌス》（1408-1415）、大英博物館蔵。

【図94】《ウェヌスの子どもたちの心臓を抱えるウェヌス》（1406-1408）、フランス国立図書館蔵。

ろ、クリスティーヌ・ド・ピザンの写本『オテアの書簡』（一四〇六／八年）には、ウェヌスへの忠誠を示す人びとが、ふっくらした赤いハートを差し出す様子が描かれている。ピザンはこの書の中で、美と愛と官能の女神ウェヌスを崇拝してはならない、もしウェヌスの信者になれば徒労に終わり、不名誉で危険であると警告する。[126] 写本に描かれたウェヌスは、襟ぐりを大きくあけ首筋から胸の上部をあらわにした緑色の装束を身にまとい、星々が輝く雲上に座している。ドレスの上にはすでに沢山のハートが集められている【図94、95】。「恋の情熱を、心臓を捧げるというメタファーで語るクリスティーヌのテキストの図像化である。」[127] しかし、全員がウェヌスに心臓を捧げているわけではなく、挿絵の左端にいる男性は警告に従い、手にしたハートをじっと見つめており、右から二番目の男性も自分のハートを差し出すのを拒否しており、後ろ手にしてハートを遠ざけている。

心臓物語——食べられた心臓

先に見たように、戦争や旅先などの遠隔地で死亡することが多かった中世では、埋葬の際に心臓を遺体とは別に葬る慣習があり、心臓は小箱に納められて郷里へ運ばれた。そこから「クーシーの城主とファイエルの奥方の物語」（一三世紀後半）のように、遠隔地で死亡すると心臓が小箱（聖体容器 pyxide）に納められて恋人に届けられるという物語が生まれる。ブレイクハートとは、心臓を文字通り胸から切って取り出すことであった。心臓は、愛の具現化したものとして肉体から取り去られ、所有され、時には破壊され、交換される。中世文学において、言語イメージとしてのハートと身体器官としてのハートとは、今日では想像もつかないほど密接に結びついていたのである。[128]『自然学小論集』や『霊魂論』（第二巻第一章 439a1）でアリストテレスが論じた心臓の定義——思考能力、生命の暖かさの中枢的器官、魂の容器——は非常に重要であるが、中世の宮廷文学にはほとんど出てこない。「愛の痛み（Liebes Schmerz）」や「恋煩い（minnesiech）」は、肉体的・物理的なもの、時として致命的なものである。愛という心的現象は、中世文学において一貫して身体的なものとして表現され、中世の写本装飾画はそれを表象しているのである。

愛する者に心、あるいは心臓を与えるという文学表現は、心臓を食べるという古来のトポスならびに心臓の分割埋葬の習慣と結びつき、愛する者の心臓を食べるというモチーフをもつ一連の文学作品が時代を超えて生み出されていく。共通のモチーフは、妻が愛する人の心臓をそれと知らずに食べさせられ、夫が事の次第を話すと妻は死を選ぶというものだ。[129]

心臓を食べるというモチーフの起源は古代インドにあるという。[130]ヨーロッパでは一一〇〇年頃から知られ、フランスを中心にして様々に変形しながら広く流布した。心臓を食べる話のうち、現存するヨーロッパ最古のものとされるのが一二世紀のトルバドゥール、ギレム・ド・カベスタン（Guilhem de Cabestaing）の伝記『ギレム・ド・カベスタン』である。詩人ギレムは城主レモンの妻セレスモンドに恋をし、それに嫉妬した城主はギレムを殺害、その心臓を

【図96】ダンテ・ガブリエル・ロセッティ作《ベアータ・ベアトリクス》（1864?- 1870）テート・ギャラリー蔵。

えぐりだして火にあぶり、妻に食べさせる。そして食べたものが愛する男の心臓だったと明かすと、妻は以後何も食べないと言って窓から身を投げる。他の系列には、すでに一二世紀フランスにあった『イニョール短詩』がある。[131] 複数の奔放な女性たちが騎士イニョールの心臓を食べる喜劇的な物語である。カニバル的行為によって、愛する者と一体となる、キリストの最後の晩餐との類似性も指摘できよう。

愛する者の心臓を食べるという文学トポスは、一三世紀頃に騎士が高貴な既婚女性にささげる「ミンネ（愛）」と結びつく。フランスの叙事詩『クーシーの城主』（*Le Chastelain de Couci*）、ドイツ文学では一三世紀後半に活躍した中世ドイツ三大詩人のひとりコンラート・フォン・ヴュルツブルク（Konrad von Würzburg, 一二二〇／三〇～一二八七年）の物語『心の臓の物語』（Das Herzmaere、五八八行 成立年代不明）のものが最古である。[132] 後世にはL・ウーラント（Ludwig Uhland, 一七八七～一八六二年）もバラード『クーシーの城主』を残している。『心の臓の物語』の直接の原典は不明ではあるが、『クーシーの城主』と『心臓物語』はともに『ギレム・ド・カベスタン』とほぼ同じ内容である。『心の臓の物語』の奥方と騎士は、「高貴なる心（高きミンネ）」の持ち主でありながらミンネの虜になってしまう。[133]

ヨーロッパの中でもトルバドゥールの影響が著しかったイタリアでは、ダンテ（一二六五～一三二一年）の『新生』（一二九二年頃）、ボッカッチョの『デカメロン』（一三五一年）の第四日一話と九話に心臓を食べる話がある。『新生』では、ダンテの夢の中に愛神が現れ、「われは汝の主人なり」と告げる。そして、「汝の心臓を見よ」と言うと、彼が恋い焦がれるベアトリーチェに、炎をあげて燃えるダンテの心臓を食べさせる【図96】[134]。

愛神は片手に私の心臓をもって
いとも上機嫌に見えていたが、
燃える心臓をおそるおそる食べたが
両腕で薄衣を着て眠る淑女を抱き
やがて彼女をゆすり起こすと彼女は
やがて愛神は泣きつつ立ち去るのが見えた。(135)

【図97】『デカメロン』第4日1話、写本の装飾画（15世紀）アルセナル図書館蔵（パリ）

『デカメロン』の第四日一話は、ギスムンダと従僕のグイスカルドの悲恋である。出戻り娘のギスムンダが従僕と密通していることを知った父親のサレルノ公タンクレディは、怒りに駆られてグイスカルドから心臓をえぐり取らせ、大きな黄金杯に入れて娘に差し出す。ギスムンダは恋人の心臓に幾度となく接吻し、黄金杯に涙を注ぎ、その中に毒薬を入れて飲み干して寝台に横たわると、自分の心臓に死んだ恋人の心臓を近づけ、グイスカルドの後を追う【図97】。第四日九話は、『ギレム・ド・カベスタン』、『クーシーの城主』とほぼ同じ内容である【図98】。

一五世紀のドイツでは、先の『イニョール短詩』の類話で「ブレムベルガー伝説」（Der Brenberger）〈その一〉が職匠歌として、一六世紀には『デカメロン』第四日九話に基づいて、職匠歌人ハンス・ザックス（Hans Sachs, 一四九四〜一五七六年）によって『領

Ein schön new Lied von ainem man der seinem weyb auff einem brieff schrieb was sie thon oder lassen sol/vnd wie ehs Jm gieng
In Spéten thon
*
Ein anders Lied/ Von des Brembergers endt vnd todt/ Jn des Brembergers thon.

【図 99】『ブレムベルガー』、16 世紀の瓦版表紙、大英博物館蔵、11544.df. 17.

【図 98】『デカメロン』第 4 日 9 話、写本の装飾画（15 世紀）アルセナル図書館蔵（パリ）

主コンクレティの悲劇』（*Eine klägliche Tragödie des Fürsten Concret*, 一五四五年）で歌われた。「ブレムベルガー伝説」〈その二〉は、一六世紀の瓦版を原点とした悲劇的なバラードで【図99】[136]、一九世紀にはアヒム・フォン・アルニム（Achim von Arnim, 一七八一～一八三一年）とクレメンス・ブレンターノ（Clemens Brentano, 一七七八～一八四二年）編纂の『少年の魔法の角笛』（*Des Knaben Wunderhorn*, 一八〇六～一八〇八年）やグリム兄弟編纂の『ドイツ伝説集』（*Deutsche Sagen*, 第五〇五／六話、一八一六～一八一九年）に収録され、現代に読み継がれている。[137]

【註】

（1）Pierre Vinken: The Shape of the Heart: A Contribution to the Iconology of the Heart. Elsevier, 1999, p. 7.（強調と図は原著者）。

（2）Ibid., p. 7f. ロブ・ダン『心臓の科学史――古代の「発見」から現代の最新医療まで』（高橋洋訳）、青土社、二〇一六年、七五頁も参照のこと。心臓の右側から左側に移動するための穴は、実際には存在しない。

（3）Vinken, p. 9.

（4）Ibid., p. 9f. 象ハンターによる示唆には、南フランスのもっと新しい旧石器時代の洞窟壁画では象の左肩に三本の矢を突き刺した印があり、左肩は獲物を最も簡単にしとめる急所であるから、という理由があった。

（5）Cf. Almut-Barbara Renger: Herz. In: Metzler Lexikon literarischer Symbole. Hrsg. Günter Butzer, Joachim Jacob. 2. erweiterte Aufl. Stuttgart, Weimar (J. B. Metzler) 2012, p. 180-181, here p. 181.

（6）ルイザ・ヤング『ハート大全』（別宮貞徳訳）、東洋書林、二〇〇五年、二三五頁参照。

（7）Cf. Vinken, 18, 62f, 77. ヤング、二三五頁参照。

（8）Armin Dietz: Wappenzeichen der Kardiologie. In: Deutsches Ärzteblatt. Jg. 100, Heft 12, 27. März 2003, A795-796.

（9）ヤング、一三八頁。

（10）ピエール・ヴィンケンは、古代エジプトで心臓そのものが描写されなかったのは、おそらくそれがタブーだったからで、心臓は、ミイラの内臓を入れたカノプス壺として表現されたと考えた。それに対しルイザ・ヤングは、心臓はカノプスの壺に入れられなかったし、ヒエログリフは心臓そのものに見えるため、ヴィンケンの説は誤解だとしている。Vinken, p. 12.／ヤング、一四一頁。

（11）Cf. John Francis Nunn: Ancient Egyptian medicine, University of Oklahoma Press, 1996, p. 87.
（12）ダン、一二三頁。
（13）『角川大字源』大野晋、佐竹昭広、前田金五郎編、角川書店、一九七四年第一版、一九九〇年補訂版第一刷、一九九六年補訂版第八刷、六二三頁。
（14）岩波古語辞典補訂版、四八八頁。和語の「こころ」の語源には諸説あるが、その中でもっとも知られているのが、「ごごり（凝り）」に由来するというものである。「煮こごり」という語にも残るこの言葉は、「ものが堅くなること」を意味し、それに従えば、心臓は血が集まって凝結したものと考えられていたことになる。
（15）Cf. Vinken, p.11.
（16）Armin Dietz: Ewige Herzen: Kleine Kulturgeschichte der Herzbestattungen. München (Medien- und Medizin-Verlag) 1998, p. 43.
（17）Ibid., p. 45.
（18）小池寿子『内臓の発見――西洋美術における身体とイメージ』筑摩書房、二〇一一年、二二四頁。
（19）アリストテレス『動物部分論』（島崎三郎訳）第三巻第四章 666a10、アリストテレス全集第八巻収録、岩波書店、一九六九年。
（20）Biesterfeld, W.: Herz. In: Historisches Wörterbuch der Philosophie. Bd. 3: G-H, Basel / Stuttgart 1974, 1100-1104.
（21）蜷川順子『聖心のイコノロジー――宗教革命前後まで』関西大学東西学術研究所研究叢刊五五、二〇一七年、一四～一五、一八頁を参照。
（22）ラテン語で「善悪の区別をよく知っている（conscientia）」の翻訳借用で、英語では conscience、ドイツ語では Gewissen が良心、善悪の判断力、道徳意識を意味する。
（23）Cf. Biesterfeld, 1104.
（24）Cf. Konrad Hilpert: Die Macht des Herzens. Interferenzen von Organbenennung, Ortsangabe und Sinnbildlichkeit. In: Münchener

theologische Zeitschrift 65, 2014, p. 37-54, here p. 38f. 心臓の現象で、古代オリエントにおいて重要なのは呼吸であり鼓動ではなかった。ギリシア語で人間の生命原理を意味するプネウマ（pneuma）の語源は、pneo（πνέω）、「吹く」という意味で、呼吸と深くかかわる。創世記でも「神である主は、土の塵で人を形づくり、その鼻に命の息を吹きこまれた。人はこうして生きる者となった」（創世記二：七）とある。

（25）Johann Kaspar Lavater: Ausgewählte Werke. Band 3, Zürich 1943, p. 249-251, p. 249.

（26）ダン、二八頁参照。

（27）実際には、二年前の一八九一年に先例がある。ダン、三三頁参照。

（28）現存するエーベル・パピルスの最古の写本は紀元前一七〇〇年に作成されたもの。

（29）当時は血液が心臓に戻ってくることは知られていなかった。ダン、四五頁。

（30）ダン、四七頁。

（31）この右の「部屋」は、現在知られている右心室と右心房の二つの部位をさす。

（32）Cf. Hilpert, p. 38f. ／ダン、四七頁参照。

（33）ダン、四八～四九頁参照。ヘロフィロスは、ギリシアの医聖ヒポクラテスの体液説を守ったが、エラシストラトスはこれに反対した。彼は、生命がプネウマと呼ばれる希薄な蒸気と関係しているとするプネウマティズムを提唱した。

（34）前掲書、四九～五〇頁参照。

（35）前掲書、五一～五二頁、六二頁参照。

（36）Cf. Hilpert, p. 39. ／ヤング、一七一頁／ダン、五一頁参照。ガレノスは、多くの器官は生存に必須の物質を生産すると考えていた。この考えは、古代ギリシアの医師ヒポクラテス（Hippokrates、紀元前四六〇頃～紀元前三七五年頃）の四体液説や紀元前三世紀にアレクサンドリアで編纂された『ヒポクラテス集典』の知識をガレノスが再解釈したものである。ヒポクラテスによれば心臓は他の器官と異なり、他の器官から物質を引き寄せると考えた。ガレノスはこうした従来の知識に基づき、循環器系の機能を導き出したのである。そのため、ガレノス派の理論では、心臓は排出するのではなく引きこむ臓器、噴出するのではなく吸いこむポンプであると説明された。

（37）Vinken, p. 12f.

（38）Ibid., p. 14.

（39）イブン・シーナーはアリストテレスを研究し、哲学者としても東方アラブ世界の最高峰としてトマス・アクィナスに影響を与えた。

（40）Cf. Vinken, p.13-15,

（41）小池、一八八頁参照。

（42）前掲書、一三三頁。サレルノ医学校は九世紀に設立されたヨーロッパ最古の医学校。『サレルノ養生訓』は同校で用いられた教科書の一つで各国語に翻訳され、後世まで一般の人びとの間にも広く養生訓として普及した。

（43）大杉千尋『〈イーゼンハイム祭壇画〉《キリスト復活》に関する一考察――「オランス型」キリストの機能をめぐって』、美術史第百七十三冊、平成二四年、一三七―一五一頁、特に一三八頁、一四六～一四七頁を参照。

（44）『聖ベネディクトの戒律』古田暁訳、すえもりブックス、二〇〇〇年、三一章九節、三六章。「病人を見舞うこと」〔マタイ二五：三六〕に依拠する。

（45）前掲書 xi 頁。

（46）Sarah Griffin: Ordering the Internal Body: A Thirteenth-Century Uterus Diagram in Bodleian, MS Ashmole 399. © 2021 Thinking 3D - University of St Andrews. https://www.thinking3d.ac.uk/Ashmole1298/ （二〇二一年一〇月二〇日現在）

（47）Ibid.

（48）ザーロモ三世は、コンスタンツの司教の後にザンクト・ガレンの大修道院長になった。

（49）Griffin 参照。エリアス・アシュモール（Elias Ashmole, 1617-92）はイングランドの古物収集家。そのコレクションは一六七七年オックスフォード大学に寄贈され、ボードリアン・ライブラリーに所蔵されている。そのひとつが『アシュモール写本』である。

（50）Cf. Karl Sudhoff: Abermals eine neue Handschrift der anatomischen Fünfbilderserie. 1910, p. 354.

（51）Cf. William Le Fanu: A Primitive Anatomy: Johann Peyligk's “Compendiosa Declaratio”. In: Annals of the Royal College of Surgeons of England. 1962 Aug; 31(2): p. 115-119, here p. 115.

（52）Cf. Vinken, p. 28; Taylor McCall: Inside Investigations: Anatomical Texts and Images in the 12th and 13th Centuries, https://constantinusafricanus.com/2018/10/22/inside-investigations-anatomical-texts-and-images-in-the-12th-and-13th-centuries/（二〇二一年一〇月二〇日現在）／ヤング、二三〇頁参照。

（53）Le Fanu, p. 115.

（54）医学部の先駆となったボローニャ大学の解剖学者モンディーノ・デ・ルッツィによる中世最初の解剖学書『アナトミア』によれば、解剖医自身は執刀せず、不浄な死体の解剖は身分の低い執刀者が行った。解剖医自身は、当時一般的であった動物解剖からの類推によって人体の構造を把握した。小池、一三五頁参照。

（55）McCall, loc. cit.

（56）ヤング、三二頁参照。

（57）ヤング、四二六頁。

（58）Ludwig Schmugge: Leichen für Heidelberg und Tübingen. In: Staat, Kirche, Wissenschaft in einer pluralistischen Gesellschaft. (Hrsg.) Dieter Schwab, Dieter Giesen, Joseph Listl, Hans-Wolfgang Strätz, Duncker & Humblot, Berlin 1989, p. 411-418, here p. 411.

（59）ヤング、三一～三二頁。

（60）ダン、七四頁、四〇三頁の註二参照。

（61）美術解剖学であるエコルシェ（ecorche）は、人体の解剖学的探究が盛んになったルネサンス期以来、多くの画家、彫刻家によって試みられた。エコルシェのもっともはやい例は、一三〇四年にモンペリエ大学で解剖学と外科学の講義を行なっていたアンリ・ド・モンドヴィルの写本『外科学』の挿絵である。小池、四五–四七頁参照。
(62) ハーヴェイは、権威ガレノスの見解——右心房と左心房の間にあるとされた見えない「孔」や「プネウマ」——に触れるタブーをおかすことなく、近代医学の基礎を固めたのである。小池、四三頁、二〇六頁。
(63) Sudhoff, p. 355.
(64) Fuat Sezgin: Wissenschaft und Technik im Islam. Bd. IV, Frankfurt a.M. 2003, p. 7.
(65) マンスールはアリストテレス、ヒポクラテス、ガレノス、アル・ラーズィ、アビセンナの学説を参照している。彼は心臓が最初期に形成される器官であり、プネウマが生じる場ととらえ、脳が最初期に形成されプネウマが生じる場とするヒポクラテスの学説に異議を唱えた。
(66) 『角川大字源』、六二二頁。
(67) Cf. Le Fanu, p. 115.
(68) ヤング、二三二頁参照。
(69) Le Fanu, p. 118.
(70) 当時の南ヨーロッパでは、ダ・ヴィンチの師ヴェロッキオを含め、芸術家は、絵の訓練に必要とされた筋肉の配置や構成、骨の組み立てを理解するために、人体の解剖を行なっていたものの、内臓やその機能を考察するためではなかった。ダン、六一~六五頁、四〇二頁の注一三を参照。
(71) ダン、六一頁参照。
(72) 前掲書六四頁参照。
(73) Bodleian Libraries, University of Oxford. MS, Ashmole 399., 13th century, third quarter. 内科医と罹病した貴婦人の医学的雑録を四連作の図像で表している。テキストはない。内科医と気絶する貴婦人、回復する貴婦人、尿検査をする内科医とベッドに横たわる女性患者、そして四番目が女性の死体の解剖である。

（74）Cf. Vinken, p. 33.

（75）Ibid., p. 68f. カルカスの足元には水差しがあり、鏡の周囲は三つに分かれた葉と果実をつけた木蔦のつるで飾られている。カルカスの両手の先にはエトルリアの文字でカルカスと刻まれている。ヴィンケンによれば、手前の小さな楕円形が心臓、奥が肺である。

（76）聖アンサヌスは、アッシジ近郊のバスティーア・ウンブラにある教会のフレスコ画の一部で、もともとは聖セバスティアヌスと二人一組で描かれていた。

（77）Cf. Vinken, p. 9.

（78）Ibid., p. 44f., 80.

（79）Ibid., p.80.

（80）度会好一『魔女幻想――呪術から読み解くヨーロッパ』中公新書、一九九九年、一六六頁参照。

（81）Julia Gold: Von den vnholden oder hexen Studien zu Text und Kontext eines Traktats des Ulrich Molitoris. Spolia Berolinensia Band 35. Hildesheim (Weidmann) 2016, p. 67f.

（82）それがさらに発展して、教会が悪魔や魔女の実在性や悪行を主張するようになり、キリスト教の魔女概念が成立するのは一五世紀である。教会にとって十字軍以後いたるところに生じ始めた反教会的セクトと異教的魔女との区別が曖昧になり、民衆の異教的迷信や信仰を放置できなくなった。「魔女教皇」と呼ばれた教皇インノケンティゥス八世の『緊急要望書』（一四八四年）と『魔女の鉄槌』（一四八六年）が、悪魔に使える魔女が実在するという観念が確立する契機になり、魔女は「悪魔と契約」して超自然的な力、つまり魔力を得るという、これまでにない魔女像を打ち出したのである。小林繁子『近世ドイツ農村における民衆と魔女』、『西洋史論集』（北海道大学）第五巻（二〇〇二）、二七～五二頁収録、三四～三五頁参照。

（83）『トロイの歌』は一一九〇年から一二〇〇年の間に成立したとされ、トロイ戦争を舞台にドイツ語で伝わるものとしては最古の作品で、一万八四五八詩行からなる。引用部分の最後の二行の「藁のたば」と「魚」は韻を踏んでいる。“Oder ein stro oder einē wisch / Ich hafte an ir al sein fisch.” テューリンゲン方伯はパリに留学しフランス文学を知るとドイツ語に翻訳して祖国に送った芸術と文化の庇護者であり、その宮廷で『トロイの歌』はブノワ・ド・サン＝モール（Benoît de Sainte-Maure）により古フランス語で書かれた『トロイ物語』（*Roman de Troie*, 一一七〇年頃）を手本にして生まれた。

（84）Vinken, p. 33.

（85）蜷川、五五頁参照。

（86）Armin Dietz: Das Herz von Giottos Caritas. Ein Rätsel in der Geschichte der medizinischen Abbildung. In: Deutsches Ärzeblatt. Jg.109, Heft 33-34, 17. August 1012, A1713-1714.

（87）象牙のミラーケースは裕福な人々を対象に、高価な贈答品としてフランスで一四世紀前半に集中して制作された。ミラーケースには宮廷恋愛（amour courtois）の物語に登場する伝統的なモチーフであるチェスを楽しむ恋人同士、馬に乗り鷹狩を楽しむ恋人同士、鷹を手にとまらせた男性や花冠をもつ貴婦人などが彫刻されている。チェスは誘惑のための巧みな策略の、鷹狩は貴婦人の愛を仕留めることのメタファーである。さらには、愛神と恋人同士をあしらったミラーケースでは、愛神が中央の木の枝に腰掛け、その木の左右に花冠をもつ貴婦人と鷹を手にとまらせた男性が立つものもある。愛神は恋人たちを狙うように、両手に矢を一本ずつもっている。世俗的な愛を描いたミラーケースの図像の原形が、世俗からはほど遠い宗教的な図像の「東方三博士の礼拝」であることが指摘されている。Cf. Harry Blamires: Recovering the Christian Mind. Meeting the Challenge of Secularism. 1988, p. 20f.

（88）蜷川、四四～四五頁。

（89）Cf. Des Minnesangs Frühling. Unter Benutzung der Ausgaben von Karl Lachmann und Moritz Haupt, Friedrich Vogt und Carl von Kraus, bearbeitet von Hugo Moser und Helmut Tervooren. 38., erneut revidierte Auflage. Stuttgart 1988, Nr. I, VIII, p. 21.

(90) Franziska Wenzel: Räume der Liebe. Vom Umgang mit dem Herzen in der Literatur des Mittelalters. In: Forschung Frankfurt 2019. 02., p. 65-69, here p. 65f.

(91) Dietz, p. A 795.

(92) Cf. Walter Blank: Die deutsche Minneallegorie. Gestaltung und Funktion einer spätmittelalterlichen Dichtungsform. Stuttgart (Springer) 1970, p. 114. ヴィーナス、アモル、クピド、ミンネ夫人に共通する持物（アトリビュート）は、次のように解釈できる。翼はハートとハートを結びつける敏捷さ、盲目は理性による制御の欠落、冠は歓喜と栄誉、裸身は身体の合一、弓矢と槍は傷、そして松明はハートを燃え立たせること。

(93) Cf., ibid., p. 112.

(94) Jürgen Wurst: Reliquiare der Liebe. Das Münchner Minnekästchen und andere mittelalterliche Minnekästchen aus dem deutschsprachigen Raum. Dissertation. München 2005, p. 127.

(95) Cf. ibid., p. 208f.

(96) Cf. Aargauerzeitung.ch, 2009.11.25; Neue Zürcher Zeitung., 2009.11.26. ミンネ夫人の身につけている宮廷衣装は、一四〇〇年頃のモードと一致する。ただし、この壁画の人物たちの服装、たとえば男性の二色の衣装やミンネ夫人の肩を露出した衣装は当時チューリヒでは禁止されていたため、実際の服装ではなく願望が描かれているといえる。この壁画の注文主は不明。

(97) オウィディウス『変身物語』上、三三頁。

(98) Angelika Storrer/ Eva Lia Wyss: Pfeilzeichen: Formen und Funktionen in alten und neuen Medien. In: Wissen und neue Medien: Bilder und Zeichen von 800 bis 2000. Philologische Studien und Quellen Vol. 177. Berlin 2003, p. 159-195.

(99) Cf. Blank, p.112-115.

(100) 蜷川、二〇九頁。

(101) 小池、二四〇～二四一頁参照／蜷川二〇八～二一二頁参照。

（102）Cf. Christoph Wetzel: Das Grosse Lexikon der Symbole. Darmstadt (Primus) 2011, p. 137.

（103）Wurst, p. 214.

（104）Cf. Cornelia Kurse/ Maria-Louise von Plessen: Von Ganzen Herzen. Diesseits und jenseits einers Symbols. Berlin (Nicolai) 2014, p. 70.：蜷川、六二頁〜六四頁参照。

（105）Wurst, p. 214; Kurse/ Plessen, p. 60

（106）蜷川、一七三頁参照。

（107）Kurse/ Plessen, p. 60.

（108）Cf. The Golden Verses of Pythagoras and Other Pythagorean Fragments. Selected and Arranged by Frorence M. Firth 1904, p. 93f.

（109）オウィディウス『変身物語（上）』〔全二冊〕（中村善也訳）、岩波文庫、二〇一四年、八八〜八九頁参照。

（110）エルヴィン・パノフスキー『イコノロジー研究』〈上〉（浅野徹他訳）、ちくま学芸文庫、二〇〇二年、二二四頁。

（111）前掲書、二一六頁。

（112）前掲書、二二〇頁。

（113）前掲書、二二〇頁。

（114）小池寿子『身体をめぐる断章　その一七――心臓という墓』ＳＰＡＺＩＯ No. 70.／https://www.nttdata-getronics.co.jp/csr/spazio/spazio70/koike/index.html　（二〇一二年一〇月一五日現在）

（115）Cf. Dietz: Das Herz von Giootos Caritas, here p. 1714.

（116）蜷川、一九七頁。

（117）前掲書、一八四頁。

（118）前掲書、五六頁。

（119）Cf. Konrad, p. 40.

(120) Cf. Dietz, Ewige Herzen, p. 10.
(121) Ibid., p. 16f.
(122) ヤング、四二六～四二七頁参照。
(123) それ以前は、ハプスブルク家では大抵の場合心臓は遺体と一緒にならんで同じ棺に納められたか、もしくはシュテファン大聖堂に埋葬された。
(124) 徳井淑子『涙と眼の文化史　中世ヨーロッパの標章と恋愛思想』、東信堂、二〇一二年、一三一頁参照。
(125) 前掲書、一三頁参照。
(126) グヴェンドリン・トロッテン『ルネサンスにおけるウェヌスの子どもたち——美術と占星術』（伊藤博明／星野徹訳）、ありな書房、二〇〇七年、六八頁参照。
(127) 徳井、一二七頁。
(128) Wenzel, p. 65.
(129) 中山淳子『心臓物語——グリム兄弟編著《ドイツ伝説集》／アルニム・ブレンターノ編集《少年の魔法の角笛》』丸善プラネット、二〇一五年、四八頁参照。
(130) 前掲書六五頁参照。
(131) 岡田真知男『《心臓を食べる話》——〈イニョール短詩〉の場合』、『人文学報』（首都大学東京人文科学研究科人文学報編集委員会編）、第一三九号、一九八〇年三月、一頁―一二三頁。
(132) コンラート・フォン・ヴュルツブルク『心の臓の物語』（平尾浩三訳）、『コンラート作品選』郁文堂、一九九四年、三三～四三頁、特に四〇頁参照。
(133) 「高貴なる心」は『トリスタンとイゾルデ』の作者ゴットフリート・フォン・シュトラースブルクが、恋の甘さのみならず、苦さも合わせて味わえる者だけがもつことのできる理想的な恋愛のあり方とした。ゴットフリート・フォン・シュトラースブルク『トリスタンとイゾルデ』（石川敬三訳）、郁文堂、一九九二年、「序章」参照。

(134) ダンテ『新生』世界古典文学全集（三五）、筑摩書房、一九六四年、三三六頁参照。

(135) 前掲書、三三七頁。

(136) 中山、二七頁。

(137) Achim von Arnim/ Clemens Brentano: Des Knaben Wunderhorn, Düsseldorf/ Zürich (Artemis/ Winkler) 2001, p. 453f. ／グリム『ドイツ伝説集』〈下〉（桜沢正勝／鍛治哲郎訳）、人文書院、一九九〇年、一九六頁。

【参考文献】

アリストテレス『動物部分論』（島崎三郎訳）第三巻第四章666a10、アリストテレス全集第八巻収録、岩波書店、一九六九年

オウィディウス『変身物語（上）』〔全二冊〕中村善也訳、岩波文庫、二〇一四年

大杉千尋『〈イーゼンハイム祭壇画〉《キリスト復活》に関する一考察――「オランス型」キリストの機能をめぐって』、美術史第百七十三冊、平成二四年、一三七～一五一頁。

岡田真知男『《心臓を食べる話》――〈イニョール短詩〉の場合』、『人文学報』（首都大学東京人文科学研究科人文学報編集委員会編）第一三九号、一九八〇年三月。

グリム『ドイツ伝説集』〈下〉桜沢正勝／鍛治哲郎訳、人文書院、一九九〇年。

小池寿子『内臓の発見――西洋美術における身体とイメージ』筑摩書房、二〇一一年。

――『身体をめぐる断章　その一七――心臓という墓』ＳＰＡＺＩＯ No. 70.：https://www.nttdata-getronics.co.jp/csr/spazio/spazio70/koike/index.html

ゴットフリート・フォン・シュトラースブルク『トリスタンとイゾルデ』（石川敬三訳）、郁文堂、一九九二年。

小林繁子『近世ドイツ農村における民衆と魔女』、『西洋史論集』（北海道大学）第五巻（二〇〇二）、二七～五二頁収録。

コンラート・フォン・ヴュルツブルク『心の臓の物語』（平尾浩三訳）、『コンラート作品選』郁文堂、一九九四年、三三一－四三頁。

ダン、ロブ『心臓の科学史　古代の「発見」から現代の最新医療まで』高橋洋訳、青土社、二〇一六年。

ダンテ、アリギエーリ『新生』世界古典文学全集（三五）筑摩書房。

徳井淑子、『涙と眼の文化史――中世ヨーロッパの標章と恋愛思想』、東信堂、二〇一二年。

トロッテン、グヴェンドリン『ルネサンスにおけるウェヌスの子どもたち――美術と占星術』伊藤博明／星野徹訳、ありな書房、二〇〇七年。

中山淳子『心臓物語――グリム兄弟編著《ドイツ伝説集》／アルニム・ブレンターノ編集《少年の魔法の角笛》』丸善プラネット、二〇一五年。

蜷川順子『聖心のイコノロジー――宗教革命前後まで』関西大学東西学術研究所研究叢刊五五、二〇一七年。

パノフスキー、エルヴィン『イコノロジー研究』〈上〉浅野徹他訳、ちくま学芸文庫、二〇〇二年。

ベネディクト、ヌルシアの『聖ベネディクトの戒律』古田暁訳、すえもりブックス、二〇〇〇年。

ヤング、ルイザ『ハート大全』別宮貞徳訳、東洋書林、二〇〇五年。

Achim von Arnim, Achim von/ Brentano, Clemens: Des Knaben Wunderhorn, Düsseldorf/ Zürich (Artemis/ Winkler) 2001.
Biesterfeld, W.: Herz. In: Historisches Wörterbuch der Philosophie. Bd. 3: G-H, Basel / Stuttgart 1974, 1100-1104.
Blamieres, Harry: Recovering the Christian Mind. Meeting the Challenge of Secularism. 1988.
Blank, Walter: Die deutsche Minneallegorie. Gestaltung und Funktion einer spätmittelalterlichen Dichtungsform. Stuttgart (Springer) 1970.
Dietz, Armin: Ewige Herzen: Kleine Kulturgeschichte der Herzbestattungen. München (Medien- und Medizin-Verlag) 1998.

Dietz, Arnim: Wappenzeichen der Kardiologie. In: Deutsches Ärzteblatt. Jg. 100, Heft 12, 27. März 2003, A795-796.

Dietz, Armin: Das Herz von Giottos Caritas. Ein Rätsel in der Geschichte der medizinischen Abbildung. In: Deutsches Ärzteblatt. Jg.109, Heft 33-34, 17. August 1012, A1713-1714.

Firth, Florence M. (ed.): The Golden Verses of Pythagoras and Other Pythagorean Fragments. Selected and arranged by Florence M. Firth 1904.

Gold, Julia: Von den vnholden oder hexen Studien zu Text und Kontext eines Traktats des Ulrich Molitoris. Spolia Berolinensia, Band 35. Hildesheim (Weidmann) 2016.

Griffin, Sarah: Ordering the Internal Body: A Thirteenth-Century Uterus Diagram in Bodleian, MS Ashmole 399. © 2021 Thinking 3D - University of St Andrews. https://www.thinking3d.ac.uk/Ashmole1298/

Hilpert, Konrad: Die Macht des Herzens. Interferenzen von Organbenennung, Ortsangabe und Sinnbildlichkeit. In: Münchener theologische Zeitschrift 65, 2014, p. 37-54.

Kurse, Cornelia/ Plessen, Maria-Louise von: Von Ganzen Herzen. Diesseits und jenseits einers Symbols. Berlin (Nicolai) 2014.

Lachmann, Karl (ed.): Des Minnesangs Frühling. Unter Benutzung der Ausgaben von Karl Lachmann und Moritz Haupt, Friedrich Vogt und Carl von Kraus, bearbeitet von Hugo Moser und Helmut Tervooren. 38., erneut revidierte Auflage. Stuttgart (S. Hirzel) 1988.

Lavater, Johann Kaspar: Ausgewählte Werke. Band 3, Zürich 1943.

Le Fanu, William: A Primitive Anatomy: Johann Peyligk's "Compendiosa Declaratio". In: Annals of the Royal College of Surgeons of England. 1962 Aug; 31(2): p. 115-119

McCall, Taylor: Inside Investigations: Anatomical Texts and Images in the 12th and 13th Centuries, https://constantinusafricanus.com/2018/10/22/inside-investigations-anatomical-texts-and-images-in-the-12th-and-13th-centuries/

Nunn, John Francis: Ancient Egyptian medicine, University of Oklahoma Press, 1996.

Renger, Almut-Barbara: Herz. In: Metzler Lexikon literarischer Symbole. Hrsg. Günter Butzer, Joachim Jacob. 2. erweiterte Aufl. Stuttgart,

Weimar (Metzler) 2012, p. 180-181.

Schmugge, Ludwig: Leichen für Heidelberg und Tübingen. In: Staat, Kirche, Wissenschaft in einer pluralistischen Gesellschaft. (Hrsg.) Dieter Schwab, Dieter Giesen, Joseph Listl, Hans-Wolfgang Strätz, Duncker & Humblot, Berlin 1989.

Sezgin, Fuat: Wissenschaft und Technik im Islam. Bd. IV, Frankfurt a.M. 2003.

Storrer, Angelika/ Wyss, Eva Lia: Pfeilzeichen: Formen und Funktionen in alten und neuen Medien. In: Wissen und neue Medien: Bilder und Zeichen von 800 bis 2000. Philologische Studien und Quellen Vol. 177. Berlin 2003.

Sudhoff, Karl: Abermals eine neue Handschrift der anatomischen Fünfbilderserie. In: Archiv für Geschichte der Medizin, 3 (1910), p. 353-368.

Vinken, Pierre: The Shape of the Heart: A Contribution to the Iconology of the Heart. Amsterdam (Elsevier) 1999.

Wenzel, Franziska: Räume der Liebe. Vom Umgang mit dem Herzen in der Literatur des Mittelalters. In: Forschung Frankfurt 2019. 02., p. 65-69.

Wetzel, Christoph: Das Grosse Lexikon der Symbole. Darmstadt (Primus) 2011.

Wurst, Jürgen: Reliquiare der Liebe. Das Münchner Minnekästchen und andere mittelalterliche Minnekästchen aus dem deutschsprachigen Raum. Dissertation. München 2005.

【コラム】ハートの伝説いろいろ

須藤 温子

民間信仰・伝説・メルヒェン

力強く鼓動しつづける心臓は、神秘的な生の源泉、不死なる魂のありかであり、心臓には人それぞれの本質、特性、能力が見出された。心臓は神秘的でときには魔術的な力が秘められているという考えが世界各地の風習に根付いている。

心臓を引き抜くのも食べるのも、太古以来の儀式である。原始宗教やアニミズムにおいては、これらの行為は敵にたいする勝利と敵を完全に滅ぼすことを意味し、また同時に敵の良い特性と力の摂取を可能にするものでもあった。ゲルマン諸部族は慣例で倒した敵の心臓を見るために胸を切り開いたし、アステカ文明では太陽神への供儀として生贄の心臓を引き抜いた。敵の心臓を食べる習慣は、南イタリア、特にナポリでは仇討ちの行為として一七世紀まで行われていた。心臓が小さくて震えているのは敵が臆病で卑怯者である証だった。

近代初期の刑の執行には、心臓が魂の座であることが顧慮されていた。一五三二年、神聖ローマ帝国皇帝カルル五世（Karl V., 一五〇〇―一五五八）のもとで制定された帝国統一法典であるカロリナ法典（CCC）では、重罪に対しては生きたまま心臓を引き抜くよう定められている。この刑は、中世の宗教裁判や異端審問、魔女裁判でも繰り返し執行

された。(1)

心臓が生命の本質や生命そのものを象徴しているという考え方は、心臓を食べることをテーマとするさまざまな神話、伝説、メルヒェンにその痕跡を残している。

たとえば、ギリシア神話にはデュオニソスとして再生したザグレウスの物語がある。ザグレウスはゼウスとペルセポネの子として生まれたが、ヘラの妬みによりティターン族の襲撃をうけ、殺される。ティターン族はザグレウスを虐殺してから手足をばらばらにして煮て食べてしまう。心臓だけはアテネによってゼウスにもたらされ、ゼウスは息子の心臓をのみ込み、ザグレウスは新たにデュオニソスとして再生する。デュオニソスの受難から、デュオニソスの神事には生肉を食らう夜の聖餐の秘儀がある。おおむね牡牛が犠牲とされ、神格の表象あるいは神体そのものと見なされた。信徒はその生肉を摂取することで神力を自身の体内に収め、永遠の生命にあずかると信じていた。こうした聖餐の意義は、後のキリスト教の儀式にも受け継がれたことから、デュオニソスとキリストはともに受難と受苦と、その究極における生の勝利と復活を象徴するといえる。(2)

【図1】ジグルズ、手をやけどし竜の血をなめる（CC BY-SA 2.0）Hylestad stave church の扉パネル下部、12世紀後半。オスロ歴史博物館（ノルウェー）蔵

九世紀から一三世紀にかけて制作された北欧の古歌謡『エッダ』（*Edda*、作者未詳）ではジグルズが倒した竜ファヴニールの心臓を食べる【図1】。すると、彼は小鳥の言葉を理解する特別な能力を授かる。ジグルズの死後、妻のグズルーンはフン族の王アトリと再婚するが、兄を殺された復讐のために、子供たちの心臓をご馳走として出した後、王を殺害する。

一七世紀イタリアを代表するジャンバッティスタ・バジーレ（Giambattista Basile, 一五七三?—一六三二）による『ペンタメローネ』（一六三四―一六三六）には「魔法の牡鹿」（一日目、第九話）という昔話が収められている。子宝を願ったルンガペルゴーラの王は、物知りの老人の言うとおり海の竜の心臓を生娘に料理させる。大鍋から立ち上る匂いをかいだだけで生娘は身ごもり、部屋中の家具もふくらみはじめ、数日後にそろって子供を産む。王妃も懐妊し、心臓を食べると臨月さながらとなり、四日後には生娘と同時に男児を産む。[3]
ヨーロッパで広く流布した迷信は、犯罪者、魔女、魔法使いの魂が死後もなお心臓の中で生き続けるというものである。それゆえに、トランシルバニアの吸血鬼狩りでは、吸血鬼を永久に死に至らしめるために心臓に杭を打ち込む。

燃えない心臓？　ジャンヌ・ダルクとシェリーの心臓

異端者として火刑に処されたジャンヌ・ダルク（一四一二―一四三一）の心臓は燃えなかったと、年代記作家が報告している。[4]一八二二年に詩人パーシー・ビッシュ・シェリー（一七九二―一八二二）はイタリアのトスカーナ州にあるヴィアレッジョ沖で乗っていたヨットが沈没して溺れ死んだ。浜辺で荼毘に付されたとき心臓が遺体から露出し、「皆驚いたことに、心臓がそっくり残っていた。」[5]火葬にはバイロン卿とリー・ハントとともエドワード・トリローニーが立ち会ったが、心臓を火から急いで取り出そうとして手にやけどを負った。シェリーの遺灰はローマに埋葬され、心臓は未亡人となったメアリー・シェリーに届けられた。彼女は後に『フランケンシュタイン』の作者となる。

ライマン・フランク・ボーム作『オズの魔法使い』

オズの魔法使いに願いを叶えてもらうためにドロシーと一緒に旅をするのはかかし、臆病ライオン、ブリキの木こりだ。ドロシーの願いはカンザスの家に帰ること。かかしは考えるための脳みそ、臆病ライオンは――「獅子心」（ライオンハート）——勇気、そしてブリキの木こりは魔女に奪われた心臓／心を取り戻したい。木こりは再び鼓動を感じたいし、何よりも愛する女性をふたたび愛せるように、心が欲しい。いくつもの苦難を乗り越えていくうちに、彼らは自分に欠けていると思っていた知恵、勇気、愛で仲間たちを助け、いつしかそれらを手に入れているのである。

【図2】ペーテル・フレットナー作ドイツのトランプ(1535)「ハートの六」

【図3】『不思議の国のアリス』の挿絵。ハートの女王とアリス

ルイス・キャロル作『不思議の国のアリス』とハートの女王

トランプは九世紀に中国で生まれ、一四世紀にはヨーロッパで庶民の余暇の楽しみとして広まったと考えられている。現在の四つのスーツはフランスのトランプに由来し、槍を表すスペード、心臓を表すハート、要石あるいはタイルを表すダイヤ、三つ葉を表すクラブからなるが、他のヨーロッパ地域では、スペードの代わりに剣、ハートの代わりに杯、ダイヤの代わりに鈴やコイン、クラブの代わりにどんぐりやこん棒が用いられた【図2】。

トランプのハートの女王は愛を象徴する美しい女性のはずだが、ルイス・キャロル（Lewis Carroll, 一八三二—一八九八）作『不思議の国のアリス』（*Alice's Adventures in Wonderland*, 一八六五）に登場するハートの女王は、事あるごとに「首をはねよ！」と金切り声をあげる、ヒステリックで醜い中年女性である【図3】。物語の終盤では、ハートの女王の作ったパイを盗んだという疑いで、ハートのジャックの裁判が行われる。白ウサギが読み上げる起訴状の内容は、『マザー・グースの歌』にも収録された、古い童謡の「ハートの女王」の冒頭部分である。

ハートの女王がパイ作った
夏のある日のことだった
ハートのジャックがそのパイを
そっくり盗んで知らん顔[6]

ノンセンス文学を誇るイギリスの中でも、『マザー・グースの歌』と『不思議の国のアリス』はその代表格だ。『不思議の国のアリス』は、ノンセンス文学の最大の技法である言葉遊び、特に地口（語呂合わせ）の宝庫で、転倒した世界を現出させる。不思議の国でアリスが何度も「ナンセンス！」と言うように、登場人物、出来事、行為、発言の何もかもがナンセンスである。現実世界——キャロルの生きたヴィクトリア朝社会——の既成の秩序や価値観を突き崩し、逆転させた不思議の国ゆえに、ハートの女王はスペードの女王の装束をまとい[7]、醜く、愛をふりそそぐ代わりにむやみに死刑判決を下すのである。

隠された心臓あるいは魂

サブカルチャーの世界にも、心臓は大切な役割を担って登場する。ダイアナ・ウィン・ジョーンズ作『魔法使いハウルと火の悪魔』のハウルやハウルの敵も、魔法使いは自分の心臓を自分の体内から取り出し、どこかに隠している。魔法使いの心臓にある力が狙われることを避け、不死身であるためだ。J・K・ローリング作『ハリー・ポッター』

で、ポッターの宿敵ヴォルデモートが分霊箱（Hoicrux）に自らの魂を分割して保管したのも、肉体が滅ぼされても不死身でいられるためである。

映画『パイレーツ・オブ・カリビアン／デッドマンズ・チェスト』（*Pirates of the Caribbean: Dead Men's Chest*, 二〇〇六）では、フライング・ダッチマン号の船長デイヴィ・ジョーンズが心臓を隠し、鍵だけを身につけている。心臓は「デッドマンズ・チェスト（死者の宝箱）」に保管され、チェストのありかは船長しか知らない。船長はその心臓にとどめを刺されない限り不死身だ。デイヴィ・ジョーンズののちに新たな船長となったウィルは、地上に残る妻のエリザベスに自分の心臓を入った宝箱を託し、フライング・ダッチマン号へと旅立っていく。映画『パイレーツ・オブ・カリビアン／ワールドエンド』（*Pirates of the Caribbean: At World's End*, 二〇〇七）のラストシーンでは、文字通り、愛する女性に我が心臓を捧げる、ハートの文化史が凝縮したシーンを見ることができる。

【註】

（1）小林繁子「近世ドイツ農村における民衆と魔女」北海道大学西洋史論集、二〇二〇年三月二〇日、二七～五二頁。
（2）呉茂一『ギリシア神話（上）』新潮文庫、昭和五四年発行、平成一九年三五刷改版、平成二九年三八刷、一〇四頁、三四〇～三四五頁参照。
（3）ジャンバッティスタ・バジーレ『ペンタメローネ』杉山洋子・三宅忠明訳、大修館書店、一九九五年、九〇～九二頁参照。
（4）Armin Dietz: Ewige Herzen: Kleine Kulturgeschichte der Herzbestattungen. Urban und Vogel, 2000, p. 28.
（5）ルイザ・ヤング『ハート大全』別宮貞徳訳、東洋書林、二〇〇五年、四三八～四三九頁。
（6）マイケル・ハンチャー『アリスとテニエル』東京図書、石毛雅章訳、一九九七年、一四三頁参照。

（7）前掲書、一一六頁参照。

【参考文献】

呉茂一『ギリシア神話（上）』新潮文庫、昭和五四年発行、平成一九年三五刷改版、平成二九年三八刷
小林繁子「近世ドイツ農村における民衆と魔女」北海道大学西洋史論集、二〇二〇年、二七～五二頁。
バジーレ、ジャンバッティスタ『ペンタメローネ』杉山洋子／三宅忠明訳、大修館書店、一九九五年
ハンチャー、マイケル『アリスとテニエル』東京図書、石毛雅章訳、一九九七年
ヤング、ルイザ『ハート大全』別宮貞徳訳、東洋書林、二〇〇五年
Dietz, Armin: Ewige Herzen: Kleine Kulturgeschichte der Herzbestattungen. Urban und Vogel, 2000

第二部

ハートの諸相

中世フランスの文学テーマ「愛の嘆き」とハートの形象化

徳井 淑子

はじめに

なぜ心はハート形というかたちを持たねばならなかったのだろうか。あるいはハート形というかたちを心に与えたのは何であったのか。一つの答えになると思われるのは、中世ヨーロッパに流布した抒情詩のテーマ「愛の嘆き」の文学手法である。すなわち心理・心情といった抽象的な観念をひとのかたちにして表す擬人化の手法であり、擬人化された〈心〉と、それと対になって現れる擬人化された〈眼〉、そして両者が辛い恋の責任をめぐって論争するという文学テーマへの展開である。そのようなテーマが流布するフランス一五世紀は、ハート形の形象が目立って多くなるときである。

筆者は、中世末期のフランスで王侯貴族のあいだで流行したドゥヴィーズ、すなわち多分に遊戯的な個人の標章がどのようにそのモチーフを決めているのか調査したことがある。ドゥヴィーズは家紋とは異なり、そのときどきの個人的な気分や感情が託される紋章であり、したがってモチーフの取材源を特定することは容易ではない。ただし文学的教養に裏打ちされた標章が少なからずあり、その際には取材源の作品から選択の意図を知ることができる場合もある。そのようなドゥヴィーズを代表するのが小さなしずくのかたちをちらした涙滴文であり、それは中世の文学テーマに幾重にも重ねられた興味深いモチーフであった[1]。

涙滴文は、そもそもアーサー王物語に登場する騎士の紋章としてこの種の文学に起源があるが、一五世紀にかなわぬ恋をうたう抒情詩が流行すると、男の悲恋を象徴する文様となった。涙模様は、しかし単に実らぬ恋の辛さを暗示しているばかりではない。涙を流すのは、かなわぬ恋を嘆いているというより、むしろいかに愛しているかを証す手段であり、そうであればこそこの文様は流行したように思われる。たとえ恋は成就しても恋するものは常に不安にさいなまれる。恋を苦しみと捉えるヨーロッパの恋愛思想と深く結び付いたがゆえに、熱情のしるしである涙は抒情詩のレトリックとして展開し、涙滴文の意味は重層化した。すなわち涙を流す眼は擬人化され、それと対になって心が擬人化され、辛い恋の責任がどちらにあるのかを論争する「心と眼の論争」というテーマにつながることになる。そしてここには視覚を恋愛の誕生として重視するヨーロッパ中世らしい恋愛のメカニズムが考えられている。

心と眼にまつわるレトリックは、そもそも一二世紀の南フランスの詩人たち、すなわちトルバドゥールの詩歌に由来し、イタリア文学に影響を与えたのち、とくにペトラルカを通して一五世紀フランスで再び詩人たちに広がったという経緯がある。心と眼のレトリックが、中世にさかのぼるヨーロッパの恋愛思想の根源に関わったことは、心がハート形として形象化され、長い歴史を経て今日まで残った理由の一つになったように思われる。中世ヨーロッパの抒情詩の世界が、心の形象化にどのような役割をはたしたのかをみていこう。

一　心身の分離と心の擬人化

一二世紀のトルバドゥール以来の抒情詩のレトリックに、心身の分離といわれる文学修辞がある。すなわち美しい女性に魅了された男の心は身体から遊離し、愛する女性のもとに留まるという表現によって熱い恋心を語るレトリックである。たとえば心奪われた男は文字通り「心をなくし、貴女はそれを二つ持っている」とトルバドゥールはうたい、「貴女を見た瞬間、裏切り者の心は私のからだを去り、ゆえに私には心はない」、あるいは「私の心が彼女のところにいないとするなら、いったいどこにいるというのだろうか。心を探してきてほしいと男は愛神に懇願する」とトルバドゥールはうたう。[2] 心は「あのひとに密着し、爪で掴まっている」と語る詩人もいる。[3] 後に一五世紀の詩人アラン・シャルティエは、その作品『つれない姫君』で、男の求愛を冷たく拒絶する姫君に、「私から私の心を手放して／他の人の心をご主人にする事などまっぴらです」[4] と言わしめている。「私は自由です、自由でいたいのです」ということばに続く姫君の台詞である。

トルバドゥールの心身分離のレトリックを、一五世紀のフランスの詩人たちへとつないだのは、一三・一四世紀のイタリアの詩人たちの作品である。なかでもダンテの『新生』は、その好例である。たとえば、ベアトリーチェへの愛をカムフラージュするために、作者は別の女性を愛しているように装っているのだが、不都合が生じてカムフラージュの女性を変えるよう促す愛神は作者に次のように言う。「汝があのひとにあずけておいた、汝の心臓をここに持ってきている。これを、かつての彼女がそうであったように、汝の防御となる婦人のところへ持って行く」と。[5]
ボッカッチョの『フィローストラト』は、トロイアの王子トロイオロと、ギリシャに寝返った父にしたがいトロイアを離れざるを得ないクリセイダの悲恋物語だが、ふたりの恋情は終始、心あるいは「心臓の魂」の移動で語られている。たとえば、トロイオロと別れねばならないことを知って悲しんだクリセイダは、彼を想い「彼女の肉体はそこに在るが、その魂は別のところにあって、トロイオロを、どこにいるとも知らず探し求めて」いる。別れの前、彼の腕のなかで気を失ったクリセイダが感覚を取り戻したとき、「彷徨っていた、彼女の魂は、浮遊していた所から、彼女の心臓に戻ってきた」。そしてギリシャに到着したクリセイダは「こうした惨めな状態にあっても、ひたすら、トロイオロに、自分の心を止め置いた」。[6] こうした表現が直接ハート形の形象化に結び付くわけではないが、身体から遊離する心を示すには、なにがしかのかたちが必要であるという意味では、ハート形の形象を支えたといえるだろう。

【図1】《心を贈る》タピスリー、1400-10年、ルーヴル美術館

心身分離の観念ゆえに心は形象化されねばならず、心がハート形のかたちを得れば、それを愛するひとに捧げる男女の図が登場することになる。ではそのような図はいつ頃からみられるのだろうか。早い例は一四世紀前半に象牙製の工芸品などにあるが、しかし捧げられている心がたしかにハート形をとっているかどうかは見定め難い。[7] あきらかにハート形の心が現れ

【図2】クリスティーヌ・ド・ピザン『オテアの書簡』、1410-14年、大英図書館 Ms.Harley, Ms.4431, f.100

【図3】ボッカッチョ『デカメロン』第四日九話、1414-19年、ヴァチカン図書館 Pal. Lat.1989, f.143v.

るのは、管見では一五世紀に入ってからである。たとえばルーブル美術館所蔵のタピスリー《心を贈る》は、一四〇〇～一〇年頃の制作と推測されているが、男が女性に右手で差し出す赤い心は小さいながらきれいなハート形をしている【図1】。同じ頃、クリスティーヌ・ド・ピザンの作品『オテアの書簡』の写本には、雲の上に座すヴィーナスに、彼女への忠誠を示して男女が赤いハートを捧げている挿絵がある【図2】。恋の情熱を、ヴィーナスに心臓を捧げるというメタファーで語るクリスティーヌのテクストの図像化であるが、右から二人目の男だけはハートを背後に隠し、忠誠を拒否している。挿絵を収めている大英図書館の写本は一四一〇～一四年頃の制作とされ、ほぼ同じ挿絵を収めるフランス国立図書館本は、これよりやや早い一四〇六～〇八年の制作である[8]。心を捧げるという文脈ではないが、ヴァチカン図書館所蔵のボッカッチョの『デカメロン』は一四一四～一九年の制作で、第四日九話にある料理された皿の上の心臓をあきらかにハート形で描いている【図3】。妻の不貞を知った夫が、彼女の愛人を殺し、心臓を抜いて調理させ、妻に食べさせるという、中世に流布した猟奇的な「心臓喰い」のテーマである[9]。愛するひとに心を捧げるという心身分離の観念があればこそ、裏切られた夫には愛人の心臓を妻に食べ

【図4】『愛に囚われし心の書』、ルネの心臓を〈欲望〉に引き渡す愛神、1460年代、ウィーン、国立図書館 Codex Vind.2597, f.1

【図5】『愛に囚われし心の書』、〈希望〉に出会った〈心〉と〈欲望〉、1460年代、ウィーン、国立図書館 Codex Vind.2597, f.5v

させるということが復讐として意味を持つのだろう。同じ『デカメロン』第四日一話には、娘ギズモンダの恋を禁じた父親が、恋人グイスカルドを殺し、その心臓を娘に届けさせる話がある。ウィーン国立図書館所蔵の写本には、赤くふっくらとした心臓が金杯に入れられて娘の前に差し出されている。捧げられるのが、身体の臓器としてのリアルな心臓であることは、心を捧げる愛の作法を逆手にとっているといえる。[10]

さて、ひとのかたちをとる擬人化という中世の文芸になじみの手法は、抽象的な観念や徳目にかたちを与える形象化の一つのありかたである。美徳や悪徳を教える宗教的図像においても、また物語や抒情詩の文学手法においても、擬人化は中世の表象文化のひとつの特徴をなすといってよい。それを代表する文学作品といえば、一三世紀フランスで書かれた『薔薇物語』である。薔薇の蕾に魅せられた主人公の恋物語であるこの作品は、恋愛にまつわる徳目や心理などを表す擬人化人物によって繰り広げられ、それによって恋愛はいかになされるべきかを教える教化文学として今日では理解されている。ここには擬人化された心は登場していないが、この作品を下敷きにして二世紀あまり後の一四五七年にアンジュー公ルネが著した『愛に囚われし心の書』では、擬人化されたルネの〈心〉が物語の主人公である。ある晩ルネが、心乱れ、また深く思い悩みながら寝台に臥していると、夢なのか、それとも幻想なのかもうろうとしたなかに愛神が現れ、ルネの胸から心臓を取り出すと〈欲望〉という名の男に委ねる。そしてテクストではすでに人間のかたちをとった〈心〉に対し〈欲望〉が、〈危険〉に囚われている〈慈愛〉という名の女性を解放し、栄誉を得るようにと忠告、二人はさっそく旅の準備を始める[11]。

テクストは簡潔に経緯を語るだけであるが、愛神によってルネの身体から取り出された心臓がきれいなハート形で描かれている挿絵は、ウィーン国立図書館所蔵の写本にある【図4】[12]。愛神の傍らに立っているのは〈欲望〉であり、忠僕の彼を伴って〈心〉は〈慈愛〉探索の旅に出ることになる。旅支度を始める〈心〉はすでに騎士の姿をとり、以後、作品は騎士の冒険物語として描かれていく【図5】。身体から遊離したばかりのハート形の心は、ここでは心臓という臓器から擬人化によって人間の姿をとるまでの中間の姿ともいえる。擬人化という手法も、直接的ではないにしろ、心にかたちを与えるという意味で形象化を支えているといってよいだろう。

【図6】『愛に囚われし心の書』、ハートを捕らえる〈愛想の良さ〉と〈優雅な物腰〉、1460-85年、フランス国立図書館 Ms.Fr.24399, f.122

写本は作品の執筆から遠くない一四六〇年代に制作されており、この時期にはハート形の形象はすでに珍しくはない。同じ作品のフランス国立図書館所蔵の写本は、一四六〇〜八五年頃という幅のある制作年しかわかっていないが、物語の終盤、愛神の住まう館に到着した〈心〉がヴィーナスと対面する場面にはテクストにしたがってハート形が満載である[13]。それはヴィーナスの寝室を飾る七枚のタピスリーの図柄として登場するのだが、そのなかの一枚には、〈愛想の良さ〉と〈雅な物腰〉という名の二人の女性が森のはずれで網を張り、ふらふらと浮遊するハートを捕らえている。二人の美徳に惹かれて心が移動して来るさまを図像化しているのだろう【図6】。

ハート形は一四四〇年代にフランス大貴族のあいだで盛んに開催された武芸試合にドゥヴィーズのモチーフとしても使われたようで、アンジュー公ルネ主催のソミュールの武芸試合（一四四六年もしくは一四四八年）を記録した写本に、参加した一人の騎士の標章にみられる。[14] 世紀末にはブルゴーニュ家の文化の及んだ地域でハート形はとくにみられ、その一つが一四九〇年以降の制作とされる『ブスュ夫人の時禱書』を飾る挿絵である【図7】。時禱書の末尾に夫人が子どもたちに看取られて亡くなる場面を描いた挿絵が挟まれ、それと向かい合わせになった右頁には、花やイニシャルや愛結びのリボンなど、さまざまなモチーフが描かれ、そのなかに金のスミレを重ねられた赤いハート形がある。スミレもオダマキもキンセンカも悲しい恋のシンボルとして当時よく知られていた花だが、同時に宗教的な悲しみの表現にも使われ、ハート形もふくめて夫人の死を悼む役割を担っているはずである。[15] 一方でハート形をかたどった書物も知られている。一四七五年頃サヴォイ公に仕えたジャン・ド・モンシュニュによって注文された『愛の歌謡集』もやはりブルゴーニュ家の文化圏で制作された作品で、本を開くと二つのハートがだき合わさった恰好になる。[16] 開くとハート形になる書物には時禱書の例があり、そのような時禱書を手にした肖像画も一五世紀の作品として残されている。[17] これらには、神への愛あるいはイエスの聖心という宗教的な含意があるのだろう。

【図7】『ブスュ夫人の時禱書』1490年以降、パリ、アルスナル図書館 Ms. Ars. 1185 f.374

ところで文学作品におけるハート形を思わせるもっとも初期の記述は、一三四二年以前の制作とされるギヨーム・ド・マショーの『運命の慰め』の一節である。これも『薔薇物語』に倣ってアレゴリーの手法で愛の作法を教える作品で、四二九八行に及ぶ長い詩文である。このなかで語られる心臓がいわゆるハート形なのかどうかはテクストからはわからないが、これが一本の矢で貫かれているという説明はいかにも現代的なモチーフで興味を引かれる。
作品の梗概は次の通りである。作者は想いを寄せる女性に向けて愛の詩を書いたのだが、それが本人の手に渡り、誰が書いたのか探して欲しいと彼女に頼まれてしまう。拒絶を恐れる作者に名乗り出る勇気はなく、運命と愛のいたずらを七〇〇行にわたって延々と彼が嘆いていると、〈希望〉という名の美女が現れる。彼女に勇気を与えられた作者は女性に告白し、恋人として受け入れられて、物語はハッピーエンドで終わる。問題の心臓は、真の恋人が持つべき盾形紋章のモチーフとして言及され、〈希望〉はそのモチーフを説明しながら、恋人としての徳目を教える。それは青い盾で、中央に赤い心臓が置かれ、その中央を黒い矢が貫いている。盾の上部には銀色のレイプルが付いており、そこには涙模様が散らされている。レイプルとは紋章用語で横棒に長方形の突起を三個もしくは五個下げたモチーフを指し、ここでは五つの突起が下がっている。

C'est un escu dont la matiere
Est de souffrir a humble chiere,
Et le champ est de fin asur.
Mais il est si monde et si pur
Qu'il n'i a d'autre couleur tache
Qui le descouleure ne tache.
Un cuer de gueules a enmi,
Feru d'une flesche par mi
De sable ; mais onques ne fu

Tel fer qu'elle a, qu'il est de fu,
A cinc labiaus de fin argent ;
Et trop y affiert bel et gent
Ce qu'il est tous semés de larmes.(18)
それは、謙虚な表情の苦痛を
材料にしてつくられた盾型紋章で
地は美しい青色である。
たいそう澄んで純粋で、
それを色褪せ、汚すような
いかなる汚点も付いていない。
中央に赤い心臓が一つ
真ん中を一本の黒い矢で
貫かれている。木製の矢じりは
これまでありえなかったほどのものである。
美しい銀色の五つのレイブルが付き
涙が散っているのが
たいそうきれいで優雅である。

続いて紋章を構成する色が何を意味するのか説明されるのだが、地の青はごまかしを憎む誠実さを、心臓の赤は誠実な愛から生まれる大胆さを、矢の黒は恋の苦痛を、レイプルの銀は恋の歓びを示す。さらにここでは使われていない緑と黄の二色を加えて、前者は心変わりを、後者は不実を示すと説明される。色のシンボリックな意味としては、いずれも中世によく知られた説明である。[19] なおレイプルの銀とは白を示す紋章用語で、ここでは歓びを表すと説明されているが、そこにちらされている涙模様はやはり恋につきものの不安や苦痛を示すためだろう。作品のなかで主人公の恋は成就するが、それまでの恋の不安を語るのが物語の趣旨であり、後述のように恋の本質を苦痛と捉え、これを訴えるのが中世抒情詩の常である。

二　心と眼の分離と文学テーマ「心と眼の論争」

心の擬人化と対になって中世フランス文学に現れるのが眼の擬人化である。心と眼がそれぞれ擬人化されるのは、美しい異性の姿を眼が認めたがゆえに恋に落ちるという恋のメカニズムについての中世らしい考えかたに由来している。上述のギヨーム・ド・マショーの盾形紋章のモチーフでは矢が心臓を貫いていたが、実は愛神の矢はまず眼を貫き、その矢が心臓に達すると考えるのが中世文学のレトリックの常套である。心臓を貫く矢のモチーフに現代的なものを感じるのは、一二世紀以来の中世文学では、恋の芽生えは愛の矢が眼を射ることで語られるのが常だからである。『薔薇物語』においても、主人公が薔薇の蕾に恋をした瞬間、後をつけて来た愛神は主人公の眼に向けて矢を射かけ、「そのやり方は、わたし［主人公］の眼を通して一気に心まで矢を送り込むというものだった」と語られる通りである。[20] 弓矢を携えて愛神にしたがう若者が〈優しい視線〉という名を持つのも、恋愛の誕生と展開に「見る」という行為が重要であると考えられたからである。主人公は心臓に達した矢を抜こうとするが、〈美〉という名の棘のある矢尻がなかに残って抜けない。美しい女性に一目惚れをして心に深手を負ったことが、このように表現され、そして眼が愛の矢の一撃を受けたとしても、傷つくのは心であるから、眼と心のあいだに論争が起こることになる。

美しいひとを見ることによって眼は歓びに満たされるが、しかし成就するどうかわからない恋の不安にさいなまれるのは心である。心はその苦痛を、不用意に彼女を見た眼の軽率な行為に原因があると主張するが、眼は真っ向からそれを否定する。心と眼が擬人化され、辛い恋の責任はどちらにあるのかを論争するのが、一五世紀フランスの抒情詩に現れる「心と眼の論争」という文学テーマである。心と眼の分離という言いかたでも知られる、このような観念もまたトルバドゥールにさかのぼり、イタリアの詩人を通して一五世紀フランスの抒情詩で展開をみたといわれる。ペトラルカの『カンツォニエーレ』にもこの種のレトリックがみられ、たとえばその八四章は心と眼の論争に仕立てあげられたソネットである。一四行の詩文は、「眼よ泣くがいい、心を追って泣くがいい、／きさまの失敗のために死ぬほど耐えた心の後を」という心の台詞で始まる。愛するひとの元へ去った〈心〉が、取り残された〈眼〉に向かって来られるものなら来たらよいと挑発するかのようである。〈心〉の糾弾に〈眼〉は自分が涙するのはおまえがしくじったせいだと反論するが、しかし〈心〉は愛が最初に忍び込んだのは〈眼〉、おまえの方が先だろうと言い返す。〈眼〉は路を開けたのは希望に促されたがゆえと抗弁し、論争は平行線をたどるばかりである。[21]

一四行のソネットに過ぎないこの論争を、八二四行の物語に展開させたのが、ブルゴーニュ公フィリップ・ル・ボンに仕えた詩人ミショー・タイユヴァンである。公家で遊興の任に当たり、公に重用されたようだが、作家として必ずしも認知されたわけではなかった詩人である。とはいえシャルル・ドルレアンが、このテーマにたびたび言及しているから、このテーマの流行を促した作家であったことはたしかである。「〈眼〉と〈心〉のあいだに論争があることはよく知っている。一方は恋をしたいと言い、もう一方はそんなことは望まないと言う」。「わたしの〈心〉はわたしの〈眼〉と闘っている。彼らが和解することは決してない。〈眼〉が何かを知らせてくると、いつも苦痛が増すと〈心〉は言う。わたしにはどう考えたらよいのかわからない。どちらが間違っているのだろうか」。シャルル・ドルレアンの詩にはこのような証言を拾うことができる。[22]

ミショー・タイユヴァンの『心と眼の論争』は一四四四年頃の制作とされ、その梗概は単純である。五月の初め、詩人は鹿狩りの途中で若者の一団に出会い、ひとりの美しい女性に心奪われる。やがて狩りの仲間からはぐれ、森のなかで過ごした一夜の夢のなかに〈心〉と〈眼〉が現れ、論争は始まる。お前が彼女を見たがゆえに私は死ぬほど辛い一撃を受けたと、〈心〉は〈眼〉を詰る。なぜ「口が求愛し、耳が彼女の約束を聞く」まで待たせてくれなかったのかと、〈心〉は〈眼〉を糾弾するが、〈眼〉は責任を認めない。二人は愛神に仕える厩吏〈燃える欲望〉に調停を求めるも成立せず、愛神の立ち合いのもと論争は決闘へともちこまれる。激しい闘いに〈憐憫〉が割って入り、愛神に願って闘いを止めさせる。二人は愛神の母、ヴィーナスのもとに連れて行かれ、〈眼〉は、女性を見たのはそもそも〈心〉が望んだからだと訴える。二人の和解を望んだヴィーナスは、この論争をすべての恋人たちに知らせるよう記録させ、説得力ある判定をくだしたものには報償を出そうと提案する、というところで詩人は夢から覚めるという話である。

ここで注目したいのは〈心〉と〈眼〉の決闘の場面である。〈心〉は、愛神の伝令使を務める〈視線〉によって闘技場に呼び出されている。言うまでもなく、視線が恋を生み、恋を育む糧になるからである。〈眼〉との決闘に臨んだ〈心〉は、以下の通り徹底して悲しみの強調された装備で現れる。

Le cuer vint pour combatre l'ueil
Sur ung destrier couvert de lermes
Armé de harnais fait de dueil ;
Six souspirs estoient ses armes,
Painturez sur sa cotte d'armes
De gemissements dyapree
Et l'espee a faire ses armes
Estoit en tristesse tempree.[23]

〈心〉は〈眼〉と闘うためにやってきた
涙で覆われた軍馬に乗って
喪でつくられた馬具で装備して。
六つの溜息が彼の紋章で、
陣羽織に描かれていた
嘆きの声で刺繍がなされ
そして闘いの剣は
悲しみに浸されていた。

比喩を使った表現が連続しているが、〈眼〉ではなく〈心〉が涙滴文の馬衣で装備していることには何か違和感を感じないだろうか。もちろん苦痛を覚え、不安にさいなまれるのは心であるから、〈心〉が涙で装備することはわからないわけではないが、とはいえここで対戦相手になっているのが〈眼〉であれば、〈眼〉が涙で装備する方が自然であろう。実は先に引用したペトラルカのソネットの「眼よ泣くがいい」という台詞が暗示していたように、辛い恋に涙するのはまず心であり、続いて眼が涙を流すという順番がある。〈眼〉に対する〈心〉の挑発的な口調と激しい糾弾からすれば、ここで眼が涙を流すのは心による復讐であると理解することも可能である。そしてこのようなメカニズムには、次節に述べるように、涙は心臓から送り出された血液であるとする当時の医学的知識による裏付けがあった。〈心〉が涙で装備することには、中世医学に裏打ちされたたしかな理由がある。

一方、〈心〉の紋章が「六つの溜息」でできているという表現は、何を意味しているのだろうか。溜息は実は涙と対になって登場する、これも抒情詩が使う常套のことばである。辛い恋を嘆く男は深く溜息をつき、涙をぼうぼうと流して一夜を過ごすというのが、抒情詩における「愛の嘆き」の決まった表現である。そのもっとも初期の例として知られる、ギヨーム・ド・マショーの『真実の書』に挿入された一節には、昼も夜もただ会いたいと願うのみ、しかしそれがかなわぬ女性に向けて、「わたしには、たくさんの涙を流し、それでわたしの顔をおおうこと以外に慰めはない」と語り、泣き疲れた後なお「わたしはあまりに深い溜息から嗚咽が起こり、息が詰まる」と訴えている[24]。いかに深く愛しているかを訴えるには、溜息をつき、泣いて暮らしていることを主張しなければならない。

涙が流れるメカニズムを身体的にも情緒的にも知ることが、心の形象化の理解につながるだろう。

三　涙の身体的メカニズムと涙のレトリック

心が涙で装備するのは、涙が心臓に由来する血液であり、感情の高揚によって眼からこぼれ落ちるものと考える医学の知識が背景にあったからである[25]。師弟の対話形式で語られる『プラシドとティメオの対話』は一三世紀の百科事典ともいうべき著作であり、このなかに汗や尿、精液、唾液など体外に出される体液はすべて心臓の血液に由来すると説明するところがある。精液が心臓から送られる「純潔血」から生じると述べた後、師のプラシドは涙について次のように言う。

> Celui du chervel avale au nes, et aucunne fois celui du ceur monte as yeulx, et celui du poumon a le bouque. Chus qui monte as yeulx fait larmes par maintes raisons, aucunne fois par tristesche, aucunne fois par joie et aucunne par pité, (...).[26]
>
> 脳の血は鼻に下り、あるときは心臓の血が眼に上り、肺の血は口へと行く。眼に上る血は、あるときは悲しみによって、あるときは歓びによって、またあるときは哀れみによって、さまざまな理由で涙になる（後略）。

涙は感情の高揚によって生じる心臓の血液である。このような涙の理解は科学的知識というより、実は中世人にはすでに自明のことであったように思われる。というのは、フランス語で涙を流すという意味で、心から眼に水が上る« l'eve del cuer li est as elz montee »という持って回った表現が、すでに一二世紀から少なからず使われているからである。それは必ずしも抒情的な作品においてばかりではなく、騎士の武勇を語る武勲詩においても同様である。[27]

ちなみに『プラシドとティメオの対話』には、心臓という臓器に心が宿ることを次のように説明するところがある。ひとの身体をミクロコスモスとして解説するなかで、頭は天と火、二つの眼は太陽と月、そして胸は空気に対応すると述べるなかの一文である。心が身体を離れて恋人を追うというレトリックが生まれる根本がここにある。

Le pis de l'omme senefie l'air, car aussi comme parmi l'air volent et keurent vens, nuees, clartés et obscurtés, tout aussi parmi le pis de l'omme volent pensees, cogitacions, joies, tristesches.[28]

ひとの胸は空気を表している、というのも空気のなかに風や雲や明かりや暗闇があるのとまったく同様、ひとの胸のなかに想いや思考や歓びや悲しみがあるからだ。

ところで心臓が情動を司る中枢器官であることは、これもまた中世に広く認識されていた。それは当時の埋葬のありかたがよく示している。たとえば戦地に赴いた騎士が、故郷から離れた遠隔地で亡くなった場合、内臓はその地に埋められるが、心臓だけは持ち帰られ、遺骸は防腐措置を施され運ばれる。心臓と遺骸はそれぞれ別に、つまり遺体は三つに別けて葬られることになる。[29]近年まで死を心臓の鼓動の止まったときとして判定してきたのも、心臓を重要な器官として理解してきた歴史があったからである。心臓に感情の中枢があるとする観念は、そもそもアリストテレスの『霊魂論』にさかのぼり、中世にトマス・アクィナスによって愛の源が心臓であると理論化されたことによると考えられている。[30]

話を涙に戻そう。引用した『心と眼の論争』の馬衣にも、『運命の慰め』の盾形紋章にも涙が描かれていた。いずれの引用も比喩表現で成り立っているから、「軍馬を飾る涙」も「レイプルに散らされた涙」もことばの比喩にすぎないようにみえるが、実はこれらは当時の騎馬試合の写しともいえるリアルな情景描写である。しずくの模様をちらした涙滴文はアーサー王物語の騎士の紋章として出発しているから、たしかに本来は想像上のモチーフだったが、この種の物語が貴族男子のいわば騎士道の手本としての役割を持ったがゆえに、これに取材されて企画された武芸試合で涙滴文は好まれることになった。たとえばブルゴーニュ公家が一四四九年に主催した武芸試合は「涙の泉の武芸試合」と命名され、挑戦者が斧か剣か槍か試合に使う武器を示すために白・紫・黒の三つの盾が準備され、いずれも青い涙滴がちらされていたことが記録によって伝えられている。[31] 物語に登場する涙滴文の盾も馬衣も絵空事なのではなく、当時の武芸試合の光景の再現である。

そしてペトラルカの影響のもと悲しい恋をうたう抒情詩が一五世紀のフランスで流行すると、涙滴文はその表象としての役割を担うようになる。すなわち「愛の嘆き」をテーマとする抒情詩に涙に関するレトリックが多用されるにつれ、涙滴の文様は恋の苦しみを示すモチーフとなる。その涙のレトリックとは、たとえばクリスティーヌ・ド・ピザンの次のような表現である。作者は男に代わって男の辛い恋をうたった女流作家である。

Source de plour, riviere de tristece,
Flun de doulour, mer d'amertune pleine
M'avironnent et noyent en grant peine
Mon pouvre cuer qui trop sent de destresce.[32]

涙の泉、悲しみの小川、
苦痛の大河、苦みに満ちた海が私を取り囲み、
そして深い苦悩のなかに沈めていく、

悲しみに暮れた私の哀れな心を。

涙の泉、涙の川、涙の池、涙の瓶、あるいは涙のさざ波など、涙の比喩はペトラルカの『カンツォニエーレ』に満載であり、フランス抒情詩もその影響を受けている。そして涙と対になることばが溜息であり、「涙の雨、溜息の風」は、深く溜息をつき、涙を流して愛するひとを想う男の姿を語るときの常套表現である。シャルル・ドルレアンの次の一節も、そのようなレトリックの例である。

Quant pleur ne pleut, souspir ne vente
Et que cessee est la tourmente
De dueil, par le doulx temps d'espoir,
La nef de desireulx vouloir
A port eureux fait sa dessente.(33)
涙の雨が降らず、溜息の風が吹かず、
そして辛い苦悶が止むとき、
おだやかな希望のときがきて、
欲望の小舟は
幸いなる港に錨を降ろす。

ところで、涙がしずくのかたちをとることに問題はないが、『心と眼の論争』で決闘に臨んだ〈心〉の紋章として記されていた「六つの溜息」とは何だろうか。溜息にはかたちがあるのだろうか。ここで引用したいのは、これより十数年後に書かれたルネの『愛に囚われし心の書』が描く〈心〉の装備である。二つの作品が描く〈心〉の装備は酷似しており、ルネはミショー・タイユヴァンの描写を踏襲したように思われる。

Tantost aprés Desir lui seint ung branc d'acier trenchant et aceré, fait et forgé tout a coups de treshumbles requestes et prieres et si fort trempé en larmes de pitié (...) Aprés le branc d'acier il lui donna ung heaume timbré tout de fleurs d'amoureuses pensées (...) Oultreplus lui bailla ledit Desir ung escu qui estoit d'esperance pure, large, grant et plantureux, a trois fleurs de n'oubliez-mye et bordé de doloreux soupirs, (...).[34]

次に〈欲望〉は、研ぎすまされて鋭利な鋼の剣を佩かせる。それは、たいそう謙虚な嘆願と祈りの鍛打で鍛えられ、哀れみの涙に充分に浸された剣である。（中略）鋼の剣の後に、彼は兜を渡すが、それは愛する三色スミレの花で飾られている。（中略）さらに、彼は盾を与えるが、それは純粋で、豊かで、大きく、たっぷりした希望でできており、ワスレナグサの三つの花が付き、苦しい溜息で縁取りがされている（後略）。

ここでも徹底して悲しみが強調され、そのために比喩表現が使われているが、しかしすべてがことばのレヴェルで終始しているわけではない。「悲しみに浸された」剣は、ここではもう少し詳しく、嘆願と祈りの鍛打で鍛えられ、涙に浸されてつくられた鋭い剣であると説明されているが、これは刀身を硬く鍛えるために鋼を熱して槌で鍛打し、そして水で急冷するという焼入れ法の技術を下地にしている。兜の三色スミレと盾のワスレナグサは悲恋の花として知られていた植物である。そして三つのワスレナグサの描かれた盾の周囲は「苦しい溜息で縁取りされている」。ウィーン国立図書館本はテクストのこの説明を無視しているが【図5】、これを涙の模様で図像化しているのは、フランス国立図書館本である【図8】。盾の周囲が涙滴の行列で囲まれているのは、溜息の図像化なのである。それはおそらく上述の「涙の雨、溜息の風」という言い回しからの連想なのだろう。恋に悩む男に涙と溜息はつきものであり、形象化

【図8】『愛に囚われし心の書』、〈希望〉に出会った〈心〉と〈欲望〉、1460-85年、フランス国立図書館 Ms.Fr.24399, f.5

の難しかった溜息に涙模様を借りたのではないか。『心と眼の論争』の「六つの溜息」も、涙のしずくが六つ並んだ紋章のモチーフのように思われる。

ハート形の形象をつくった直接の理由にはならないが、しかし少なくともこのかたちが流行するには、抒情詩「愛の嘆き」の手法である心と眼の擬人化と、その文学修辞の流布という環境が必要であった。

四　恋愛における視覚の優位

美しいひとの姿を見て恋に落ちるというのは当たり前のようだが、恋の矢が眼を貫き、そして心に達するというメカニズムが考えられるほど、中世の人びとにとって視覚という感覚は重要であった。そして恋に落ちた心は愛するひとを想い、池や川にたとえられる大量の涙を流し、風どころか、ときに嵐にたとえられる溜息をついて苦しい時間を過ごす。恋愛を歓びとして捉えるのではなく、苦しみとして捉える中世のこのような恋愛観を知るには、いわゆる宮廷風恋愛の指南書とされる一二世紀の『恋愛法典』が冒頭で語っている恋愛の定義をみればよい。

フランス王ルイ七世の娘マリーの求めによって司祭アンドレが書いたとされるこの著作は、「愛とは何か」という恋愛の定義を述べる第一章から始まる。彼によれば「愛とは美しい異性を見て、それを極端に思い詰めることから生まれる一種の生得的な苦しみである」。そして「それは、愛する者が何よりも相手を抱擁してお互いの欲望に従い、愛の全ての掟を成就したいと願う心から出る苦しみである」。恋を苦しみとして定義した作者が、続いて恋の苦痛として語る内容はいかにも卑近な悩みである。この恋は成就しないのではないか、恋路を妨害されるのではないか、女性から貧しさを愚弄され、また醜男であることを軽蔑されるのではないか、誰にでも経験のある不安ばかりである。そして愛が報われたとき、今度はそれを失いはしないか、女性の感情を損ないはしまいかと心配になる。このような不安を作者は人間にもともと備わったものとし、「生得的な恋の苦しみは眼で見、それを瞑想することに由来する」と述べ、苦痛はすべて眼で見たがゆえに心に描かれる瞑想の産物だと定義する。[35]

そして第五章で「如何なる人が愛するにふさわしいか」を述べる際、作者が年齢について述べた後、盲人には恋は不可能であると断言するのは、視覚という感覚が恋愛に不可欠だと考えるからである。「盲目もまた恋愛を妨げる。盲人は、それを媒介として心に極度の瞑想を描き出すものが見えないので、恋の芽生えは不可能である。だがこれは愛を手に入れる場合だけに当てはまる。何故なら、盲目になる前に得た愛はその後も持続しうるものだから」。つまり失明以前からの恋人であるのなら、その姿を心に想い描くことが可能であるから、恋愛は可能だというのである。[36]

恋愛における視覚の優位については、一二世紀以降の文学作品のはしばしに現れているが、ここでは涙模様の流行した一五世紀、この文様を好んだオルレアン公家のシャルル・ドルレアンの周辺で書かれたと推測される作品から引用しておこう。それは『黒色という名の女と黄褐色という名の女の論争』という千行足らずの作品で、二人の女性のどちらがより辛い恋をしているかを競う内容の作品である。黒色と黄褐色は、それぞれ着用しているドレスの色で、ともに悲しみを表す色として中世に広く認識された色である。さて黒服の女性は、心を寄せたひとに毎日会うことはできるものの、それ以上のことは何も起こり得ないという苦痛を味わっている。一方の黄褐色の服の女性は、相思相愛の彼が遠くにあり、会うことも声を聞くこともかなわず、彼が生きているかどうかさえわからないという不安を抱えている。それぞれ自分の恋こそがより辛いと主張するのだが、その理由として説得力があるのは、黒いドレスの女性の次のことばである。

De vostre ami ne vous souvient

Aussi souvent qu'à moi du mien,
Car la chose où l'ueil n'advient,
Le cueur n'y pense guéres bien.[37]
あなたは恋人のことをそう想ってはいないでしょう
わたしがあの人を想うほどには。
というのも眼が働いていないところで
心がそんなに想うということはないのですから。

見ることのできないひとを想う心より、見ることのできるひとを想う心のほうが、その想いは強く、したがってそれにもかかわらず報われない心はより辛いという理屈である。より不幸であると主張する黒服の女性は、彼の姿に「眼はいつも歓んでいるけれど、心はいつも泣いている」と言い、「わたしの心はいつも涙で濡れている」と繰り返している。その表現は『心と眼の論争』の涙滴文で武装した〈心〉の姿そのものである。

視覚を他の感覚の上位に置く観念は、必ずしも恋愛を語る際に限られるのではない。当時の百科事典の類にも顕著である。一三世紀イングランドの修道士バルトロマエウス・アングリクスの『事物の属性について』は一五世紀にかけてフランス語訳もなされ、広く読まれた百科全書というべき書で、折に触れて視覚がもっとも高貴な感覚であることを繰り返している。第三巻一七章「視覚について」では、「視力あるいは視覚は、その他の感覚よりも精妙で活発である。イシドルスが主張しているように、視覚（visus）という名は活発（vivacitas）に由来する。またその他の感覚より優れており、それゆえに位置に従えば、その他のものの上位にある」とし、第五巻二章「頭の属性について」では「眼はもっとも高貴であるがゆえにもっとも高いところにある」と述べている。[38]

一眼惚れということばがあるから、生活の経験から誰でも理解はできるけれど、視覚を優位に置く恋愛観には長い文学上の歴史があったようである。心と眼の分離の観念はそもそもアラビア文学からの影響が大きく、また視覚を愛の誕生にもっとも重要な感覚とみる観念はプラトンにまでさかのぼるといわれる。[39]恋人を追って心が身体を去るという観念もプラトンが示唆しており、心と眼の論争の可能性がすでに示されているという。ただし眼を罪深いものとして断罪する観念は旧約聖書を生んだヘブライ文化によるところが大きいとされる。キリスト教の倫理が女性の道徳を説くとき、七つの大罪の根幹をなす淫乱の罪を犯さぬよう、視線を落として歩くようにと教えるのは、恋愛の契機としての視覚を危険視するからであり、恋愛が人格向上の役割を担うがゆえに恋愛を賛美する宮廷風恋愛の立場とは対照的である。[40]

おわりに

心がハート形を得て、それを捧げるというメタファーで愛を示す中世末期は、心と眼がそれぞれ擬人化されて辛い恋の責任がどちらにあるかを論争する抒情詩が流行する時代であった。心と眼の論争という文学テーマを促した心身の分離や心と眼の分離といった観念は、古代ギリシャやローマ、アラビア、ヘブライ、さまざまな文化の交差のなかで長い時間をかけて準備されてきたのだろうが、一五世紀にこれが抒情詩のテーマとして顕在化したとき、その直接の起源は一二世紀のトルバドゥールの詩歌にあり、イタリアの詩人への影響と、さらにフランスの詩人へのその影響という四世紀にわたるヨーロッパの文学の歩みがあった。その観念は抒情詩の常套表現となって広く使われ、あまりに月並みなレトリックにみえるとはいえ、しかしそれは恋愛を苦しみとして捉え、視覚を優位に置くヨーロッパ中世らしい恋愛観に裏打ちされていた。ここに述べてきた抒情詩のレトリックが、ハート形という心の形象化の直接の起因となったとは言えないけれど、しかし心の形象化を促し、持続させる原動力となったことはたしかだろう。心をあげる、心を奪われるといった表現がなければ、すなわち心の遊離という観念がなかったなら、ハート形の心を捧げるメタファーは生まれなかった。

【註】

（1）拙著『涙と眼の文化史——中世ヨーロッパの標章と恋愛思想』東信堂、二〇一二年。
（2）A. Jeanroy, *La poésie lyrique des Troubadours*, Henri Didier, Paris, 1934, t.II, p.120
（3）瀬戸直彦編著『トルバドゥール詞華集』大学書林、二〇〇三年、一五三頁。
（4）アラン・シャルティエ「つれない姫君」細川哲士訳『フランス中世文学名作選』白水社、二〇一三年、四三〇頁。
（5）ダンテ『新生』野上素一訳、世界古典文学全集三五、筑摩書房、一九六四年、三四一頁。なお次を参照。浦一章『ダンテ研究I』東信堂、一九九四年、一〇二頁以下
（6）ボッカッチョ『フィローストラト』岡三郎訳、国文社、二〇〇四年、第四部八二節、同一二四節、第五部一四節。
（7）蜷川順子『聖心のイコノロジー——宗教改革前後まで』関西大学出版部、二〇一七年、四〇~四四頁。
（8）フランス国立図書館本は以下。BnF, Ms.Fr.606,f.6：https://gallica.bnf.fr/ark:/12148/btv1b52000943c/f19.item.zoom
（9）心臓喰いのテーマについては以下を参照。岡田真知夫「《心臓を食べる話》——『イニョール短詩』の場合」東京都立大学『人文学報』no.139、一九八〇年、一~二三頁／新倉俊一『ヨーロッパ中世人の世界』ちくま学芸文庫、一九九八年、二六五~二八九頁。
（10）ウィーン国立図書館 Codex Vind. 2561, f.151v. 制作は一五世紀第二四半期
（11）René d'Anjou, *Le Livre du cœur d'amours épris*, éd.F.Bouchet, Lettres Gothiques, Paris, 2003, pp.90-93
（12）ウィーン国立図書館 Codex Vind. 2597, f.2. Cf. M.-Th. Gousset, D. Poirion, F. Unterkircher, *Le cœur d'amour epris: reproduction intégrale en fac-similé des miniatures du Codex Vindobonensis 2597 de la Bibliothèque nationale de Vienne*, P. Lebaud, Paris, 1981

（13）BnF., Ms.Fr.24399 : http://gallica.bnf.fr/ark:/12148/btv1b60005361/f1.image

（14）ソミュールの武芸試合（一四四六または一四四八年）、サンクト・ペテルスブルク図書館 Fr.F.p.XIV,4, f.32v. Cf. *Das Turnierbuch für René d'Anjou (Le Pas de Saumur)*. Vollständige Faksimile-Ausgabe in Original Format der Handschrift Codex Fr. F. XIV. Nr. 4 der Russischen Nationalbibliothek in St. Petersburg. Band I: Faksimile; Band II: Kommentarband, comm. N. Elagina, J. Malinin, T. Voronova et D. Zypkin, Graz, Akademische Druck- und Verlagsantalt; Moskau, Verlag Nasledije der Akademie der Wissenschaften Russlands, 1998

（15）前掲『涙と眼の文化史』一八六～一八九頁。

（16）フランス国立図書館 Ms. Rothschild 2973. Cf. F. Avril et N. Reynaud, *Les Manuscrits à peintures en France, 1440-1520*, Flammarion, Paris, 1995, pp.118-119

（17）ハート形の時禱書は、フランス国立図書館 Ms.lat.10536. ハート形の書物を持つ男の肖像画については次を参照。W. H. James Weale, The Early painters of the Netherlands as illustrated by the Bruges Exhibition of 1902, *Burlington Magazine*, t.I, p.209

（18）Guillaume de Machaut, *Œuvres*, éd. E. Hoepffner, vol. II, SATF, Paris, 1911, Remède de Fortune, vv.1863-75

（19）拙著『中世ヨーロッパの色彩世界』講談社学術文庫、二〇二三年。

（20）ギヨーム・ド・ロリス／ジャン・ド・マン『薔薇物語』（上）篠田勝英訳、ちくま文庫、八四頁。

（21）ペトラルカ『カンツォニエーレ――俗事詩片』池田廉訳、名古屋大学出版会、一九九二年、一五二頁。テクストは以下を参照。Francesco Petrarca, *Canzoniere*, edizione commentata a cura di Marco Santagata, Mondadori, Milano, 1996, p.425

（22）Charles d'Orléans, *Ballades et Rondeaux*, éd. J.-Cl. Mühlethaler, Lettres gothiques, Paris, 1992. 引用は順に p.528, p.350．なお次を参照。佐々木茂美『シャルル・ドオルレアン研究』一九七八年、カルチャー出版、一九一～一九三頁。ミショー・タイユヴァンについては、前掲『涙と眼の文化史』二〇九～二一〇頁。

（23）R. Deschaux, *Un poète bourguignon du XVe siècle, MICHAULT TAILLEVENT*, Droz, Genève, 1975, *Le Debat du Cœur et de l'Œil*, vv.457-464

（24）Guillaume de Machaut, *Le Livre du Voir Dit*, Le Livre de Poche, Lettres Gothiques, 1999, vv.1356-83

（25）M. Moulis, «Sang du cœur qui monte as yeulx fait larmes» Un cœur centre de transmutation, Le « cuer » au Moyen Age (Réalité et Senefiance), *Senefiance*, no.30, 1991, CUERMA, pp.225-232

（26）*Dialogue de Placides et Timéo*, éd. Cl. Thomasset, Droz, Paris/Genève, 1980, p.104

（27）*Aliscans*, éd. Cl. Régnier, Champion, Paris, 1990, t.I, v.2198, 2385, 2475

（28）*Dialogue de Placides et Timéo*, *op.cit.*, p.94

（29）小池寿子『描かれた身体』青土社、二〇〇二年、二六六頁／ノルベルト・オーラー『中世の死——生と死の境界から死後の世界まで』一條麻美子訳、法政大学出版局、二〇〇五年／*A réveiller les morts : la mort au quotidien dans l'Occident médiéval*, sous la dir. Danièle Alexandre-Bidon et Cécile Treffort, P. U. de Lyon, 1993

（30）J.-P. Jourdan, Allégories et symboles de l'âme et de l'amour du beau, *Le Moyen Age*, no.3-4, 2001, p.470

（31）Olivier de La Marche, *Mémoires*, éd. H. Beaune et J. d'Arbaumont, S.H.F., Paris, 1883-88, t.II, p.146; 武芸試合と涙滴文との関係については次を参照。前掲『涙と眼の文化史』七五〜一〇九頁。

（32）Christine de Pisan, *Œuvres poètiques de Christine de Pisan*, éd. M. Roy, S.A.T.F., Paris, 1886 (Slatkine Rip. 1965), t.I, Rondeaux LXII

（33）Charles d'Orléans, *Ballades et Rondeaux*, op. cit., p.624, Rondeau 273

（34）René d'Anjou, *Le Livre du cœur d'amours épris*, op.cit., pp. 94-96

（35）アンドレーアース・カペルラーヌス『宮廷風恋愛について——ヨーロッパ中世の恋愛指南書』瀬谷幸男訳、南雲堂、一九九三年、一一一〜一一二頁。

（36）同書、一五〜一六頁。

（37）Le Débat de deux Demoiselles, l'une nommée la Noire et l'autre la Tannée, Anatole de Montaiglon, *Recueil de poésies françaises des XVe et XVIe*, t.V, P. Jannet, Paris, 1856, p.274

（38）多井一雄訳「事物の属性について」上智大学中世思想研究所『中世思想原典集成13　盛期スコラ学』平凡社、一九九三年、二八九頁／*Le Livre des propriétés des choses, une encyclopédie au XIV siècle*, mise en français moderne par B. Ribémont, Stock, Paris, 1999, p.125

（39）Ruth H. Cline, Heart and Eyes, *Romance Philology*, vol.XXV, no.3, February 1972, pp.263-297

（40）*Le Ménagier de Paris*, ed. G. E. Brereton & J. M. Ferrier, Oxford, 1981, p.11. 前掲『涙と眼の文化史』二一六頁参照。

ハートのエンブレム

——ペトラルカからヘフテンへ

伊藤 博明

はじめに——心の蒸留

フランチェスコ・ペトラルカ（一三〇四〜七四年）の数ある作品の中でも、後代への影響という点でもっとも重要なものは、理想の恋人ラウラへの愛が中心的テーマとなって展開する、俗語（イタリア語）による叙情詩集『カンツォニエーレ』であろう。その第五五番、バッラータ「あの火が」には次のような機知に富んだ表現が見られる。

私が流した何千もの涙によって、私の苦痛は、自らの中に火種と火口をもつ心から、両眼を通って蒸留されるはずだ。だが、私の苦痛は以前と同じどころか、さらに増しているように私には思われる。悲しみを湛えた両眼が流した涙によって消され、鎮められることのなかった火とはどのようなものなのか。〈愛〉は——私は気づくのが遅かったが——私が、二つの相反するもの間で衰弱することを欲している。[1]

【図1】ギヨーム・ド・ラ・ペリエールの『善き術策の劇場』、パリ、1544年、fol.L4v.

ここでペトラルカは、愛に苦悩する自分の心を蒸留器に喩えており、それは火という報われない情熱によって熱せられて、苦悩の果てに両眼から、いわば蒸留された悲しみの涙となって流れ落ちる。しかし、両眼から流れ出た涙によって、火は消されるどころか、さらに燃え盛って、愛の苦悩はさらに深まり、自分は衰弱していく。それを惹き起こすのは〈愛〉（アモル）に他ならない。

一五世紀のイタリアでは、ペトラルカのこのように綺想が横溢し、機知の限りを尽くした修辞的な様式がとくに好まれ、ペトラルキズモ（ペトラルカ主義）と呼ばれる詩的運動が起こった。そして、ペトラルキズモは一六世紀中頃には、まずスペインとポルトガル、続いてフランス、さらにイギリスで受容され、汎ヨーロッパ的な興隆を見た。

上記のペトラルカのバッラータに対応する図像的表現は、一五四四年にパリで刊行された、フランスで最初のエンブレム・ブック、ギヨーム・ド・ラ・ペリエールの『善き術策の劇場』第七九番に見いだすことができる【図1】。蒸留器の下で燃やされる心臓に向かって、目隠しをされたアモルはふいごを動かして風を送り、蒸留器の中部に取りつけられた、人間の顔を模した口からは水（涙）が流れ落ちている。この図版には、次のようなディザン（一〇行詩）が添えられている。

> 狂気の〈愛〉によって、ウェヌスの支持者たちは、何百、何千の危険をもっている。彼らのある者たちは不幸になり、ある者たちは分別をすべて失う。多くの作家たちは、ふさわしい言葉によって、重要な例を書き記している。それゆえ、われわれは、この［〈愛〉との］狂気の交わりに目を凝らそう、もしわれわれが、大きな不安に耐えることを欲さないならば。というのは、最後に、あなたは、後悔の火の下で、〈愛〉が涙の水を蒸留するのを見るだろうから。[2]

このディザンを読むかぎり、ここで蒸留器から流れ落ちる涙は、報われぬ熱情の辛い結果によって生じるものではなく、むしろ、虚妄であった熱情の終わりがもたらす、激しい自責の念を表わしている。本来ならば、〈愛〉（アモル）は熱情へと駆り立てる者であるが、ここでは後悔を促す者として歌われているのは皮肉としか言いようがない。

『善き術策の劇場』の刊行からほぼ四〇年後の一五八七年に、アントウェルペンで活躍する版画家ヨハネス・ヴィーリクス（一五五三〜一六一九年）が、同様に蒸留器をモティーフとする作品を制作した[3]【図2】。この銅版画は《悔悟の心》と題され、大きな蒸留器の中心に心臓が置かれている。その下部には悪魔が、右側には天使が、左側には

【図2】ヨハネス・ヴィーリクス《悔悟の心》、1587年

祈る聖職者が描かれ、燃え盛る火に向かって鷲がふいごを動かしている。ここではアモルに代わって幼児キリストが見守り、心は蒸留されて涙と化すのではなく、いわば浄化され、上部に描かれた神の下へと届く。こうして、ド・ラ・ペリエールにおける世俗的愛は、神的な愛へと置き換えられる。

以下では、最初に、一六世紀のエンブレム・ブックにおける幾つかのハートのモティーフを検討する。次に、最初のハートのエンブレム集と言うべき、アントン・ヴィーリクス（一五五九頃〜一六〇四年）――ヨハネス・ヴィーリクスの弟――の『愛するイエスの聖なる心』を、その思想的背景とともに考察する。そして最後に、一七世紀初頭のエンブレム・ブックに現われる、新しいハートのモティーフについて瞥見したい。[4]

一　一六世紀後半のエンブレム・ブックにおけるハート

一六世紀から一七世紀のヨーロッパにおいて、のちに「エンブレム・ブック」と総称されることになる、多くの図版が挿入された書物が陸続と刊行された。その最初のものは、イタリア人の法学者アンドレア・アルチャート（一四九二〜一五五〇年）が、アウクスブルクで刊行した、ラテン語による『エンブレム集』である。エンブレム（emblema）とは、狭義には、モットーと図像とエピグラムという三部から構成される形態を意味する（図像だけを指す場合もある）。たとえば、アルチャートの書物で、「アモルの力」というモットーが掲げられたページ【図3】には、

VIS AMORIS
Aligerum fulmen fregit deus aliger, igne
Dum demonstrat uti est fortior ignis amor.

【図3】アンドレア・アルチャート『エンブレム集』、アウクスブルク、1531年、fol.D7r.

【図4】パオロ・ジョーヴィオ『愛と戦いのインプレーサについての対話』、リヨン、1574年、p.77.

目隠しされたアモルが炎の出ている棒を折る姿が描かれ、その下には、「有翼の神は有翼の電光を粉砕した。こうして、火より強い火、アモルが存在することを示す」[5]というエピグラムが記されている。そこで説かれる内容は、初期には一般的な道徳や倫理であった。

類似したジャンルにインプレーサ（impresa）――フランス語ではドゥヴィーズ（devise）、英語ではディヴァイス（device）――が存在する。最初期のインプレーサ集成で、かつ理論書は一五五五年にローマで刊行された、パオロ・ジョーヴィオ（一四八三～一五五二年）の『戦いと愛のインプレーサについての対話』である。たとえば、それに収められているマントヴァ公フランチェスコ・ゴンザーガのインプレーサ【図4】は、上述した蒸留器のように下から炎で熱しているが、上部に載せられているのは金の延べ棒が入った器である。そのモットーは、「主よ、あなたは私を試し、私を認められました」[6]で、『詩編』（一三八）から採られている。

このようにインプレーサとは、モットーと図像という二つの部分から成り、一般的にインプレーサを身につけている個人の性格、思念、意図、願望などが表現されていた。インプレーサも広義にはエンブレム・ブックというジャンルに含まれる。ただし、ジョーヴィオが「完全なインプレーサを作成するために必要とされる普遍的条件」として五つ挙げている中に、「そこに人間の形態を求めて

【図5】ホルス・アポッロ『ヒエログリフ集』、パリ、1551年、p.40.

【図6】ギヨーム・ド・ラ・ペリエール『善き術策の劇場』、パリ、1554年、fol.B5v

はならない」という条件を含めているように、[7] インプレーサには原則的に人間や四肢が採り上げられることはなく、したがって、心臓のインプレーサを見いだすことはできない。

同様に、広義のエンブレム・ブックに含まれるのがヒエログリフ集である。ヒエログリフは元来、古代エジプトの聖刻文字であるが、一五世紀にホラポッロの『ヒエリグリフ集』という、各ヒエログリフの意味を解説した、ギリシア語による書物がイタリアにもたらされ、ラテン語を含め各国語に訳されて流布した。最初のギリシア語版は一五〇五年にヴェネツィアで、最初のラテン語訳は一五一五年にアウクスブルクで、最初の俗語（フランス語）版はパリで一五四五年にそれぞれ刊行された。[8]

そして、ハートの図像は『ヒエログリフ集』にも現われている。「いかにエジプトを表わすのか」と題された項目【図5】では、次のように説明されている。「エジプトを表わすとき、彼らは点火した吊り香炉とその上に心臓を描いて、嫉妬深い者の心臓が常に燃えているように、エジプトの大地は熱のゆえに、その中とその近くに存在しているすべてのものに常に生命を与えていることを示す」[9]。また、「咽喉に吊された人間の心臓は何を表わすのか」と題された項目では、それが善良な人間の口を表わすと説明されている。[10]

さて、ギヨーム・ド・ラ・ペリエールの『善き術策の劇場』には、部屋の中で自分の心臓を食べるようとする老人を描いた不思議なエンブレムが収められている（第八番）【図6】。その解説には次のように記されている。

ピュタゴラスはさらに、すべての人間が自分の心臓を食べることを禁じた。伝えられるところでは、彼がそのことによって意味しているのは、人間は苦悩のゆえに、自分自身に不実になるべきではなく、むしろ自分に打ち勝ち、耐え忍ばなければならない、ということである。さもなければ、他ならぬこの者は、あまりに単純で、慰安を求める代わりに、悲哀によってやつれることを欲するからである。というのは、われわれにとって、憂慮しつつ、心を痛め、悲しみの内に暮らすことほど、負担になることはないからである。[11]

これは、ディオゲネス・ラエルティオスやプルタルコスが伝えている、有名なピュタゴラスの戒律の一つに関わるものである。前者は、「悲しみを苦痛によって心に溶かしてはならない」[12]ということを意味すると述べており、ここでド・ラ・ペリエールは出典の文言を大幅に敷衍しながら倫理的な教えを展開している。彼に続いて、ピエール・クストー（生没年不明）が一五五五年にパリで刊行したラテン語による『ペグマ』、およびフランス語版『ペグム』では、「心臓を食べるな、ピュタゴラスの訓戒より」というエンブレムにおいて、同様にこのピュタゴラスの戒律が取り上げられている。[13]

ハートのエンブレムにとって重要なエンブレム・ブックは、一五七一年にリヨンで刊行された、ジョルジェット・ド・モントネー（一五四〇—九九年以降）のフランス語による『キリスト教的エンブレム集、あるいはドゥヴィーズ集』である。タイトルから明白なように、これは最初のキリスト教的エンブレム・ブックであり、著者のド・モントネーは、ナヴァールの王女ジャンヌ・ダルブレの宮廷に使えた詩人で、思想的には改革派（プロテスタント）であった。一〇〇のエンブレムから成る本書は評判を呼び、一六二〇年までに五版を重ねる一方、一六五八年にチューリヒでラ

【図7】ジェオルジェット・ド・モントネー『キリスト教的エンブレム集、すなわちドゥヴィーズ集』、リヨン、1571年、p.5.

テン語版が、また、一六一九年にフランクフルトで多国語版（ラテン語・スペイン語・イタリア語・ドイツ語・英語・オランダ語）が刊行されている。[14]

エンブレム第五番の「汝の力によってではなく」【図7】は、モットー自体は「旧約聖書」の『ダニエル書』（八・二四）から採られており、図像では、大きな石の下で、心臓が空中に浮かんでいる。その表わしている正確な意味は、エピグラムによって明らかにされる。

> 鉄が磁石によって引き上げられるように、
> 人間は神へとキリストを介して引き寄せられる。
> 何者も自分のことを買いかぶってはならない。
> というのも、何者もそのような本性はもっていないからだ。
> 真の磁石であるキリストが、人間を高みへと引き上げるのであり、
> 人間の徳や業や功績によるのではない。
> 人間に属するものは、神が怒る悪である。
> 結局、恩寵と憐みによってのみ、それはなされるのだ。

このエンブレムでは、キリストこそが「すべての人々のための永遠の救いの源」（『ヘブライ人への手紙』五・九）であり、「他のだれによっても救いはない」（『使徒言行録』四・一二）ことが示されている。そして、人間が救済されるのは、自らの「徳や業や功績」によるのではなく、神の「恩寵と憐れみ」によることを強調している点に著者の改革派（プ

ロテスタント）的傾向が明瞭にうかがわれる。

『キリスト教的エンブレム集』では、他の六つのエンブレムにおいて、図像上に心臓が現われている。「最大なもの。混合しない。裁く、キリストが」（第八番）では、両翼をもつ円柱の上に心臓が置かれている。「そこにあなたの心があるだろう」（第二七番）では、兵士が手に自らの心臓を下げているが、天空に真の心臓が浮かんでいる。「ああ！」（第三四番）では、修道女が右手に心臓をもち、左上の雲の中から神の手がその心臓を指さしている。「讃美しなさい、そして携えなさい」（第六四番）では兵士が胸の前に、ヘブライ語で「ヤハウェ」と記された心臓をもっている。「心の清い者は祝福されている」（第八一番）では、男が高く掲げる水盤の上に心臓が載り、空中の壺からそれに水が注がれている。「汝は今、隠された何を探しているのか」（第八二番）では、地上に大きな心臓が置かれ、それを雲間の手から出た糸が吊している。

総じて、ド・モントネーにおいては、心臓は人間の〈心〉のアレゴリーとして登場しているが、これが、一七世紀に次々と刊行される宗教的なエンブレム・ブックのハートの表象に大きな影響を与えたのである。

二　アントン・ヴィーリクス『愛するイエスの聖なる心』におけるハート

上述したように、一六世紀の終わりに、フランドルの版画家アントン［アントニウス］・ヴィーリクス二世（一五五五／五九―一六〇四年）は、『愛するイエスの聖なる心』と題される、一八枚からなる図版集を刊行した。モットーを欠いてはいるが、図版を説明する詩句が付されており、広義の意味ではエンブレム・ブックに含めることができるだろう。[15] この図版集では、すべての図版において心臓が舞台となっており、その中で幼児として表わされたイエスのさまざまな行為を描いた、特異な形式の宗教的エンブレム・ブックである。[16]

アントン・ヴィーリクス二世は、アントン・ヴィーリクス一世（一五二〇／二五～一五七二年頃）の息子で、おそら

【図8】アントン・ヴィーリクス『愛するイエスの聖なる心』、タイトルページ

【図9】アントン・ヴィーリクス『愛するイエスの聖なる心』、第2番

くアントウェルペンに生まれ、二人の兄のヤンとヒエロニムスとともに地元で修業し、一五七九年に最初の署名入りの作品を描いている。一五八七年にはハンス・リーフリンクと共同制作を行い、一五九〇／九一年に「マスター」となり、アントウェルペンの聖ルカ組合に登録されている。終生、アントウェルペンに住み、当地で活動を続けた。[17]『愛するイエスの聖なる心』の正確な刊行年については判明しておらず、ヴィーリクス兄弟の作品の古いカタログ・レゾネでは一五八五〜八六年と、新しいカタログ・レゾネでは一六世紀末と一七世紀初頭の間とされ、またアグネス・グイデルドーニ＝ブリュスレは一五八六年頃と見なしている。[18]

タイトルページ【図8】では、「愛するイエスの聖なる心」（COR IESV AMANTI SACRVM）と書かれた大きな心臓を、前方でイエズス会士とフランチェスコ会士が、後方で三人の平信徒と一人の尼僧が支えている。この心臓の上部から炎が燃え上がり、その上方にはイエズス会のモノグラム（IHS）が描かれ、そこから四方に光が発している。図面の一番下には、「アントン・ヴィーリクスが版刻し、刊行した」（Anton.Wierx fecit et excud.）と記されている。

一八枚のエングレーヴィングの寸法は九・二〜四×五・六〜九センチメートルであり、二枚目以降のエンブレムでは、上部に図版が、下部にラテン語よる三行詩が左右に配されており（計六行）、モットーは付されていない。一八枚のエンブレムの順序については、最初の数ページと最後のページは研究者間で一致しているが、それら以外は意見を異にしている。[19] 以下、新しいカタログ・レゾネ（二〇〇三年刊）の順序に沿って各エンブレムを見ていくことにする。

二番目のエンブレム【図9】は、心臓が、高い襞襟をつけた婦人で表わされた「世界」と有翼の悪魔に襲われており、上方では二人の天使が左右からそれを護っている。詩文は次のとおり。「欺瞞の世界が表面を飾り、奸計が潜み、隠れている。汝は甘言を信じてはならない。汝は網を欲して、これを避けよ。すぐにキリストの心を求めよ、策略から遠ざかりつつ」。

三番目のエンブレム【図10】では、イエスが心臓に向かって矢を射り、天使たちによって、世俗のアモル（クピド）たちが追われていく。ここで描かれるアモルは、アルチャートの『エンブレム集』に見られたものである【図3】。図版の下の詩句は次のとおり。「十分です、イエスよ、汝は傷つけました。十分です、汝はすべてを燃える矢で貫きました。遠くに、ここから遠くに情欲はいます。この天上のクピドが、火をもって火に打ち勝つでしょう」。

四番目のエンブレムでは、イエスは心臓の扉を叩き、周りでセラフィム（熾天使）たちが見守っている。五番目のエンブレムでは、イエスは角灯をもって心臓の中に入り、内部にいる汚らわしい生物を照らす。六番目のエンブレムでは、イエスは箒を手にして、心臓から汚物を外に吐き出す。七番目のエンブレムでは、イエスは敬虔な血を降り注いで、心臓を浄めて祝福する。八番目のエンブレムでは、心の中に入ったイエスが、右手にもった小さな炎で心臓の内部を明るく照らす。九番目のエンブレムでは、イエスは薔薇で囲まれた心臓の中で花をまき散らす。

【図10】アントン・ヴィーリクス『愛するイエスの聖なる心』、第3番

一〇番目のエンブレム【図11】では、イエスはこの静かな心臓の中で、右膝に載せた地球に肘をついて安らかな眠りにつく。心臓の外では四方から激しい風が吹いている。詩句は次のとおり。「突然、北風が脅し、突然、稲妻が暴

れる。突然、青い泡が沸き立つ。心の中では寝台が据えられ、花婿が眠っている一方、花嫁は満面に笑みを浮かべている」。

一一番目のエンブレムでは、イエスは心臓の中に自らの受難具を運びこむ。上方に飛んでいる二人の天使は深い悲しみをあらわにしている。

一二番目のエンブレム【図12】では、イエスの両手と両足から血が滴り落ち、それを地上の二人の天使が受けとって、水盤に溜められる。詩句は次のとおり。「善きイエスよ、泉が流れだし、われわれの心の中に、恩寵の小川がすべて流れこむ。それらは魂を浄めて、罪を贖う。見よ、天使たちが喜んでいる」。

一三番目のエンブレム【図13】では、イエスが机の前に座って、開かれた本を示す。詩句では、古代の異教の哲学者への批判が込められている。「プラトンの、あるいはキケロの、あるいは世界の愚昧の雄弁に耳を傾ける者たちがいる。

【図12】アントン・ヴィーリクス『愛するイエスの聖なる心』、第12番

【図11】アントン・ヴィーリクス『愛するイエスの聖なる心』、第10番

汝は生命の言葉を遠ざけてはならない。父の、永遠の知恵の言説を聞きなさい」。

一四番目のエンブレムでは、イエスが膝の上の本を開いて、讃美歌を歌い、四名の天使が異なる楽器を奏でる。

一五番目のエンブレムでは、イエスが立ってハープを演奏し、四方の天使たちが合唱する。

一六番目のエンブレム【図14】では、イエスは画家となり、最後の審判の場面を描く。詩句は次のとおり。「イエスよ、画筆をとって、敬虔な幾多の図像を心全体に描きなさい。これはウェヌスも予言しえず、欲望が無益な空想によって汚すこともない」。

一七番目のエンブレムでは、イエスは王冠を被ってすべてを統治し、二人の天使が下方の雲の上で跪く。

最後のエンブレム【図15】では、イエスは心臓の外に出て、勝利の象徴である棕櫚の葉で飾られた心臓に王冠を被せようとする。その上にはヘブライ語で「イェホヴァ」という神の名前が浮かんでいる。詩句は次のとおり、「おお、愛の幸福な運命よ。多くの見世物、多くの名誉の徴ののちに、多くの喜びがある。そして、心は王冠を被せられ、不滅の栄光の棕櫚で飾られる」。

このようにイエスが心臓の中に入り、その中でさまざまな行為を果たし、最後に外から心臓に戴冠するという連続した場面を描くエンブレム・ブックは、これまでにない独自なものであった。このイエスの一連の行為は、人間の〈心〉の側から見るならば、浄化・照明・完成という神秘

【図13】アントン・ヴィーリクス『愛するイエスの聖なる心』、第13番

【図14】アントン・ヴィーリクス『愛するイエスの聖なる心』、第16番

【図15】アントン・ヴィーリクス『愛するイエスの聖なる心』、第18番

主義的な上昇の過程と考えることができるだろう。

このエンブレム・ブックに、きわめて早い時期に反応したカトリックの聖職者が、サヴォア公国に生まれたフランソワ・ド・サール(一五六七~一六二二年)である。彼は一六〇二年一二月からジュネーヴ司教に任じられていたが、一六〇五年のジャンヌ・フランソワ・ド・シャンタル(一五七二―一六四一年)への書簡において、次のように報告している。

私はある日、敬虔な図像を見ました。すなわち、一つの心臓に小さなイエスが座っていました。神よ——私は申し上げますが——、あなたが私をお与えになったこの少女の心の中に、あなたもお座りください。この図像において、イエスが座り、休息しているのを私はたいへん気に入りました。というのは、それ自体が私に確固さを表わしているからです。そして、彼が幼児であることも気に入りました。というのは、それは、完全な単純性と甘美さの年齢だからです。そして、あなたが同じことをなさるのを知った日には、聖体拝領をする者として、この望みに駆られて、宮殿にいる祝福された主人を、あなたの中にも、私の中にも住まわせましょう。[20]

ド・サールが見た「敬虔な図像」が、ヴィーリクスの『愛するイエスの聖なる心』であることは明白である。ド・サールはイグナチオ・デ・ロヨラの『霊操』(一五四三年)におけるイメージを利用した瞑想をよく知っていたが、彼自身は『敬虔な生への手引き』(一六〇八年)の第二部第二章「瞑想のための短い方法、そして最初に、神の現前について、準備の第一段階」において、実際に心臓の中の神というモティーフを利用している。

この神聖な現前をもたらす第二の方法は、たんに神を、あなたが居る場所においてだけではなく、とりわけあなたの心の中に、あなたの、精神の内奥において想うことである。これを神は、その神聖な現前によって活気づけ、鼓舞し、そして、神はそこに、あなたの心の心として、あなたの精神の精神として居る。というのは、魂は身体全体に広がり、そのあらゆる部分に現前しているが、しかしとくに心に留まっているように、同様に神は、あらゆる事物に現前しているが、しかしながら、われわれの精神には特別な仕方で居合わせているのである。[21]

このようにして、『愛するイエスの聖なる心』は、一六世紀後半から一七世紀にかけて、フランワ・ド・サールの神学的議論を生みだした宗教的心性を背景にして、ハートのエンブレムを流通させていくのである。

三　一七世紀初頭のエンブレム・ブックにおけるハート

アントン・ヴィーリクスの『愛するイエスの聖なる心』は、イエズス会士エティエンヌ・リュズベク（一五六七～一六四〇年）とエティエンヌ・ビネによって、一六二七年にドゥエーで刊行されたフランス語の著作『敬虔な心、イエスの玉座、平和をもたらすサロモン』[22]に利用され、人口に膾炙することになる。この著作には、ヴィーリクスの一八枚の版画（エンブレム）が収められただけではなく、その各々について、まず情景が簡単に説明され、続いて「祈り」と「瞑想」という長めのテクストが置かれている。この点で、『敬虔な心』はイグナチオ・デ・ロヨラの『霊操』を範にした、キリスト者にとって実践的な書物である。

『愛するイエスの聖なる心』の第二番目のエンブレムを例にとると、『敬虔な心』における対応するエンブレム【図16】（一六頁）について、次頁でその図像の解説がなされる。

【図16】エティエンヌ・リュズベクとエティエンヌ・ビネ『敬虔な心』ドゥエー、1627年、p.16

化粧に満ちた世界、鉄鎖に満ちた悪魔、そして、地獄と呪われた灼熱に満ちた肉体は、人間の哀れな心を欺こうとしている、もし人間がそれらの網に入ってしまうならば。もし神が奇蹟を起こさなければ、そのようになるのだ。あなた方は世界があなた方に約束するものを見ている。しかし、網を、毒を、残酷な欺瞞を、あなた方に隠している深淵を見ていない。ああ、神が心に憐みをかけて、これらの罠から救い出してくださるならば。

先に見たように、「化粧に満ちた世界」とは、右側の着飾った婦人によって表わされる、この世俗的社会の虚飾と虚栄のことを意味している。次の一八頁からは「祈り」が始まる。

世界、悪魔、肉体によって襲われ、イエスによって護られる、敬虔な心。
お助けください。軍勢を率いる神よ。あなたの聖所は襲われ、聖なる火は消され、犠牲の祭壇は倒されようとしており、あなたが命じたものとは異なるものをあなたに献じるために、香が持ち込まれています。……

「祈り」は二四頁まで続き、二五頁から二九頁は「瞑想」の部分で、その冒頭のテクストは次のとおりである。

第二の瞑想　「事前の祈り、行為など」
第一項　私はわが心の偉大さを見つめなければならない。それは、何ものも、天も、大地も、天使たちも、人間たちも、富も、快楽も満たすことができず、ただ神のみが満足させることができる。……

『愛するイエスの聖なる心』を範とする一八枚の図版は、最後のイエスが王冠を被る場面で終わるのであるが、[23]『敬虔な心』ではその後に二枚が追加されている。そのうちの一枚（二二二頁）【図17】では、幼児イエスが、十字架を抱えた子羊が載る皿を両手で持ち上げている。もう一枚（二四六頁）【図18】では、左上に並んで浮かぶ、王冠を被った父なる神と幼児イエスの姿が心臓の中に投影されている。

『敬虔な心』と同じ一六二七年に、シャルル・ムサールによるラテン語版『神に献じられた心』が、またゲラルドゥス・ズースによるオランダ語版『神の恵みの心』が現われており、カール・シュテインによるドイツ語版『神に献じられたイエスの心』は一六三〇年に刊行された。また、一六三四年に出版された英語版『敬虔な心』（図版は含まず）はラテン語版に拠るものであり、その翻訳者は、『聖なるパルテネイア』（一六三三年）というタイトルのエンブレム・ブックの著者ヘンリー・ホーキンスと見なされている。[24]

一七世紀初頭における、ヨーロッパにおける『敬虔な心』の多様な版の流布は、上述したフランソワ・サールに見られるような、ハートに惹かれる宗教的心性の影響下に、エンブレム・ブックにおけるハートの表象への特別な関心が存在していたことの証でもある。以下、代表的なエンブレム・ブックをいくつか瞥見したい。

ドイツの詩人ガブリエル・ローレンハーゲン（一五八三～一六一九年）は一六一一年にアンヘルムで『精選されたエンブレムの核心』、一六一三年にユトレヒトで同第二部を刊行した。[25] 両方の著作とも一〇〇のエン

Iesus, qui te subarrhauit, Nuptiales sume vestes,
Nate in Corde preparauit, Tibi sposus iam cœlestes
Quas promisit nuptias. Parauit delicias.

【図17】エティエンヌ・リュズベクとエティエンヌ・ビネ『敬虔な心』、ドゥエー、1627年、p.222.

【図18】エティエンヌ・リュズベクとエティエンヌ・ビネ『敬虔な心』、ドゥエー、1627年、p.246.

【図19】ガブリエル・ローレンハーゲン『精選されたエンブレムの核心』、アルンハイム、1611年、p.39.

【図20】ダニエル・クラマー『聖なるエンブレム集』、フランクフルト、1624年、p.73.

ブレムから構成されており、図版は円形のメダイヨンの中に収められ、その周りの円環にモットーが記されている。そして図版の下方に二行詩のエピグラムが載せられている。そこには心臓のモティーフが幾度も登場しているが、この場合は、モントネーの『キリスト教的エンブレム集』と同じように、心臓は人間の、あるいは端的に〈心〉のアレゴリーである。

たとえば、「希望と恐れに震える」と題されたエンブレム【図19】(三九頁)では、中央の大地の上に置かれた大きな心臓が上部から煙のようなものを発散させており、その右側には矢をつがえた弓が心臓に向けられ、左側では錨が木に立てかけられている。錨はキリスト教では希望の象徴であることから、この図像では、地上における人間の〈心〉の不安が表わされている。エピグラムは次のとおり。「希望を恐れて震える。希望は苛む恐れで満ちた愛である」。

ギリシア語によるモットーによる「上方に眼を向けよ」(四三頁)では、心臓の中央に一つの眼が描かれ、それを左上より人間の顔をした太陽が照らしている。「相互の愛によって」(四四頁)では、騎士と淑女が松明を交差させており、その上方に燃える心臓が描かれている。「神の手の中に、王の心が」(四六頁)では、雲間から手が差し伸べられ、その上に王冠を戴いた心臓がのっている。後方には祈禱所で祈っている人物が見られる。「心は神へ捧げられる供物」（六五頁）では、中央の祭壇の上に心臓が置かれ、そこから炎と煙が上っている。その上方には神を示すヘブライ語が浮かんでいる。「善き信仰によって」（七九頁）では、左右の雲間から手が差し伸べられ、結ばれた両手の上に、戴冠した心臓が置かれている。

ドイツのルター派の神学者であるダニエル・クラマー（一五六八〜一六三七年）は、ド・モントネーの衣鉢を継いで、一六四二年にフランクフルトで『聖なるエンブレム集』を刊行した。[26] この著作は五〇枚のエンブレムから構成されているが、タイトルどおりに、第一番の「柔和になる」から第五〇番の「死を想え（メメント・モリ）」まで、すべてがキリスト教的な主題であり、ほとんどすべての図版には心臓が描かれている。

見開きの両頁で一つのエンブレムを構成しており、第一五番の「瞑想する」【図20】を例にとるならば、右頁の「エンブレム一五」の下に、ラテン語で「われわれは機会のあるごとに、善をすべての者に行いましょう」と記され、その下に『ガラテヤ、六・九』（実際には『ガラテヤの信徒への手紙』六・一〇）と出典が示され、この文章に対応するドイツ語が書かれている。その下に、ローレンハーゲンのエンブレムと同様に、円形のメダイヨンの内部に図版が収められ、その周りの円環には「瞑想する」と記されている。

図版に目を移すならば、屋外で、テーブルクロスが掛かったテーブルの上に大きな心臓が置かれ、右には聖書が立てかけられ、左側には砂時計が置かれている。後景は、右側が夜で月が出ており、左側が日中で太陽が出ている。この図像の下に二行にわたって詩文が書かれており、その意味は、「時間は飛び去り、日々は過ぎ去る。われわれは、善に値する人々にそれを行おう、時が満ちるまでは」である。

左頁を見ると、「瞑想する」という言葉の下に、ラテン語で次のように書かれている。「太陽は光線によって昼をもたらし、夕べになると、月は夜をもたらす。労苦がわれわれを呼び出すまで。学識ある書物から〈知恵〉がやってきて、こうして、心は神の業を瞑想する」。このラテン語文の下にはほぼ同様な意味のドイツ語、フランス語、イタリア語のテクストが続いて載せられている。

【図21】ダニエル・クラマー『聖なるエンブレム集』、フランクフルト、1624年、p.213.

【図22】ヨーハン・マンニヒ『七六の聖なるエンブレム集』、ニュルンベルク、1625年、p.13.

クラマーのエンブレムでは、心臓がさまざまな状況で試練を受けており、鎖で縛られ、火に焼かれ、十字架にかけられ、風雨に耐え、悪魔に責められる。しかし他方では、神の恵みを受け、天使によって戴冠され、神からの矢を受け、祝福を受ける。第四九番の「熟慮せよ」【図21】では、両翼をもつ心臓が、橋の上をゆっくりと歩むカタツムリの上に乗っている。最後のエンブレムの「死を想え」では、テーブルクロスに十字架が配されたテーブルの右端には骸骨が、左端には心臓が配され、それぞれ、火の消えた煙を出す蝋燭と明るく光る蝋燭が背後に描かれている。

クラマーの『聖なるエンブレム集』の翌年、一六二五年にニュルンベルクで類似したタイトルをもつ『七六の聖なるエンブレム集』が刊行された。その著者はヨーハン・マンニヒ（一五七九〜一六三七年頃）であり、彼もドイツのルター派の神学者であった。[27]

マンニヒはローレンハーゲンやクラマーと同様に、円形のメダイヨン型の図版を用いて、その周りの円環にエピグラムを記している。そして、七六のエンブレムの中で一〇ほどが、心臓をモティーフとしている。たとえば、「天から、他のところからではなく」（一三頁）【図22】では、『詩編』（五七・四）が参照されており、図像を見ると、心臓が縄と鎖に縛られて地上に横たわり、雲間から出された手がもつナイフが一本の縄を切ろうとしている。メダイヨンの下には次の四行詩が記されている。「多くの傷を負った心は、幸運を縛りつける鎖を、天の力によって断ち切るだろう。そして、恐怖から解放されるだろう。甘美なものが汝を覆っているのか。キリストを頼みとしなさい。縄は解かれるだろう。キリストに信を置きなさい。すぐに自由になるだろう」。

その他には、「火花が盛んになる」（一二頁）は、『詩編』（三九・四）が参照され、図像では、開かれた本の上に置かれた心臓が、天上からのふいごによって燃え立たされている。「神の恵みが心を庇護する」（一七頁）は、『ヘブライ人への手紙』（一三・九）が参照され、あちらこちらから煙を出している割れた心臓に、天上から両手が差し伸べられる。「言葉は健康の薬である」（四六頁）は、『知恵の書』（一六・一二）が参照され、荊棘に絡まれた地上に倒れる心臓に、天上から「HIS」の文字が彫られた十字架が差し出される。

そして、一六二九年にアントウェルペンで、ユトレヒト生まれのベネディクト会士、ベルナルド・ファン・ヘフテン（一五八八～一六四八年）の『心の学校、すなわち神から離れた心が再び神へと導かれ戻ること』が刊行された[28]。この書物はボエティウス・ア・ボスヴェルト作の五五枚の図版を含んでおり、各エンブレムに登場するのが、有翼の子どもで表わされる〈神的愛〉、世俗的な子どもとして表わされる〈魂〉、そして心臓として表わされる〈心〉である。

【図23】ベルナルド・ファン・ヘフテン『心の学校』、アントウェルペン、1629年、no.2.

たとえば、第二番の「心の虚栄」【図23】では、喜びに満ちた顔の少女が右手で掲げる心臓からは、旗竿や王冠や楽器などが空中に飛び出しており、〈神的愛〉はわれわれに向かって、手の仕草でこの情景を示している。図像の下に記されたモットーは次のとおりである。「思慮の浅い者は考えても空しい。『伝道の書』一六・二三」。それに次の二行詩が続いている。「野心の皮袋は風で名誉を満たす。

空しい心が吸うのは大きな無以外のものではない」。

第一八番の「心の試練」【図24】では、大きな炉の燃え盛る炎の中に、〈神的愛〉が心臓を入れており、〈魂〉がそれを見守っている。図像の下に記されたモットーは次のとおりである。「銀が火によって試されるように、金は炉によって試される。『箴言』一七・三」。それに次の二行詩が続いている。「汝は、火によって不純な鉱滓を落とした、灼熱の金よりも価値がある、汝の心を享受せよ」。

「心の逃避」から「キリストの墓における心の部屋」までのエンブレムには、それぞれ長文の「講話」が付されており、その意味について詳しく説明が施されている。この特異なエンブレム・ブックは大きな成功を収め、再版されるだけでなく、クリスファー・ハーヴェイによる英語版（一六六四年）、ドイツ語版（一六六四年）、スペイン語版（一七八四年）と各国語に訳されて、長く読み継がれた。

【図24】ベルナルド・ファン・ヘフテン『心の学校』、アントウェルペン、1629年、no.12.

アントン・ヴィーリクスの『愛するイエスの聖なる心』において、心臓は人間の〈心〉のメタファーであると同時に、またイエスが住まうべき場所であった。それゆえ、イエスは心臓から汚れたものを放逐し、その中を隅々まで掃除し、その中で静かに休息し、また神を賛美し、最後に心臓自体が棕櫚によって飾られ、戴冠される。すなわち、これは人間の魂が浄化されていく過程であり、またキリストによる俗世に対する勝利をも表わしている。

ヘフテンの『心の学校』では、この魂の浄化の過程が、少女の姿をとった〈魂〉と同じく少女の姿をとり、翼を生やした〈神的愛〉の間で〈心〉が揺さ振られるという、演劇的な形態を帯びるものとなり、いっそう視覚的な魅力を醸し出している。[29] これら二つのエンブレム・ブックの間には、ハートの表象とその機能をめぐって、差異よりもむしろ連続性を見てとることが可能だろう。それについては、先に引用した、フランソワ・ド・サールの『敬虔な生への手引き』における次の一節が参考になるだろう。

こうして、フィロテよ、われわれの心は毎日、どこかの場所を、カヴァリオ山の上か、わが救世主の災いのもとか、彼に近い別の場所かを取り上げて、選ばなければならない。こうして、われわれの心は、そこにおいて、あらゆる種類の機会を利用して瞑想し、外的な事柄から身を軽くし、休息して、いわば最強のものとなって、さまざまな誘惑から身を守るのである。[30]

おわりに――中国のハートとブラジルのハート

中国の明の末期、一六三〇年三月（崇禎三年正月）から一六四〇年六月（崇禎一三年五月）まで、中国福建省の士人たちが、イタリア人宣教師と交流し、対話した記録が『日鐸日抄』と題されて残されている。[31]一六三一年の三月二三日の記述によれば、福建省の福州で冬を過ごした士人で改宗者の李九標が、科挙の試験を地元の福生で受けるために、師のイエズス会士アンドルゼイ・ルドミーナ、中国名盧安徳（一五九六～一六三二年）に別れの挨拶に赴いた【図25】。

之不暇者則必猛力用工以補從前之失宜吾
主之倍憐愛之也
廿一日余將辭歸盧先生曰今日其行乎吾欲以心
相贈耳余不解謂是寒暄語也林子震曰非也先
生有心圖盍請觀焉余喜而請之圖共一十八幅
各繪一心像而寓言則別
其一畫一心居中衆人在下各以兩手捧之如奉
獻狀先生曰凡人之入教也須一心奉獻 天主
無論爲賢爲聖都不外是斯圖也其群聖賢共獻

【図25】『日鐸日抄』Bibliothèque nationale de France. Département des manuscrits. Chinois 7114.

二一日に私は家に帰ろうとしていた。盧先生が言った。「今日去るのか。私はあなたに私の心を贈り物として与えたい」。私は理解できなかった。そして、彼の言葉はあまり意味がないと考えた、天気について話すように。しかし、林子震が言った。「だめだ。先生は心の絵をもっているのだ。なぜ、それを見せてくれるように頼まないのだ」。私は喜んでそうした。それはすべて一八の絵から成るものだった。それらはすべて心を表わしたもので、各々が異なる寓意を有していた（圖共一十八幅、各繪一心像而寓言則別）。

【図26】ディアナ・スクルトーリ《幼児キリスト像》、1577年。

『日鐸日抄』では続いて、アントン・ヴィーリクス二世の『愛するイエスの聖なる心』の一八の図像の各々について詳しい解説がなされている。これらの図像は、イエズス会士によって中国に持ち込まれただけではなく、上海のイエズス会出版局において、複製が二〇世紀にいたるまで印刷され、中国のキリスト者の目に触れたのである。(32)

さて、上述したように、『愛するイエスの聖なる心』は、それまでのエンブレム・ブックに収められたハートの表象とは異なるものを提示していた。その表象の先例や範例については探究されてこなかったが、たとえば、一五七七年にローマで作成された、ディアナ・スクルトーリ（一五四二頃〜一六一二年）の銅版画【図26】が参考となるだろう。ディアナは、マントヴァの版画家一族、ジョヴァンニ・バッティスタ・スクルトーリの娘で、一五七五年からローマに滞在していた。(33)

当該の銅版画では燃え盛る火の上に置かれた心臓の上に、幼児キリストが左手を十字架のついた地球に載せ、右手で頬杖をつきながらまどろんでいる。彼の頭上には茨の冠が浮かんでいる。下部にはラテン語で「キリストは燃える心の上に座って休息する。愛する者の慈悲深い愛は、この心を彼に与える」(34)と記されている。この図像は『愛するイエスの聖なる心』の一〇枚目【図11】の、四方から強風に吹きつけられながらも、心の中で、右手を地球の上において安らかに眠っている幼児キリストの姿を想い起こさせる。

【図27】《幼児キリスト像》、象牙製、一七世紀、リオ・デ・ジャネイロ、国立歴史博物館。筆者撮影（2019年9月1日）。

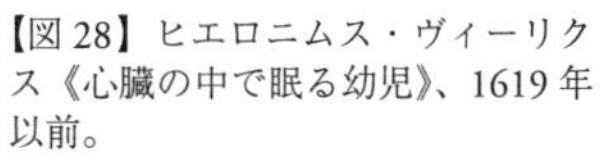

【図28】ヒエロニムス・ヴィーリクス《心臓の中で眠る幼児》、1619年以前。

大航海時代となり、スペイン人やポルトガル人を始めとするヨーロッパ人が中南米に進出するととも、ヨーロッパの文化・芸術も中南米の地に移植されていった。エンブレム・ブックや数々の版画も当地に伝搬されて、さまざまな装飾や芸術作品が生みだされた[35]。現在、リオ・デ・ジャネイロの国立歴史博物館に所蔵されている、小さな象牙の彫像【図27】もその一つと考えられる。一七世紀の作品とされるが制作者は知られていない[36]。キリストと目される幼児は膝の上の球体に右手を置き、左手を頬と耳の上に当てて、両眼を閉じている。彼が座っているのはおそらく心臓である。この彫像が先のディアナ・スクルトーリの銅版画から、あるいはヴィーリクス兄弟の次男であるヒエロニムス・ヴィーリクス（一五三三～一六一九年）の《心臓の中で眠る幼児》[37]【図28】から想を得たと見なしてもよいであろう。

こうして、幼児キリストをめぐるハートのエンブレムは、ヨーロッパからアジアへ、そして中南米へと伝わったのである。

【註】

（1）Francesco Petrarca, *Canzoniere*, n.55, a cura di Piero Cudini, Milano: Garzanti, 1974, p.80.

（2）Guillaume de la Perrière, *Le Theatre des bons engins*, Paris: Denys Jonot, 1540, fol.15r. Cf. Alison Adams, Stephen Rawles, and Alison Saunders, *A Bibliography of French Emblem Books of the Sixteenth and Seventeenth Century*, Genève: Droz, 1999-2002, F.364. 伊藤博明『エンブレム文献資料集――M・プラーツ「綺想主義研究」日本語版補遺』（ありな書房、一九九九年）、五〇頁。

（3）Cf. Marie Mauquoy-Hendrickx, *Les Estampes des Wierix. Conservées au Cabinet des estampes de la Bibliothèque Royale Albert Ier. Catalogue raisonné enrichi de notes prises dans diverses autres collections*, 3 tomes, Bruxelles: Bibliothèque royale Albert Ier, 1978, no.1476 ; Zsuzsanna van Ruyven-Zeman (Complied), *The New Hollstein Dutch and Flemish Etchings, Engravings and Wood Cuts 1450-1700. The Wierix Family*. Collaboration with Marjolein Leesberg. Edited by Jan van der Stock and Marjolein Leesberg. Rotterdam: Sound and Vision Publishers, 10 parts, 2003-04, no.1826.

（4）エンブレム・ブックにおける心臓の表象について初めて言及したのはマリオ・プラーツである。Mario Praz, *Studi sul concettismo*, Milano: La Cultura, 1934; Idem, *Studies in Seventeenth-Century Imagery*, 2nd edition, Roma: Edizioni di storia e letteratura, 1975. 邦訳は、マリオ・プラーツ『綺想主義研究――バロックのエンブレム類典』（伊藤博明訳、ありな書房、一九九八年）。代表的なエンブレム・ブックに登場する心臓のモティーフについては次を参照（ただし網羅的なものではない）。*Emblemata: Handbuch zur Sinnenbildkunst des XVI. und XVII. Jahrhundert*s, hrsg. von Arthur Henkel and Albrecht Schöne, Stuttgart: Metzler, 1967, coll. 1025-1034. 近代におけるこの表象について包括的に論じたものとして次がある。Anne Sauvey, *Le miroir du coeur: quatre siècle d'images savantes et populaires*, Paris: Cerf, 1989.

（5）Andrea Alciato, *Emblematum liber*, Augsburg: Heinrich Steiner, 1531, fol.D7r. 伊藤博明訳、ありな書房、二〇〇〇年、八二頁。Cf. Praz, *op.cit.*, p.248. 伊藤、前掲書、四〇頁。

（6）Paolo Giovio, *Dialogo delle Imprese militari e amorose*, Lyon: Guglielmus Rovillius, 1574, p. 78; *Dialogo dell'imprese militari e amorose*, a cura di Maria Luisa Doglio, Roma: Bulzoni, 1978, p. 86. 伊藤博明訳、ありな書房、二〇二〇年、六二頁。Cf. Praz, *op. cit.*, p.353. 伊藤、前掲書、七一～七二頁。

（7）Ibid., p.12; ed. Doglio, p.37. 同訳、八頁。

（8）*Vitae et Fabulae Aesopi ... Ori Apollinis Niliaci Hieroglyphica*, Venezia: Aldus Manutius,1505. Cf. Praz, *op.cit.*, pp.373-374. 伊藤、前掲書、二三～二四頁。

エンブレム・ブックについての研究は膨大であるが、邦語による概説としては、上記のプラーツ『綺想主義研究』のほか、ピーター・M・デイリー監修『エンブレムの宇宙――西欧図像学の誕生と発展と精華』（伊藤博明監訳、ありな書房、二〇一三年）と伊藤博明『綺想の表象学――エンブレムへの招待』（ありな書房、二〇〇七年）がある。両書とも詳しい参考文献が挙げられている。

（9）Horus Apollo. *Hieroglyphica*, ed. Francesco Sbordone, Napoli : Leffredo, 1940, p.65. ホラポッロ『ヒエログリフ集』（伊藤博明、ありな書房、二〇一九年）、三六頁。

（10）Ibid., p.139. 邦訳八六頁。

（11）De la Perrière, *op.cit.*, fol. B6r.

（12）『ギリシア哲学者列伝』第八巻第一章一八、加来彰俊訳、岩波文庫（下）、一九九四年、二七ページ。プルタルコス「子供の教育について」一七、『モラリア一』、瀬口昌久訳、京都大学学術出版会、二〇〇八年、三八頁を参照。

（13）Petrus Costalius, *Pegma cum narrationibus philosophicis*, Lyon: Mattia Bonhomme, 1555, p. 129. Cf. Praz, *op.cit.*, p. 309; Adams, Rawles, and Saunders, *op.cit.*, F.200-202. 伊藤『エンブレム文献資料集』、五五頁。

（14）Georgette de Montenay, *Embléme ou devises chrestiennes*, Lyon; Jean Marcorelli, 1571. Cf. Praz, *op.cit.*, p. 431; Adams, Rawles, and Saunders, *op.cit.*, F. 431-439. 伊藤『エンブレム文献資料集』、五二頁。Cf. Regine Reynolds-Cornell, *Witnessing an Era: Georgette de Montenay and the Emblemes ou diverses chrestiennes*, Birmigham, AL: Summa Publications, 1987. 岩井瑞枝「ピエール・ヴォエリオ版刻『ジョルジェット・ド・モントネーのキリスト教的百エンブレム集』（一五七一）――宗教的プロパガンダとして

のエンブレム」、『版画史研究』、第一号（一九九二）、七六〜一一四頁。

（15）Cf. Praz, *op.cit.*, pp. 152-154, 535-536. 伊藤博明、前掲書、一一一ページ。

（16）Cf. Adolf Spamer, *Das kleine Andachtsbild. Vom XIV. - zum XX. Jh.*, München. Bruckmann, 1930, pp. 151-154; John B. Knipping, *Iconography of the Counter Reformation in the Netherlands*, Nieuwkoop: B. de Graaf – Leiden: A.W. Sijthoff, 1974, pp. 99-101; Mauquoy-Hendrickx, *op.cit.*, no. 429-446; Van Ruyven-Zeman, *op.cit.*, no. 445-462.

（17）彼については上記の註に挙げた文献に加えて、以下を参照。Van de Verde, "Wierix," in *The Dictionary of Art*, ed. by Jane Turner, New York: Grove's Dictionaries, 1996, vol. 33, pp. 168-170; Anne Sauvy, *op.cit.*, Chapitre II: 'Les Wierix," pp. 55-64; Radosław Grześkowiak and Paul Hulsenboom, "Emblems from the Heart: The Reception of the *Cor Iesu Amanti Sacrum* Engravings Series in Polish and Netherlandish 17th-Century Manuscripts," *Werkwinkel: Journal of Low Countries and South African Studies*, 10-2 (2015), pp. 131-154.

（18）Cf. Mauquoy-Hendrickx, *op.cit.*, tom.1, p.68; Van Ruyven-Zeman, *op.cit.*, Part 3, p. 44; Agnès Guiderdoni-Buslé, "Images et emblèmes dans la spiritualité de saint François de Sales," *XVIIe siècle*, 2001/1 (No 214), p. 133. 邦語によるヴィーリクスへの言及は以下に見られる。木村三郎「神戸市立博物館所蔵《聖フランシスコ・ザビエル像》について」、同『ニコラ・プッサンとイエズス会図像の研究』、中央公論美術出版、二〇〇六年、三三四〜三三九頁。

（19）【表】を参照されたい。番号は新しいカタログ・レゾネ（Van Ruyven-Zeman）の順序に準拠して他の書物（註２・３）に対応させている。最後の欄の Luzvic - Binet は註22のエンブレム・ブックを指している。

（20）Cited by Peter van Schaic, "Le Coeur et la téte – une pédagogie par l'image populaire," *Revue d'histoire de la spiritualité*, 50 (1974), p. 461. Cf. Ralph Dekoninck, *Ad imaginem. Satuts, fonctions et usages de l'image dans la littérature spirituelle jésuite du XVIIe siècle*, Genève: Dorz, 2005, pp.362-363.

（21）Saint François de Sales, *Introduction à la Vie Dévote*, 2, 2, in *Œuveres*, Textes presentés et annotés par André Ravier, avec collaboration de Roger Devos, Paris: Gallimard, 1969, p. 83. Cf. Grześkowiak and Hulsenboom, *op.cit.*, p. 134. ド・サールについては次を参照。

John A. Abbruzese, *The Theology of Hearts in the Writings of St. Francis de Sales*, Rome: Pontifical University of St. Thomas Aquinas, 1983; Mino Bergamo, *L'anatomie de l'âme, de Saint François de Sales, à Fénelon*, Grenoble: Jérôme Millon, 1994.

（22）*Le cœur devot, Throne royal de Iesus Pacifique Salomon*, Par le R. P. Estinenne Luzcic ... par le R. P. Estienne Binet, Douay: Baltazar Bellere, 1627. Cf. Praz, *op.cit.*, p.408; John Landwehr, *Emblem and Fable Books Printed in the Low Countries 1542-1813: A Bibliography*, Utrecht: HES Publishers, 1988, n.541; Adams, Rauwles, and Saunders, *op.cit.*, F.404; Peter M. Daly and G. Richard Dimler, *The Jesuit Series*. Part 4: L-P, Toronto: University of Toronto Press, 2006, J.899. 伊藤『エンブレム文献資料集』、一一一～一一二頁。なお、図版が含まれないテクストが一六二六年に刊行されている。

（23）『敬虔な心』における図版の順番については【表】を参照のこと。

（24）Cf. Praz, *op.cit.*, p. 408; Landwehr, *op.cit.*, nn.654, 545.

（25）Gabriel Rollenhagen, *Nucleus Emblematum selectissimorum*, Arhnem: Iannes Iasominus, 1611; *Selectorum Emblematum Centuria Secunda*, Utrecht: Cristian Passe, 1613. Cf. Praz,

【表】『愛するイエスの聖なる心』エンブレム 対照表

Van Ruyven-Zeman	Mauquoy-Hendrickx	Praz	Luzvic- Binez
1（445)	1 (429)	1	1
2 (446)	2 (430)	2	2
3 (447)	3 (431)	3	4
4 (448)	4 (432)	4	5
5 (449)	5 (433)	5	6
6 (450)	6 (434)	6	17
7 (451)	7 (435)	7	7
8 (452))	8 (436)	17	9
9 (453)	17 (437)	9	8
10 (454)	10 (438)	14	5
11 (455)	13 (439)	11	12
12 (456)	14 (440)	12	13
13 (457)	15 (441)	13	10
14 (458)	9 (442)	8	11
15 (459)	16 (443)	15	3
16 (460)	11 (444)	10	16
17 (461)	12 (445)	16	14
18 (462)	18 (446)	18	18

op.cit., p. 476. 伊藤『エンブレム文献資料集』、九二～九三頁。Dietmar Peil, “Emblem Types in Gabriel Rollenhagen’s *Nucleus Emblematum*,” *Emblemata*, 6 (1992), pp. 255-282.

(26) Daniel Cramer, *Emblemata Sacra*, Frankfurt: Suptibus Luca Jennis, 1624. Cf. Praz, *op.cit*., p. 110. 伊藤『エンブレム文献資料集』、一一〇頁。Sabine Mödersheim, *'Domini Doctrina Coronat' : Die geistliche Emblematik Daniel Cramers (1568-1637)*, Frankfurt am Main: Peter Lang, 1994.

(27) Johan Mannich, *Sacra Emblemata LXXVI*, Nürnberg: Joannes Fridericus Sartorius, 1625. Cf. Praz, p.411. 伊藤『エンブレム文献資料集』、一一〇頁。

(28) Bededictus van Haeften, *Schola Cordis sive aversi a Deo Cordis ad eundem reducito et instructio*, Antwerpen: Hieryonymus Vedussius, 1628. Praz, *op.cit*., p. 361; Landwehr, *op.cit*., p.267; Knipping, *op.cit*., p.191. 伊藤『エンブレム文献資料集』、一〇九頁。

(29) Cf. Bernhard F. Scholz, “Emblematic Word-Image Relations in Benedictus Van Haeften’s *Schcola Cordis* (Antwerp, 1629) and Christopher Harvey’s *School of Heart* (London, 1647/1664),” in Bart Westerweel (ed.), *Anglo-Dutch Relations in the Field of the Emblem*, Leiden: Brill, 1997, pp. 149-176; Idem, “Het Hart als *res signifcans en als res pict*a. Benedictus Van Haeftens *Schola Cordis* (Antwerpen, 1629),” *Spiegel der Letteren*, 33 (1991), pp. 115-147.

(30) De Sale, *op.cit*, 2, 12, pp.96-97. Cf. Guiderdoni-Buslé, *op.cit*., p.42.

(31)『日鐸日抄』については以下を参照。岡本さえ「中国人の比較思想：《口鐸日抄》の対話から」（『東洋文化研究所紀要』、一一七巻、一九九二年三月、四二七～八〇頁）。『日鐸日抄』の英訳が刊行されている。*Kouduo richao. Li Jiubiao’s Diary of Oral Adomonitions. A Late Ming Christian Journal*, Introduction, Translation and Notes by Erik Zücher, Monumenta Serica Monograph Series 56/1-2, Sankt Augustin – Nettetal: Steyler Verlag, 2007.

(32) Cf. Eugenio Menegon, “Jesuit Emblematica in China. The Use of European Allegorical Images in Flemish Engravings Described in the Kouduo richao (ca. 1640),” *Monumenta Serica*, 55 (2007), pp. 395-411.

(33) Cf. Gioconda Albricci, “Prints by Diana Scultori,” *Print Collector*, 12 (March-April 1975), pp.12-21; Suzanne Boorsche and John Spike

(ed.), *The Illustrated Bartsch 31: Italian Artists of the Sixteenth Century*, New York: Abaris Books, 1986; Michael Lewis and R.E. Levis, "Scultori [Mantovano]," in *The Dictionary of Art*, ed. by Jane Turner, New York: Macmillan, 1996, vol.28, pp.316-317; National Museum of Women in the Arts (ed.), *Italian Women Artist: From Renaissance to Baroque*, Milano: Skira, 2007, pp.126-133.

（34）Boorsche and Spike (ed.), *op.cit*, p. 269.

（35）詳細は次のウェブサイトを参照されたい。PESSCA (Project on the Engraved Sources of Spanish Colonial Art), https://colonialart.org/ エンブレム・ブックの影響については次を参照されたい。Santiago Sebastián López, *El Barroco Ibeoamericano. Mensaje Iconográfico*, Madrid: Encuentro, 1990; Idem, *Iconografia e iconología del arte Novohispano*, Ciudad de México: Grupo Azabache, 1992; *La producción simbólica e la América colonial*, ed. José Pascal Buxó, Ciudad de México: Universidad Nacional Autónoma de México, 2001; Gómez Bárbara y Eloy Skinfil, *Las Dimensiones del Arte Emblemático*, Ciudad de México: Consejo Nacional de Ciencia y Tecnología, 2002; *Emblems in Colonial Ibero-America: To the New World on the Ship of Theseus*, ed. by Pedro Leal Germano Leal and Rubem Amaral, Jr., Glasgow Emblem Studies, Genève: Droz, 2017. 伊藤博明「クリスピン・デ・パセのシビュラ図像集の流布とメキシコにおける受容」（『専修人文論集』第一〇五号、二〇一九年一一月、一～五〇頁）。同「オットー・ウェニウス『ホラティウスのエンブレム集』とサン・フランシスコ修道院（サルヴァドール）の壁画装飾」（『専修人文論集』第一〇六号、二〇二〇年三月、一七三～二二四頁）。同「エンブレム・ブックの中南米のキリスト教美術への影響――パラシオ・デ・ラ・アルトノミア（メキシコシティ）とサン・フランシスコ修道院（サルヴァドール）を事例として」、『DNP文化振興財団学術研究助成紀要』第三号、二〇二〇年一一月、二二一～三五頁。

（36）Cf. Clarival do Prado Valladares, *Rio Barroco: Análise Iconográfica do Barroco e Neoclássico Remanentes no Rio de Janeiro*. Rio de Janeiro: Bloch Editores, 1978, pl. 95.

（37）Mauquoy-Hendrickx, *op.cit*.,n. 467; Van Ruyven-Zeman, *op.cit*., no. 480a.

ウィザーの燃える心臓と祭壇

――一七世紀イギリスのエンブレムの事例

植月惠一郎

はじめに——本章概要とウィザー紹介

本章では、一七世紀イギリスの詩人ジョージ・ウィザー（一五八八～一六六七）の『エンブレム集』（一六三五）に登場する燃える心臓とそれを供える祭壇のエンブレムに注目し、それを当時の形而上詩で、ジョン・ダン（一五七二～一六三一）らが描いた心臓イメージの系譜に位置づける。したがって、ウィザーが基にしたガブリエル・ロレンハーゲン（一五八三～一六一九）の『精選エンブレムの核心』（以下、エンブレム集、一六一二）、さらには心臓エンブレムの起源と思しきジョルジェット・ド・モントネー（一五四〇～一五八一）の『キリスト教のエンブレム集』（一五七一）の燃える心臓と、祭壇に相当する柱のエンブレムにも言及することになる。結論としては、宗教詩の心臓イメージの系譜で、とくにジョージ・ハーバート（一五九三～一六三三）の心臓と祭壇のイメージとウィザーのエンブレムとの相似関係を指摘し、心臓エンブレムが韻文に結晶化する過程を詳述する。

ウィザーは、一五八八年六月生まれで、ちょうどイギリスがスペイン無敵艦隊アルマダに勝利し海洋覇権を手にする直前にこの世に生を受けた。没したのは、一六六七年五月だが、同年七月には第二次英蘭戦争のブレダ条約が締結されている。歴代君主で言えば、エリザベス一世からジェイムズ一世、チャールズ一世、初代護国卿と二代目、チャールズ二世の時代を経験しており、他の多くの文人たちが古いテューダー朝寄りか、回復した王政寄りかに偏っているのを考慮すると、これだけの激動の時代を経験した稀有なピューリタンの諷刺詩人であった。

ジョン・リルバーン（一六一四～一六五七）に心酔し（Norbrook, 1991, 246）、彼のマニフェストでも賞賛された人であり（Norbrook, 1991, 244）、ジョン・デナム（一六一四～一六六九）からは、ウィザーが生きている限り、自分は最低の詩人になることはないだろうと酷評された三文詩人ではあったが、ロレンハーゲンの『エンブレム集』を改変することで、エンブレムの視点からは非常に重要な位置を占める詩人になる。というのは、ヘルトゲンは、フランシス・クォールズ（一五九二～一六四四）とウィザーはイギリスの主要なエンブレム作家であると述べて憚らないし（Höltgen

133）、バースもウィザーの『エンブレム集』と同年にクォールズの『エンブレム集』が出版されたことに注目しており、この一六三五年を「驚異の年」とまでは呼んでいないにしても、イギリスのエンブレムにとっては重要な年と位置付けている（Bath, Intro, 1）。

一　ロレンハーゲンの燃える心臓と祭壇

まず、ウィザーが元にした、ドイツの詩人ロレンハーゲンの『エンブレム集』の中の祭壇と燃える心臓のエンブレムを見てみよう【図1】。彼は一六一一年にケルンで第一部を、一六一三年にアルンヘムで第二部を刊行した。両著作ともそれぞれ一〇〇枚のエンブレムから構成されており、図版は円形のメダイヨンの中に収められ、モットーはその円周に時計回りに記されている。エピグラムは、図版の下方に二行（稀に四行）で載せられている。総計二〇〇枚のエンブレムのうち心臓のモチーフが登場するのは一〇枚ほどで、この心臓表象は、人間の、そして〈心〉のアレゴリーであることは疑いない。

【図1】ロレンハーゲン『精選エンブレムの核心』1611年、65頁

そのモットーは、「神への捧げ物（犠牲）、（それは）苦しむ心」と読める。「苦しむ」は語源に還ると「押しつぶされ、傷ついた」心でもあるので、言い換えれば、神に捧げる犠牲としてもっともふさわしいのは、悩み苦しんだ人の心、押しつぶされ、傷だらけの心ということになる。

エピグラムの二行詩は、「神への感謝のホスティア（祭壇用のパンとも言われるミサ聖餐用の無発酵パン）、（それは）激しい苦痛で衰弱した心／罪が押しつぶすとき、（それが）神への聖なるホスティア」となる。前半は心臓を食べる話を連想させるし、後半はワイン製造の際のブドウ圧搾機を連想させる。図版と併せて解釈すると、罪にさいなまれ、激しい苦痛で衰弱した心が、燃えて煙を上げる図像として描かれているが、それこそが神への奉納物としてふさわしいものということになる。

二　ロレンハーゲンのエンブレムの前景と後景

ここでさらに図版の後景についても触れておかねばならない【図２】。まず、二巻一五番の図版の前景について記述しておくと、実際「祭壇」なのか、単なる「台座」か判別しにくい。デイリーとヤング（二〇〇四）は「祭壇」ではなく、単に「台座」としている。しかし、ウィザーの二巻三七番では似た構図を取っており、その解説詩で詩人自身「祭壇」としているので「祭壇」と考えていいだろう。つまり、その三七番の図版では、一五番の図版に加えて、左右の雲間から突き出た手がしっかりと握りあい、その上に髑髏が入り込んでいる構図になっているだけだ。下から確認すれば、「祭壇」の上に燃える心臓、その上に両手、その上に髑髏、最後に太陽が一番上にある。ただし、その太陽は、一五番ではテトラグラマトン（ヘブライ語で神ヤハウェを示す四子音文字）が刻み込まれた太陽であるのに対し、三七番では、通常の人間の顔になっている。

【図 2】図版 1 の拡大

次に、後景に目を移すと、右手には、X字型の「アンデレの十字架」が特徴的で、ギリシアのアカイア地方でX字型の十字架で処刑され、殉教したというアンデレとその周辺の様子を伺わせる。「マルコによる福音書」三章一八節などに言及があり、青地に白のスコットランドの旗「聖アンドルー旗」に象徴されるスコットランドの守護聖人でもある。

後景左手には、膝まずいて祈っている男が背後から鞭打たれているというデイリーらの解説だが、祭壇と犠牲という点と前景とを考量し、あえて聖書に典拠を求めると、単に鞭打たれるというより、「イサクの犠牲」を思わせる構図ではないだろうか。一例として、ドメニキーノ（本名ドメニコ・ツァンピエーリ、一五八一～一六四一）の《イサクの犠牲》（一六二七～二八）を挙げておこう【図3】。「創世記」二二章九節「かれら（アブラハムと長子イサク）が神の示された場所にきたとき、アブラハムはそこに祭壇を築き、たきぎを並べ、その子イサクを縛って祭壇のたきぎの上に載せた」という部分を視覚化したものである。

【図3】ドメニキーノ《イサクの犠牲》(1627-1628)、カンバス油彩、147 × 140 cm、プラド美術館所蔵

ドメニキーノでは、アブラハムはイサクを後ろ手に縛り、意を決して神に捧げようとする。今まさに振り下ろされようとしている刀を天使が押さえ込み、突如制止されたアブラハムはその天使の方を食い入るように見つめ、神の真意を悟った瞬間が描かれている。この絵に言及した理由の一つは、デイリーらの後景説明に対する異議申し立てであり、もう一つは次のハーバートの詩「祭壇」に表現されているように、人間の手の触れていない石を組み上げて祭壇を作るのだが、この絵の右下方の祭壇は、まさにそのように描かれているからだ。

三　ウィザーの燃える心臓と祭壇

では、いよいよ本題であるウィザーの燃える心臓と祭壇のエンブレムを見てみよう【図4】。版画本体はクリスピン・ファン・ド・パッス作成のものであるが、この優れた銅版画の原版はイギリス人に買い取られ、ウィザーの『エンブレム集』に活かされる（Veldman and Klein 286）。その中では、「祭壇」という言葉が七例ほど、「犠牲」も七例ほど、「心臓」という言葉は一二〇例くらい登場し、この三つの単語すべてが一致するのは、二巻一五番のエンブレムしかなく、神に捧げる潘祭に伴う犠牲を象徴するきわめて秀逸な心臓図像になっていることは疑いない。

図版右上方に記された二種類の「数字」も、ロレンハーゲンとウィザーの関係を象徴している。少し説明を加えておくと、円形の図版に近い方の数字がロレンハーゲンの図版番号と一致しており、遠い方つまり右上隅の数字が、ウィザーの『エンブレム集』の頁番号となる。二巻一五番では、七七頁となっている。一巻一番のエンブレムは一頁で、各巻はそれぞれエンブレムを五〇枚含むので、この二巻一五番だと六五頁になるはずが、どうして七七頁にずれ込むのかというと、各巻の冒頭に、ある王族や貴族への献辞、さらに全部で二〇〇枚の各エンブレムに対応する八行の「御神籤」に当たる詩の記載が数頁に渡っていることが原因である。こうして、最後二〇〇枚目は、四巻五〇番で終わり、ロレンハーゲンの図版番号としては一〇〇、ウィザーの頁数では二五八頁で終わる。全部で二〇〇枚あるのに一〇〇で終わるのは、一〇一枚目をまた一に戻って始めているので、そこはウィザーの三巻一番一三五頁のエンブレムに記されたロレンハーゲンの図版番号が、また一に戻っているためである。

【図4】ロレンハーゲン『精選エンブレムの核心』1611年、65頁

エピグラムの詩に入る前に、この「御神籤」詩について述べて

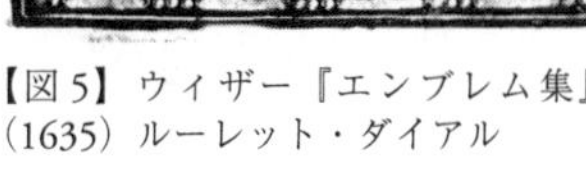
【図5】ウィザー『エンブレム集』（1635）ルーレット・ダイアル

おこう。さて、この図版番号と頁のずれを産んだ仕掛けがルーレット盤とか、くじ引きダイヤルと言われるものである【図5】。一種の占いと賭け事に近い遊び心を『エンブレム集』に取り入れた点がウィザーの大きな特徴の一つである。これは、そのタイトルでも明確に示している。メインタイトルは『古代及び現代のエンブレム集』で、サブタイトルはやや説明的で、「韻律の整った解説詩で蘇り」、さらに「御神籤式になっており、教訓と適切な助言は、誠実で楽しいレクリエーションによりいっそう深まる」と続く。

図版を主とすれば、広義のタロット占いに近いだろうし、文字に頼れば、聖書などを無作為に開け、指で偶然に指した文句からの吉凶占い等に等しい。「ビブリオマンシー」という聖書占いの系譜だろうが、この言葉は、『オックスフォード英語辞典』では、初出が一七五三年の『チェインバーズ百科事典』なので、類似した遊びのもっと早い事例と言えよう。

遊び方は、ルーレットの上段で円周上に並ぶ五六個の数字から一つを選ぶ、実際エンブレムは一巻につき五〇葉しかないので、五一～五六は空くじということになる。次に下段のルーレットで四巻のうちの何巻かを選ぶ。こうして何巻何番かが指示され、エンブレムに行く前に、まず次の八行詩を読むことになる。

二巻一五番の詩

信仰篤い人だとあなたは切に思われたいだろうし、

そういう人だと、多くの人に今まで思われてきた。
しかし、こういうことには、みかけの熱心さとか
公式でのみせかけよりももっと大切なことがある。
それゆえ、注意すべきは、外見がどう見えようと、
その心は、誠実・清廉・正直な赤心であることだ。
もしも、神のご加護を得たいということであれば、
神が望むお供え物はどういうものか気づくべきだ。
エンブレム一五を見よ。

こうしてようやく、指示されたエンブレムの該当頁に向かうことになる。

四　ウィザーの燃える心臓と祭壇（二巻一五番）のエピグラム

さて、エンブレムの三位一体（モットー、図版、エピグラム）のうち、エピグラムに当たる部分が、ウィザーでは、三〇行の図版解説詩になっている。形式的には、ソネット一四行詩二個分および二行連句ということになるが、実際は、一六行と一四行に分かれることも多い。大陸では、アンドレア・アルチャート（一四九二—一五五〇）らの四〜六行程度が通常多く見られ、イギリスのジェフリー・ホイットニー（一五四八頃〜一六〇一頃）の『エンブレム集』（一五八六）では、統一感はなく、図版次第で二行から五〇行くらいまで様々である。一方、ヘンリー・ピーチャム（一五七八〜一六四四）の『ブリタニアのミネルヴァ』（一六一二）では二つの七行詩から成っている。ウィザーの三〇行詩というのは、エピグラム部分の長さから見るとかなり長いもので、「イラストレーション」と称した丁寧な説明詩

を試みた結果、縦長の大判のフォリオ版という体裁となったことは頷ける。

　内容的には、図版の上のカプレットがよく示している。祭壇に載せ、神に捧げるのに最もふさわしい犠牲は、罪に悩み苦しみ、打ちひしがれた心だということになるのだが、この三〇行詩では、この結論に達するまでの様々な偽善の実例を列挙することになる。

　エピグラム冒頭では、まず、今の時代ほど、国民が神聖であるとみせかけて信仰を告白したことはなかったと嘆く。さらに、人々は「己の愚かしい思い込みにしたがって」今ほど頻繁に犠牲をささげることはなかったと当時の偽善に満ちた、みせかけの信仰をしきりに嘆いている（一～五行）。

　そうした具体的事例を五行目～一九行目まで列挙していく。敬虔なお勤めであるべきなのに、実は、貧しいものから奪い取り、不正に入手した物品の、しかもほんのごくわずかしかささげていないのに、自分では、自ら崇める神はそれで大いにお喜びだと思っている人が槍玉に挙げられる（六～八行）。

　また別の者は、自分から施すべき場である教会から逆に奪っておいて、自身は「信仰深い人間」だと思っており、その「窃盗品」から一割か二割程度の分け前を、ある新しい説教用にとっておいたり、礼拝堂勤務牧師の方を支えることで自ら悦に入ったりしているに過ぎない（九～一四行）。

　他には、自分では敬虔な捧げものをもってきたと思っているが、一方で正義感的熱意に燃え上がり、罪深いと噂される人たちすべてに対してひどい呪いの言葉を浴びせかける人があることを指摘している。さらには、神に誓願するときに、長い祈りでどういうものが手に入るに値するか夢見るのだが、それは繰り返すだけ空しいものだ（一五～二〇行）。

　こうして、三〇行詩最後の三分の一では、多くの「犠牲」を持って、人々は神のもとに参るのだが、神の方からすればそうした贈物は軽蔑の対象でしかないと指摘することから始まる。というのは、捧げものも功徳も、他のことも、じつは、神には受け入れられないからだ。神が受け取るのは、謙った精神、悩み苦しむ心を見つけたときだとしている（二一～二六行）。

こうして二七行目の「（神に対する愛に基づいて）罪を深く悔いている」、言い換えれば、救いに必要な痛悔の段階にあるという言葉“contrite”がこのエピグラムのキーワードになる。聖書との関連では、次節で論じるハーバートの「祭壇」にも関連するが、「詩篇」五一章一七節の「くだけたる悔いし心」の影響は明らかに認められる。語源的には、「磨耗した」、「擦れた」、「傷ついた」などの意味でもある。

最後の四行の意味は、以下のようになる。

罪を深く悔いた心こそが、それ（神への奉納物としてふさわしいもの）であり、それだけを神は愛と憐れみをもって眺めて下さる。そのようなものを神は愛し、それゆえ、ああ、主よ、あなたにとって、そういうものにわが心をして下さい、わが精神をそういうものにして下さい（ウィザー、二巻一五番、二七―三〇行）。

以上がウィザーの二巻一五番の三〇行詩の概要であり、パッセが版刻した祭壇と燃える心臓の解説詩ということになる。詩の中には、図版にあるような煙を上げて焼けつつある心臓や燃え上がる心臓に関わる直接表現は、残念ながら、見出せず、さらに祭壇自体にも明確な言及はない。当時の偽善者たちへの諷刺と思える要素の方がかなり強調されてはいるが、神への捧げものはたしかに「罪を深く悔いた心」であり、それにわが心を近づけ、祭壇に載せるにふさわしい心臓イメージに言及している点は疑いない。

五　イギリスの心臓詩の系譜

星野（二〇〇〇）は、「形而上詩の心臓のイメジ」でダン、ハーバート、ヘンリー・ヴォーン（一六二一―一六九五）

の心臓詩の系譜というべきものを指摘している。

まず「ダンのソネットの、神の愛の塒(ねぐら)であるべきなのにサタンに奪われて、その堅固な砦、城塞都市に変じた心臓」（星野 一四七）とダンの「聖なるソネット一四番 わが心臓を打ち砕け」の詩を取り上げ、本来、神の愛が宿るべきわが心臓が、サタンに簒奪された「城塞都市」の様相を呈しており、冒頭「わたしの心臓を打ち壊して下さい」というタナトス願望の詩と思われるが、これを神が奪還するには、まずは破城槌で城壁を連打し破壊するしかないということを暗示している。

次に、「ハーバートの『祭壇』の、神の祭壇を築くべき信仰心の固い石材としての、その固さには罪のニュアンスが絡まる心臓」（星野 一四七）と述べ、「固い」の意味が、頑なで神を受け入れようとしない心の意味と信仰心が篤く揺るぎない堅固な心の意味とおよそ相反する二重の意味を重ね合わせていることを星野は指摘している。詳細は次節の議論に譲る。

最後にヴォーンでは、「またダンの心臓に関係がありそうなヴォーンの寓意画の、頑迷な火打ち石に変じた心臓と、『献辞』の、神から借用した肥沃な土地である心臓」（星野 一四七）と述べ、ヴォーンの心臓は、ダンのような「城塞都市」でもなく、ハーバートの「祭壇」でもなく、火花を散らす「火打石」となっているのが大きな特徴である（木村三郎の章、二八六頁の【図25】参照）。

この三詩人、ダン、ハーバート、ヴォーンの心臓は、「信仰は心臓に宿るとする共通の思想の鮮烈なヴァリエーションであり、寓意画は別としてすべてが言葉による痛切な肉化である。その故にそれぞれが当時の宗教詩の核心に位置するイメジであって、信仰生活の生態まで目の前にほうふつたらしめてくれる」（星野 一四七）と結論し、さらに「最後に蛇足をひと言。日本の詩歌にそのようなイメジの出現したためしは、残念ながら、いや当然ながら絶えてなかった」（星野 一四七）と日本の詩歌における「心臓」の扱いと比較している。

さらに付け加えておけば、フリーマン（一九四一）は、ハーバートとクリストファー・ハーヴィー（一五九七〜

一六六三）の関係を指摘している。ハーヴィーの『心の学校』（一六四七）はベネディクトゥス・ファン・ヘフテン（一五八八～一六四八）の『心の学校』（一六四〇）の改作であり、ウィザーとロレンハーゲンの関係を反復している。つまりハーヴィーは、ヘフテンと同じ図版を使い、そのエピグラムに当たる詩の部分を大きく変更した。フリーマンの位置づけでは、ハーバートの「知られざる愛」は、このハーヴィーの『心の学校』の全部で四七枚あるエンブレムの簡略版であることになる（Freeman, 1941, 162）。本章のウィザーのエンブレムも、こうしたイギリスの心臓詩の系譜を補完するものである。(1)

六　ハーバートの「祭壇」

以下、図形詩の典型ともいえるハーバートの「祭壇」である【図6】。紙面の関係で横にした形で示しておく。

砕石物から、主よ、祭壇をあなたの僕が造ります。
材料はたった一つの心で、それを涙で固めます。
各部分は、あなたの手が造ったままのもので、
どんな人の道具もそれには触れていません。
人の心だけが、その
ような石なのです。
切断しうるのは、
あなたの力だけ。
だから一つ一つの

固い心の欠片が、
　この祭壇に集まり、
　あなたを称えます。
わたしがたまたま口をつぐんでしまっても、
石たちが、あなたを絶えず称え続けますように。
あなたの祝福された犠牲をわたしにも与らせ給え。
そしてこの祭壇をあなたのものと聖別して下さいませ。

ハーバートの詩集『聖堂』(一六三三)は、大きく三つの部分「教会入口」、「教会」、「戦闘教会」に分かれるが、中心となる「教会」一六〇篇の中の最初に位置するのが、この図形詩「祭壇」である。この詩集全体にわたって聖書の様々な個所が木霊しており、任意の詩を開くことで「ビブリオマンシー」(聖書占い)の様相を呈しているのだが、最初の二行は、すでにウィザーにみた「詩篇」五一章一七節「神への生贄は砕かれた心。砕かれた悔いた心。神よ、あなたはそれを蔑まれません」が反響している。

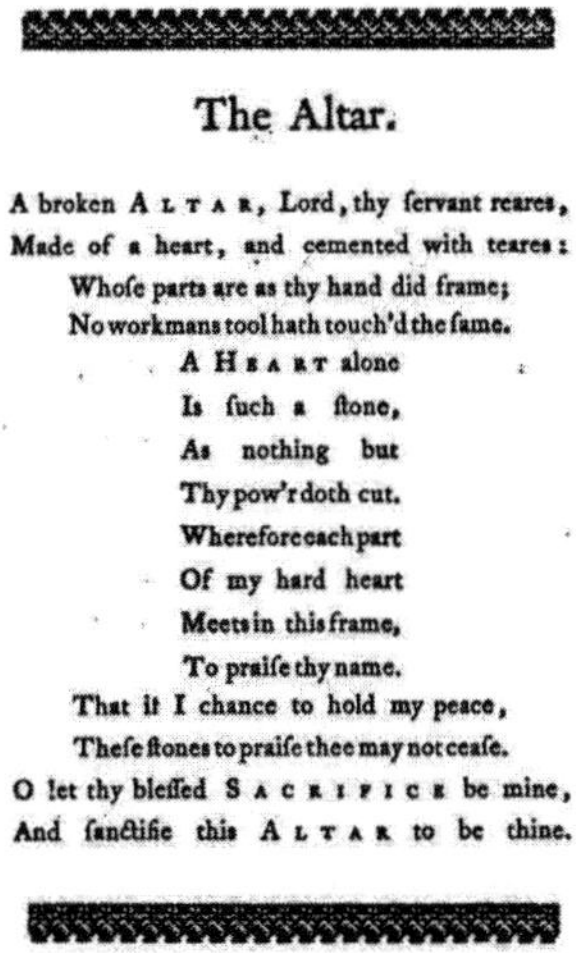

The Altar.

A broken ALTAR, Lord, thy servant reares,
Made of a heart, and cemented with teares:
Whose parts are as thy hand did frame;
No workmans tool hath touch'd the same.
A HEART alone
Is such a stone,
As nothing but
Thy pow'r doth cut.
Wherefore each part
Of my hard heart
Meets in this frame,
To praise thy name.
That if I chance to hold my peace,
These stones to praise thee may not cease.
O let thy blessed SACRIFICE be mine,
And sanctifie this ALTAR to be thine.

【図6】ハーバートの図形詩「祭壇」

次の三〜四行目は、「申命記」二七章の影響がある。「あなたがたが、ヨルダンを渡ったならば、わたしが、きょう、あなたがたに命じるそれらの石をエバル山に立って、それにしっくいを塗らなければならない。またそこにあなたの神、主のために、祭壇、すなわち石の祭壇を築かなければならない」(「申命記」二七章四〜五節)。条件として、「鉄の器を石に当てず、自然のままの石であなたの神、主のために祭壇を築き、その上であなたの神、主に潘祭をささげなければならない」(「申命記」二七章六節)のだが、この「潘祭」(ホロコースト)には説明が必要だろう。

旧約聖書『レビ記』でモーセが定めた供犠の一つ。供物を必要とし、雄牛、羊、やぎ、はと(この場合は、雄、雌を問わない)のみが用いられた。その目的は神の崇敬と賛美、神への感謝、祈願、贖罪の四つに大別され、供物が供壇で焼尽され、神のみに捧げられ、供犠中最も高貴なものとされた。ホロコーストは、転じて第二次世界大戦中のナチスによるユダヤ人大量虐殺をもさす。(ブリタニカ国際大百科事典 小項目事典)

最後の一文はさておき、潘祭は、通常、動物の犠牲だが、エンブレムでは、人間の心臓表象だけを取り出して祭壇に載せ、「焼尽」され、「供犠中最も高貴なもの」を視覚化している。

一三〜一四行目では、「ルカによる福音書」一九章四〇節「イエスは『言っておくが、もしこの人たちが黙れば、石が叫びだす』と答えた。」が反響している。

全体としては、アウグスティヌス(三五四〜四三〇)は『神の国』(五世紀初頭)第一〇巻第三章において、「わたしたちのこころがこのかた(神)にむかって高くもちあげられるとき、心はその祭壇となり」と述べているが、ハーバートの「祭壇」には、この一節が木霊してもいる。

また典礼学者であったクレモナの司教シカルドゥス(一一五五〜一二一五頃)も、ホノリウス(一〇八〇頃―一一五六頃)の理論を引用しながら編纂した、中世のもっとも重要な典礼学の書のひとつ『司教冠』(一二〇〇年)第一章三節において、こころを祭壇とする象徴的な解釈を提示している。(蜷川 一一二〜一一三)

ハーバートの「祭壇」は、祭壇自体が石となった固い心臓の欠片を積み上げたもので、祭壇そのものが奉納物であるニュアンスも帯びているのだが、あえてそこに載せる「犠牲」を『聖堂』に探してみると、ちょうど「祭壇」の次に「犠牲」という詩が来ている。しかし、これは磔になったキリストの劇的独白の形になっており、むしろ一一六番目の「供物」が祭壇に載せるのにふさわしいように思える。

七　ハーバートの「供物」

さて、この「供物」という詩で、祭壇に載せるべき、神に差し出すべき奉納物とは何かというとやはり「心」なのだ。

冒頭、「さあ、贈物を持って来なさい。もし神の恵みが、人間どもの返礼が遅れているのと同じように遅れるなら、愚か者たちの人間はどうなるだろう?」(一～二行)と滞りがちな神への返礼である贈物をまず促し、その遅滞が人間自身へ跳ね返って来ることを警告している。さらに、何を返礼品とするのか問いかける。「何をきみはそこに用意しているのか?　心か?」(三行)と、ここで捧げるのにふさわしいものとして、やはり心臓のイメージが明確に登場している。

すでにウィザーで見たように、「心」であればどういう「心」でもいいわけではない。「その心は純粋か?」と問いかけ、よく吟味してみることを勧める。というのは、通常「心は多くの穴があいているから」だ。

ここで、「私」が恐れているのは、「君の心(を差し出したの)では神の不興を買わないか」ということだけだ。奉納物とすべきは、実は、善良な心でもなく、(分裂しておらず)一心不乱な心でもないのだ。「君の心」はと言えば、それほど頻繁に分裂して、神に向かうはずのベクトルは乱れ続け、君の中で七つの大罪の一つである「欲(煩悩)」を作り出してしまった。そして欲だけでなく、君の情欲の方も数多くの仕切りを設けてしまい、こういうものが「君の心」

を区分けし分裂させてしまっている。「だから、これらを埋め合わせしなさい、そうすれば、きみは多くの贈り物を一つにして捧げることができる」（「供物」第三連）と、分裂してしまった心を、でき得るなら一つにし、それを捧げることを願っている。

その後の詩形はそれまでの連と異なるが、奉納物に関して神への祈りで終わる。

わが悲しみを喜びに主は変えられたのだから、ああ、受け取り給え、あなたが、維持してきたもの（＝心）をあなたにふさわしい報酬として（「供物」第五連）。……しかしあなたの好意がこの拙い供物（＝心）に風味を添えることでしょう。それを高く掲げ、あなたの賛歌となし、わが救いとして下さい（「供物」第七連）。

こうした祈りで終わっているのだが、ハーバートの「教会」の中にある一六〇篇余の詩は、どれをとっても最初に位置する「祭壇」に載せるべき、神への奉納物のようにも思えてくる。

八　起源としてのモントネー

ウィザーが採用したロレンハーゲンの図版、正確にはド・パッスの版刻画だが、とくに、燃える心臓と祭壇のイメージについて、どういう由来か推測してみよう。

フランスのモントネーの『キリスト教のエンブレム集』（一五七一）は、一六二〇年までに第五版を重ね、オリジナルのフランス語版以外に、ラテン語対訳版、スペイン語、イタリア語、ドイツ語、英語、オランダ語で刊行され、ヨーロッパでも相当広範囲の読者の目に触れたことは疑いない（岩井 七六）。全体で一〇〇のエンブレムからなるうち、一二葉が心臓のイメージを扱っている。ウィザーの場合、二〇〇のうちの一〇余枚なので、全体に対する心臓エンブ

【図7】モントネー『キリスト教のエンブレム集』(1571), d4r f8r.

レムの占有率は比較的近いと思える。

プラーツによると、「（上述したように、）ジョルジェット・ド・モントネーのいくつかのエンブレムにおいてすでに現れていた心臓は、ジャン・ウードとマルゲリート・アラコックがイエスの心臓への崇拝を復興させた一七世紀において、人気のあるエンブレムの一つとなった」（プラーツ 二五二）のであり、モントネーの心臓エンブレムは、その起源的存在と言っていいだろう【図7】。

キリストの名が刻まれた岩（「マタイ」一六章一八節）の上に立ち、翼のある信仰の柱の上に、まるでそれが祭壇のように、燃える心臓が載せてある。そこで四行にわたって描かれたラテン語は、「大いなる信仰は、挫けることなく、義の道を歩む。裁くのはキリスト」と読める（岩井 八二）。

詩の部分は以下のようになる。

キリストがペテロに言われたように、キリストへの信仰は、
（神聖な）教会のすべてが依って立つ礎に他ならない。
キリストへの信仰は、（私たちに）正義をもたらす。
正義は美しい実をつける（望ましい成果を生じる）
ものであり、満ち溢れる希望の源である。
さらに、キリストへの信仰は、私たちに慈悲（の心）をもたらす。

慈悲は、悪徳に仇なすあらゆる
良き行いの、尽きせぬ源である。

このエピグラムの方は、燃える心臓に何の言及もなく、図版の方と完全な一致はみていないのだが、むしろ確固たる巌の如き信仰の堅固さを述べ、そこから生まれる正義と慈悲について説いている。[2] この岩盤の固さへの言及は、ハーバートの「祭壇」を築く石の固さを思わせる。

おわりに――《ウィザーの『エンブレム集』のある静物画》

【図 8】クーリル《ウィザーの『エンブレム集』のある静物画》(1696)、油彩、838 × 1079 mm、テイト美術館

エドワード・クーリル（一六四二―一七〇八）の静物画の左側中央にある書物がウィザーの『エンブレム集』で、そのタイトルページとウィザー自身の肖像のページが開いてある【図8】。一六九六年のこの静物画は、当然のことながら一六四〇年頃のハルメン・ステーンウェイク（一六一二年頃～一六五六）が描いた、日本刀も描き込んであり、一七世紀オランダのヴァニタスと言えば、必ず例に挙げられるくらい有名な《人生の虚しさの寓意》（一六四〇）の系譜に連なる絵画である。

『グロテスクの系譜』でも有名で、『祭壇画、あるいは起源から一五〇〇年までのイタリア祭壇画』の著書もある、美術史のアンドレ・シャステルによると、死や無常を思わせるヴァニタスの「静物画」の中で、ほとんど生の喜びを生者必滅という憂鬱な知識に捧げた豪華な犠牲のテーブル、「祭壇」に思えると指摘している（Simonds 227）。

中央の砂時計、左上には暗くて見えにくいが髑髏があり、右下方のテーブルギリギリに置かれた、空になっている時計の収納ケース、などは死やあらゆるものを風化させる時の象徴であり、いくつかの楽器や楽譜は、産出されてすぐ消滅する音楽という時間芸術形式の空しさを象徴し、その文脈にウィザーの『エンブレム集』を示すことで、この書物も死や無常を説いたものだと当時読まれていた可能性を推測できる。

左側のタイトルページの中央やや下にも翼のある髑髏、骨、大鎌、砂時計、天秤があり、モットーとして「もうたくさん」とある。ヴァニタスの中にさらにヴァニタスを描き込んだ一種のミザナビームの入れ子構造になっていることが伺える。右ページに描かれたウィザーの肖像画自体がエンブレム化していて、肖像を取り巻く楕円形にはラテン語のモットーを入れ、その下に英語の四行詩があり、さらにその次に自画像を眺めて著者自身の瞑想という詩が次ページに続くのだが、その詩は途中で途切れており、それ自体決して満足のいく完結をみない人生そのものを象徴している。

しかもジョージ・ウィザーの名前自体にも「ジョージ」は語源的には農夫、土を扱う労働者などの意味だが、「創世記」三章一九節の塵から生まれて塵に還るという一節を思い起こさせるし、英語の「ウィザー」は普通名詞では「萎み、枯れる」意味となり、姓名ともにヴァニタスを象徴している。

シャステルの言うように、静物画が祭壇とすれば、「伝道の書」一章二節「空の空、空の空、いっさいは空である」のような概念に捧げられるそれ自体一つの供物としてウィザーの『エンブレム集』自体考えられる絵画が一七世紀末オランダで描かれていた。

＊本章は、「ウィザーの心臓図像詩について」と題して、十七世紀英文学会全国大会（二〇二一年九月一九日、オンライン開催）で口頭発表した原稿に加筆修正したものである。

＊謝辞――ラテン語訳については、専修大学教授の伊藤博明氏に、フランス訳については、日本大学専任講師の齋藤山人氏に、ドイツ語訳については、日本大学非常勤講師の大島尚子氏にご教授頂いた。この場を借りしてお礼申し上げる。ただし、各訳に関する最終責任はもちろん筆者にある。

【註】

（1）ヨーロッパでの心臓エンブレムの普及について、触れておくと、ヨーロッパ全体でもこうした系譜が認められ、マリオ・プラーツは『綺想主義研究』の中で、時代を遡って辿っている。「われわれの叙述を逆にたどるならば、『心の学校』、人間的愛と神的愛の『寓意人形』、フーゴ、ウェニウス、そして彼らの世俗の先行者であるヘインシウス、セーヴ、アルチャーティ、ペトラルカ派、ラテン語詩人、とりわけオウィディウス、そしてオウィディウス以前には、アレクサンドリア派、モスコス、ロードスのアポロニウス――彼らすべての中にわれわれは、アモル、弓で武装した裸体の少年を見た。アモルは諸世紀の夜から生まれた、太古の時代の象徴で、ヴェッティ荘（ポンペイ）の黒壁から、……（そして、一七世紀の修道女の教育のために案出され、特別の訪問の思い出として庶民から崇敬された聖なる図像から、）われわれに微笑みかけている」（プラーツ 二六二）。

（2）モントネーのほかに、類似したエンブレムとしてダニエル・クラマー（一五六八～一六三七）の『聖なるエンブレム集』（一六二四）にも燃える心臓と祭壇の構図は見出せる【図9】。「『詩篇』三九章四節」と記された下のドイツ語は、「私の心は、私の体内で燃え上がった。そして私がそのことを思い出す度に、私は燃え立たされる」と読める。一方、図版の上のモットーは、「ここでは私は揺るぎない」ということを示している。一番下の二行では、「（南）風よ、吹け。四方からの風

【図9】クラマー『聖なるエンブレム集』(1624)、41頁

により、より掻き立てられることによって、わたしはその場所で燃やされ、いっそう熱くなる」。言い換えれば、神の息吹である風が一種のふいごの役を果たしているようで、わたしの心が燃え上がることを述べている。

【参考文献】

伊藤博明『エンブレム文献資料集』ありな書房、一九九九年。

――『ヨーロッパ美術における寓意と表象――チェーザレ・リーパ『イコノロジーア』研究』ありな書房、二〇一七年。

岩井瑞枝「ピエール・ヴォエリオ版刻『ジョルジェット・ド・モントネーのキリスト教的百エンブレム集』（一五七一）――宗教的プロパガンダとしてのエンブレム」、版画史学会編『版画史研究』第一号、七六～一一三頁、一九九二年一二月。

鈴木繁夫「剽窃の倫理――ジョージ・ウィザーの『エンブレム集』とガブリエル・ロレンハーゲンの『エンブレムの種』における模倣と逸脱」、名古屋大学総合言語センター編『言語文化論集』一五巻二号、三二～五二頁、一九九四年三月。

デイリー、ピーター・M『英国のエンブレムと物質文化――シェイクスピアと象徴的視覚性』伊藤博明編訳、埼玉大学教養学部＋大学院文化科学研究科　埼玉大学教養学部リベラル・アーツ叢書三、二〇一〇年。

デイリー、ピーター・M編『エンブレムの宇宙――西欧図像学の誕生と発展と精華』伊藤博明ほか訳、ありな書房、二〇一三年。

蜷川順子『聖心（みこころ）のイコノロジー――宗教改革前後まで』関西大学出版会、二〇一七年。

プラーツ、マリオ『綺想主義研究――バロックのエンブレム類典』伊藤博明訳、ありな書房、一九九九年。

ヘルトゲン、カール・J『英国におけるエンブレムの伝統――ルネサンス視覚文化の一面』川井万里子・松田美作子訳、慶應義塾大学出版会、二〇〇五年。

星野徹「形而上詩の心臓のイメジ」『ダンの流派と現代』沖積舎、一三二～一四七頁、二〇〇〇年。

水之江有一『図像学事典　リーパとその系譜』岩崎美術社、一九九一年。

リーパ、チェーザレ『イコノロジーア』伊藤博明訳、ありな書房、二〇一七年。

Primary sources
Wither, George. (1968) *A Collection of Emblemes 1635*. John Horden (ed.) Menston: Scolar Press.
Wither, George. (1975) *A Collection of Emblemes, Ancient and Modern (1635)*. Rosemary Freeman (ed.) Columbia, S. C.: University of South Carolina Press.
Wither, George. (1989) *A Collection of Emblemes*. George Wither. Michael Bath (ed.) Scolar Press, Gower Pub. Co.

https://publicdomainreview.org/collection/george-wither-s-emblem-book-1635 last retrieved second September 2022.

Secondary sources
Anderson, Miranda. "Mirroring Mentalities in George Wither's *A Collection of Emblemes", Emblematica: An Interdisciplinary Journal for Emblem Studies*, 20, pp. 63-80, 2013.
Bath, Michael. "Introduction", *A Collection of Emblemes. George Wither*. Scolar Press, Gower Pub. Co., pp. 1-10, 1989.
Bath, Michael. *Speaking Pictures: English Emblem Books and Renaissance Culture*. New York: Longman Publishing, 1994.
Boyadjian, N. *The Heart: its History, its Symbolism, its Iconography and its Diseases*. Esco Books, 1980.

Browning, Rob. "'To Serve My Purpose': Interpretive Agency in George Wither's *A Collection of Emblemes",* in Bruce, Y. (ed.) *Images of Matter: Essays on British Literature of the Middle Ages and Renaissance: Proceedings of the Eighth Citadel Conference on Literature*, Charleston, South Carolina, 2002. Newark: U. of Delaware P., pp. 47-71, 2005.

Daly, Peter. "The Arbitrariness of George Wither's Emblems: A Reconsideration", in Bath, Michael, Manning, John and Young, Alan R. (eds.) *The Art of the Emblem: Essays in Honor of Karl Josef Höltgen.* (AMS studies in the emblem, no. 10) AMS Press, pp. 201-234, 1993.

Daly, Peter. "George Wither's Use of Emblem Terminology", in Daly, Peter M. and Manning, John (eds.) *Aspects of Renaissance and Baroque Symbol Theory, 1500-1700*. AMS Press, pp. 27-38, 1999.

Daly, Peter M., and Young, Alan R. "George Wither's Emblems: The Role of Picture Background and Reader/Viewer", *Emblematica: An Interdisciplinary Journal for Emblem Studies*, 14, pp. 223-250, 2004.

Farnsworth, Jane. "An Equall and a Mutuall Flame: George Wither's *A Collection of Emblemes* and Caroline Court Culture", in Bath, Michael and Russell, Daniel (eds.) *Deviceful Settings: The English Renaissance Emblem and its Contexts, Selected Papers from the International Emblem Conference*, Pittsburgh, 1993. AMS Press, pp. 83-96, 1999.

Freeman, Rosemary. "George Herbert and the Emblem Books", *The Review of English Studies*, 17(66), pp. 150-165, 1941.

Freeman, Rosemary. *English Emblem Books*. Chatto & Windus, 1948.

Hackett, Kimberley J. "Politics and the 'Heauenly Sonnets': George Wither's Religious Verse, 1619–1625", *History* 94(3), pp. 360-377, 2009.

Henkel, Arthur und Schöne, Albrecht. (hg.) *Emblemata: Handbuch zur Sinnbildkunst des XVI*. und XVII. Jahrhunderts. Stuttgart: Metzler, 1976. 1st ed., 1967.

Höltgen, Karl Josef. *Aspects of the Emblem: Studies in the English Emblem Tradition and the European Context*. With a foreword by Sir Roy Strong, (Problemata semiotica, 2), Reichenberger, 1986.

Le Duff, Pierre. "'Emblemes, Ancient and Moderne': George Wither's *Collection of Emblemes* (1635) as an Epitome of a Changing Mode of Literary Expression," *XVII-XVIII: Revue de la Société d'études anglo-américaines des XVIIe et XVIIIe siècles*. 76, 2019. (https://journals.

openedition.org/1718/2894, last retrieved 20 August 2022)

Moseley, Charles. "Introduction", *A Century of Emblems: An Introductory Anthology*. Aldershot, pp. i-x, 1989.

Norbrook, David. "Levelling Poetry: George Wither and the English Revolution, 1642-1649", *English Literary Renaissance*, 21(2), pp. 217-256, 1991.

Ripollés, Carmen. "'By Meere Chance': Fortune's Role in George Wither's *A Collection of Emblemes*", *Emblematica: An Interdisciplinary Journal for Emblem Studies*, 16, pp. 103-132, 2008.

Simonds, Peggy Muñoz. "The Aesthetics of Magic and Meaning in Edward Collier's 'Still Life with a Volume of Wither's *Emblemes*'", in Bath, Michael and Russell, Daniel (eds.) *Deviceful Settings: The English Renaissance Emblem and its Contexts, Selected papers from the International Emblem Conference, Pittsburgh, 1993*. AMS Press, pp. 225-247, 1999.

Tung, Mason. "George Wither's Persona: A Study of the Making of *A Collection of Emblemes*, 1635", *Emblematica: An Interdisciplinary Journal for Emblem Studies*, 18, pp. 53-79, 2010.

Veldman, Ilja, and Klein, Clara. "The Painter and the Poet: *The Nucleus Emblematum* by De Passe and Rollenhagen", in Enenkel, Karl A. E. and Visser, Arnoud S. Q. (eds.) *Mundus Emblematicus: Studies in Neo-Latin Emblem Books*. Brepols, pp. 267-299, 2003.

インテルメッツォ

歌と「クオーレ」

斉田 正子

「ハートの図像学」において、歌と「クオーレ」と題し、歌唱におけるハートについてお話させて頂き、またハートが歌詞に載っている歌曲とオペラ・アリアの一部を演奏を合わせてご紹介させて頂いた。本来なら、その歌声もお届けできると、この本を手に取って下さっている方にもコーヒーブレイクがお届けできると思うのだが、本では歌声はお届けできないので、歌声はこの本をお手に取られた方ご自身で探して、改めて聴いて頂けたらと思うが、まずはコーヒーブレイク前に解説をお届けしたいと思う。

現在のイタリア語で「心」は「cuore」と書き、「クオーレ」と読む。辞書で「cuore」を調べると、もちろん「一、心臓　二、胸、胸部　三、心、胸中：情愛、やさしい心情、思いやり　四、勇気、やる気、元気　五、熱意、熱心さ」などと出てくる。

また我々声楽家は、ステージに立つ時「心臓がドキドキする」と言ったり、また「心を込めて歌った」と言ったりもする。心をこめるとは、さてどういうことだろう。辞書で調べてみると「愛情や配慮、願い、祈りなどの気持ちを十分に含ませることを表す言い回し。また、そうした気持ちのもとに物事を行うことを意味する。『心を込めて作った折鶴』などのように用いられる。」とある。では、心を込めた歌い方とは具体的にどういうことを指すのであろうか？言葉にするのは非常に難しい。たいていの場合、悲しい事柄や気持ちを歌う場合や苦しみを歌う時などに、「よく心が込められていた」と表現される。楽しい時やうれしい時にはあまり使われない。少々不思議である。しかし、単純に楽しい時には、人間は自然と鼻歌が出てくることがあったりする。また、先程の愛情を表現する時、たとえば心から愛を告白する時など、心を込めて歌われると表現されることがある。しかし、同じ楽譜を演奏する時、また同じ演奏を聞いた時、受け止め方はそれぞれであって、どの演奏に心がこもっていたか、ことばにするのは非常に難しい。

長年大学で「外国歌曲研究」のイタリア歌曲の授業を担当しているが、イタリア歌曲において「core=cuore」ということばは非常に多く登場する。もちろん心臓・心としてそのまま使われることも多々あるが、多くは「想い」であったり、「恋人」であったり、「愛」であったりする。

演奏における心の表現は分析がまた違ってくるので、今回は楽譜における「心」の表現を取り上げてみる。

ひとことでイタリア歌曲と言っても、現在出版されている楽譜だけでも千六百年前後の曲から現代の曲までたくさんあるが、今回はイタリア歌曲の入門編と言っても過言ではない、音楽大学の入試における課題曲としてよくなじみのあるイタリア歌曲集から取り上げてみたい。

全音楽譜出版社のイタリア歌曲集一巻三六曲中「core」が登場する曲は十一曲存在する。（　）は歌曲集の番号である。歌詞の中にcoreの箇所をそのまま抜き出し、訳詞は戸口幸策先生のものをそのまま引用する。

一、（一）アマリッリ

美しい私のアマリッリ、私の心の優しい希望である女よ…

…私の胸を開けてみれば、心に記されているのが分かるだろう

Amarilli

Amarilli,mia bella,non credi,o del mio cor dolce desio…

…Aprimi il petto e vedrai scritto in core

この曲はジュリオ・カッチーニ（一五五一～一六一八）の一六〇二年の新音楽Le nuove musicheのマドリガーレであり、詩はアレッサンドロ・グアリーニ（一五六五頃～一六三六）である。ここでは、私の心の優しい希望である、私の美しいアマリッリよ…と始まり、私の胸を開けてみれば、「アマリッリは私の愛である」と心に記されているのが分かるだろうと終わっている。愛する人を心の中の希望とし、自分の心は胸の中にあり、そこにアマリッリは私の愛だと

書いてあると歌うとしている。

二、(三) 愛の神よ、私に告げてください
…破滅に導かれたこの心は…
心はひとつの想いを送りました

Dimmi,Amor
…questo cor,pien di ruine
Un pensier il cor mando…

この曲はアルカンジェロ・ローリ(一六一五頃~一六七九)の曲で、作詞者は不詳である。破滅に導かれたこの心は、自分の大切な自由に会っていない、つまり愛の神が矢を放ったことで愛に落ちてしまい、自由が無くなってしまったとしている。鎖に繋がれた自由を見出すために心は一つの想いを送ったが、その想いも帰って来ず悩みは一層大きくなったと歌うとしている。

三、(五) 勝利だ、私の心よ
勝利だ、私の心よ　もはや涙を流すな

Vittoria,mio core!
Vittoria,mio core! Non lagrima più

この曲はジャコモ・カリッシミ（一六〇五～一六七四）作曲、詩はドメニコ・ベニーニによる。勝利だ、私の心よ！と言われると、戦いに勝って喜んでいる歌かと思われがちだが、「心よ、もう涙を流すな、へりくだった愛への奉仕は終わったのだから」と歌う。つまり失恋の歌なのである。

四、（七）さようなら、コリンド

…病んだ私の心はもはや昔の炎を思い出しはしません…

Addio,Corindo

...della fiamma primiera non si rammenta più l'egro cor mio...

この曲はジャコモ・カリッシミの弟子であるピエトロ・アントニオ・チェスティ（一六二三～一六六九）作曲のオペラ「女王オロンテア（L'Orontea）」（一六五六）のシランドラのアリア、詩はジャチント・チントニーニ（一六〇六～一六五〇頃）。女王オロンテアに使える貴婦人シランドラが恋人コリンドに対し、さよならコリンド、昔あなたのために病んでしまった心はもう昔の恋の炎を思い出せないわ！とレチタティーボを歌い、直前に現れたアリドーロにさあ、きて頂戴、私の膝で晴れやかな日々を楽しんで頂戴と歌うアリアで、実はとても悲しげなメロディーであるが、実はなんとも滑稽な喜劇である。

五、（十一）私は心に感じる

苦しみのようなものを心に感じる

Sento nel core
Sento nel core certo dolore

アレッサンドロ・スカルラッティ（一六六〇～一七二五）[1]作曲、作詞者不詳。私は心の中に平和を取り乱すある苦しみを感じると歌う。

六、（一八）恋をしたい人は
…傷付いた心を持つことは、生易しい苦しみではない…

Chi vuole innamorarsi
…Non é lieve tormento,aver piagato il cor!

同じくスカルラッティのオペラ「アマゾンの海賊、または真のアルヴィルダ」（一六八九）、台本ジュリオ・チェーザレ・コッラーディ（?一七〇一または一七〇二）、恋をしたい人は良く考えるべきである、愛というものはちょっと燃え出したら、永遠に続く火のようなもので、傷付いた心を持つことは生易しい苦しみではない、愛の神に仕えるものは、どんな欲求でも、矢を射る愛の神の二つの瞳に従わせるのだと歌う。

七、（二六）ああ、私の心の人よ
ああ、私の心の人よ、貴方はからかわれているのです…

Ah,mio cor

Ah,mio cor,schernito sei…

この曲はゲオルク・フリードリッヒ・ヘンデル（一六八五〜一七五九）ヘンデルのオペラ「アルチーナ」（一七三五）のアリアで、アルチーナは魔法の島に住む魔女、つまり女性の歌である。どんな男性も虜にしてきた魔女のアルチーナが初めて失恋して、本気で愛してしまった男性に対し、魔力も使えなくなり、悲嘆にくれて歌う曲である。ここでは、ああ、私の心よ、お前は騙されたのだ、星よ、神々よ、愛の神よ！裏切り者よ。私はあなたをこんなに愛していますす、あなたは私を一人涙の中に放っておくことができるというのですか？ああ、神様、どうしてですか？と歌っている。

八、（二七）愛に満ちた処女よ

…哀れみ深い貴女の心が、その悩み、その悲しい言葉を聞かれんことを。

Vergin,tutto amor

…suo duol suoi tristi accenti senti pietoso quel tuo cor

フランチェスコ・ドゥランテ（一六八四〜一七三五）作曲の祈り、作詞者は不詳である。愛に満ちた処女おとめマリア様、罪人の声をお聞きくださいい、哀れみ深い貴女の心がその悩み、その悲しい言葉を聞いて下さいと歌う。

九、（二八）踊れ、優しい娘よ
…悩ましい響きで心に語りかけ…

Danza,fanciulla gentile
…che con languido suon parla al core…

同じくドゥランテ作曲、作詞者は不詳である。悩ましい響きで心に語りかけ、休むことのない踊りに誘うと歌う。

十、（三三）もはや私の心には感じない
もはや私の心には青春の輝きが感じられない…

Nel cor piu non mi sento
Nel cor più non mi sento brillar la gioventu

ジョバンニ・パイジェッロ（一七四〇〜一八一六）作曲のオペラ「水車小屋の娘」（一七八八）台本ジュゼッペ・パロンバで、もはや私の心には青春の輝きが感じられない、愛よ！私の苦しみの源、お前のせいだと歌う。

十一、（三六）いとしい女よ
…貴女がいないと心がやつれる…

Caro mio ben
…senza di te languisce il cor

トンマッソ・ジョルダーニ（一七三〇頃～一八〇六）作曲、作詞者不詳。いとしい人よ、せめて私のことを信じてほしい、あなたがいないと心がやつれてしまう、あなたに忠実な男はいつもため息をついている。やめておくれ、むごい人よ、そんなつれなさを。つまり、つれない恋人に、あなたがいないと心がやつれる、イコール心臓が弱って死んでしまうと歌っている。

オペラの中にはアリアの中で心が題名に使われている物は多く存在している。すぐに思い付く物だけでも、「リゴレット」のジルダのアリア『慕わしい人の名は』や「椿姫」のアルフレードのアリア『燃える心』、「シャモニーのリンダ」より『この心の光』、「サムソンとデリラ」より『あなたの声に私の心は開く』、「魔笛」より夜の女王のアリア『復讐の心は地獄のように胸に燃え』などたくさんある。しかし、この中には日本語に訳した時に「心」としてあるが、原語では「魂　anima」だったり、「精神　spirito」だったり「心　core」ではない物もある。

憧れの人に対するドキドキ感と「cor」がまさにマッチしているアリアを紹介する。

ジュゼッペ・ヴェルディ作曲　「リゴレット」より『慕わしき人の名は』である。

この曲はオペラ「リゴレット」の中のジルダというリゴレットの娘役が歌うアリアである。少し年配の方は、「風の中の羽のように」と歌うと分かっていただけたオペラだったのだが、すでに藤原義江さんのお名前さえご存じない方も多くなってしまったかと思う…。話を戻して、…教会で出会ったマントヴァ侯爵がジルダに「自分の名前はグアルティエル…マルデ…、貧しい学生である」と語り、恋に落ちたジルダが「慕わしい人の名は」と歌う。通常、歌唱においては単語の間では息継ぎをしないことが原則であるが、この「慕わしき人の名は」においては、最初の「名前」

と言う単語 nome や「最初」と言う単語 primo や「ときめく」という単語 palpitar などの単語の間に休符が入る。私の心を初めてドキドキさせた慕わしい人の名はと歌うが、ヴェルディはジルダのドキドキ感をこの休符に表している。またこう言ったドキドキ感を表した歌としてオペラ「ドン・ジョバンニ」の中でドン・ジョバンニに誘惑されて「行こうかしら……行くのをやめようかしら…」と歌うドン・ジョバンニとツェルリーナの二重唱の中で、ツェルリーナは「心がドキドキする Mi trema un poco il cor」と歌い、またオペラ「コジ・ファン・トゥッテ」の中でドラベラとバリトンのグリエルモとの二重唱では「私の心をあげるから、あなたの心を欲しい」と誘惑され、実際にはハートのペンダントを首に掛けて貰って、私の小さな心はすでにあなたの元へ出かけてしまっているわ！ と答えるシーンがある。

色々な演奏会の場で心のこもった、心を躍らせるなど、心を表した歌を心を込めてお届けできるといいなと思いながら、私のエッセイを終わりにしたいと思う。

参考までに「さようなら、コリンド」「ああ、私の心の人よ」「いとしい女よ」「リゴレット」のジルダのアリア『慕わしい人の名は』の楽譜を掲載する。楽譜はすべて「参考楽譜」。

下記、ＱＲコードより参照動画をご覧ください。
歌唱：竹内京花、桶本真未、苅込紗樹、斉田正子／伴奏：石村頼史
「日本オペラ振興会藤原歌劇団準団員、日本オペラ協会准会員」

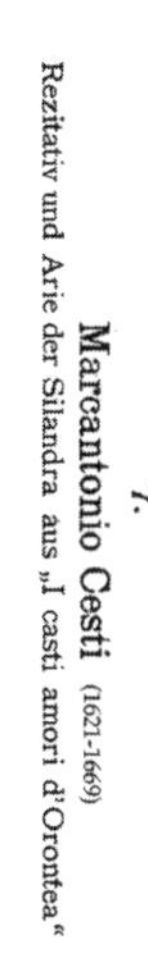
7.
Marcantonio Cesti (1621-1669)
Rezitativ und Arie der Silandra aus „I casti amori d'Orontea“
Recit. Addio Corindo, addio!
Rivolto ad altra sfera,
Della fiamma primiera,
Non si rammenta più l'egro cor mio,
Addio Corindo, addio!
Aria. Vieni, Alidoro, vieni,
Consola, chi si more!
E temprando il mio ardore
Godi in grembo a Silandra i dì sereni!
Vieni, mia vita, vieni!
Recitativo (Lento e espressivo)
Edition Peters

Poco Adagio

p
pp dolce
Con - so - la, con - so - la, chi si mo - - - - - -
dolce
p
pp
re!
dolce
mp
pp
p poco a poco cresc.
E tem - pran - do, tem - prando il mio ar -
poco a poco cresc.
p
poco stringendo
do -
poco stringendo
f
a tempo
re
[Vi -
a tempo
mf
f
p
pp dolce
con - so - la, con - so - la, chi si mo -
p
pp
re.
mp
p poco
e tem -
dolce
pp
p po -
a poco cresc.
pran - do, tem - pran - do il mio ar - do - - - - - - - - -
co a poco cresc.
mf
-de]
mf
re
Go - di in
f
mf
-de]

Ah! mio cor.
(Ah, poor heart.)
Aria.
English Version by
Dr TH. BAKER.
GIORGIO FEDERICO HANDEL.
(1683 - 1751)
Andante stretto. (♩= 104.)
Piano.
p
cresc. assai
f
sempre cresc.
Voice.
a piacere
Ah! mio cor,
Ah, poor heart!
rit. assai e ff
col canto
grem-bo a Si - lan-dra i dì se - - re - - -
mf
p
ni!
mf
p
Vie - - ni, vie - - ni, vie - ni, mia
pp
vi - ta, vie - - - ni, vie - ni, mia vi - ta,
mf
p
poco rit.
a tempo
vie - - - ni!
dolce
poco rit.
a tempo
p

Tempo I.
scher - ni - to se - i.
he scorns thy love.
Stel - le, De - i, Nu - me d'a - mo - re! tra - di -
Hear me, Heaven, ye gods a - bove! Thee, O
to - re, t'a - mo tan - to, puoi la - sciar-mi sola in
trai - tor, love I on - ly, Canst thou leave me weeping
pian - to? Oh De - i! puoi la - sciar - mi, oh
lone - ly? O Heaven! canst thou leave me, O
De - i, per - chè? t'a - mo tan - to,
Heav - en! and why? So I love thee,
puo - i la - sciar - mi so - la, so - la,
canst thou leave me weeping, weeping,
so - la in pian - to, puoi la - sciar - mi, oh De - i, per -
weeping and lone - ly, canst thou leave me, O Heav-en! and
chè?
why?
cresc.

f
Ah! mio co - re, scherni - to se - i. Stel - le,—
Ah, poor heart! he scorns thy love. Hear me,—
De - i, Nu - me d'a - mo - re! tra - di -
Heaven, ye gods a - bove! Thee, O
to - re, t'a - mo tan - to, puoi la - sciar - mi sola in
trai - tor, love I on - ly, Canst thou leave me weeping,
pian - to, oh De - - - - i, puo - i la -
lone - ly, O Heav - - - - en! canst thou
sciar - mi so - la, so - la, so - la in pian - to,
leave me weeping, weeping, weeping, lone - ly,

puoi la - sciar - mi, oh De - i, per - chè? per -
canst thou leave me, O Heav - en, and why? and
chè? per - chè? puoi la - sciar - mi so - la in pian - to, oh
why? and why? canst thou leave me weeping, lone - ly, O
f largamente
rit.
De - i! puoi la - sciar - mi, oh De - i, per - chè?
Heav - en! canst thou leave me, O Heav - en, and why?
f largamente, col canto
f
riten. assai e ff

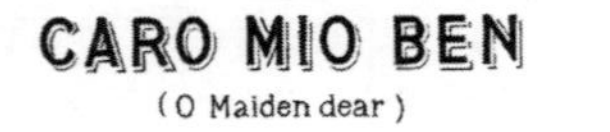

CARO MIO BEN

(O Maiden dear)

English words by
THEO. MARZIALS

Music by
GIORDANI

ben, cre - di mi al - men, sen - za di te lan - gui - sce il
dear, Oh! yield, and hear All I en - dure for thy sweet
cor. Ca - ro mio ben, cre - di mi al - men, sen - za di
sake. O mai - den dear, Oh! yield and hear All I en -
te lan - gui - sce il cor.
- dure for thy sweet sake.

RIGOLETTO
Caro nome che il mio cor

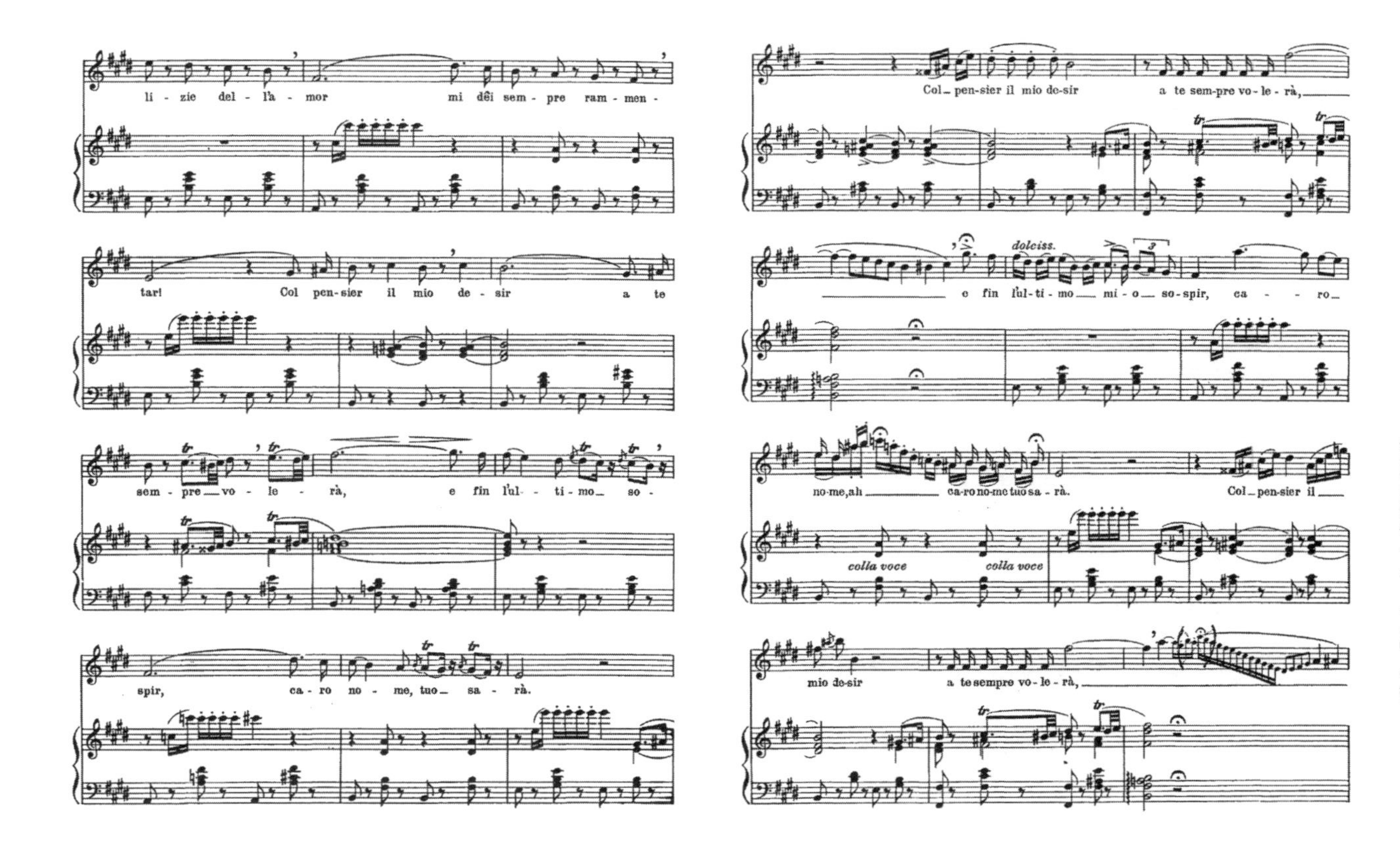
li - zie del - l'a - mor mi dêi sem - pre ram - men -
tar! Col pen-sier il mio de - sir a te
sem - pre — vo - le - rà, e fin l'ul - ti - mo — so -
spir, ca - ro no - me, tuo — sa - rà.
Col — pen-sier il mio de-sir a te sem-pre vo - le - rà, —
— e fin l'ul - ti - mo — mi - o — so-spir, ca - - ro —
dolciss.
no-me, ah — ca-ro-no-me tuo sa - rà. Col — pen-sier il —
colla voce
colla voce
mio de-sir a te sempre vo - le - rà, —

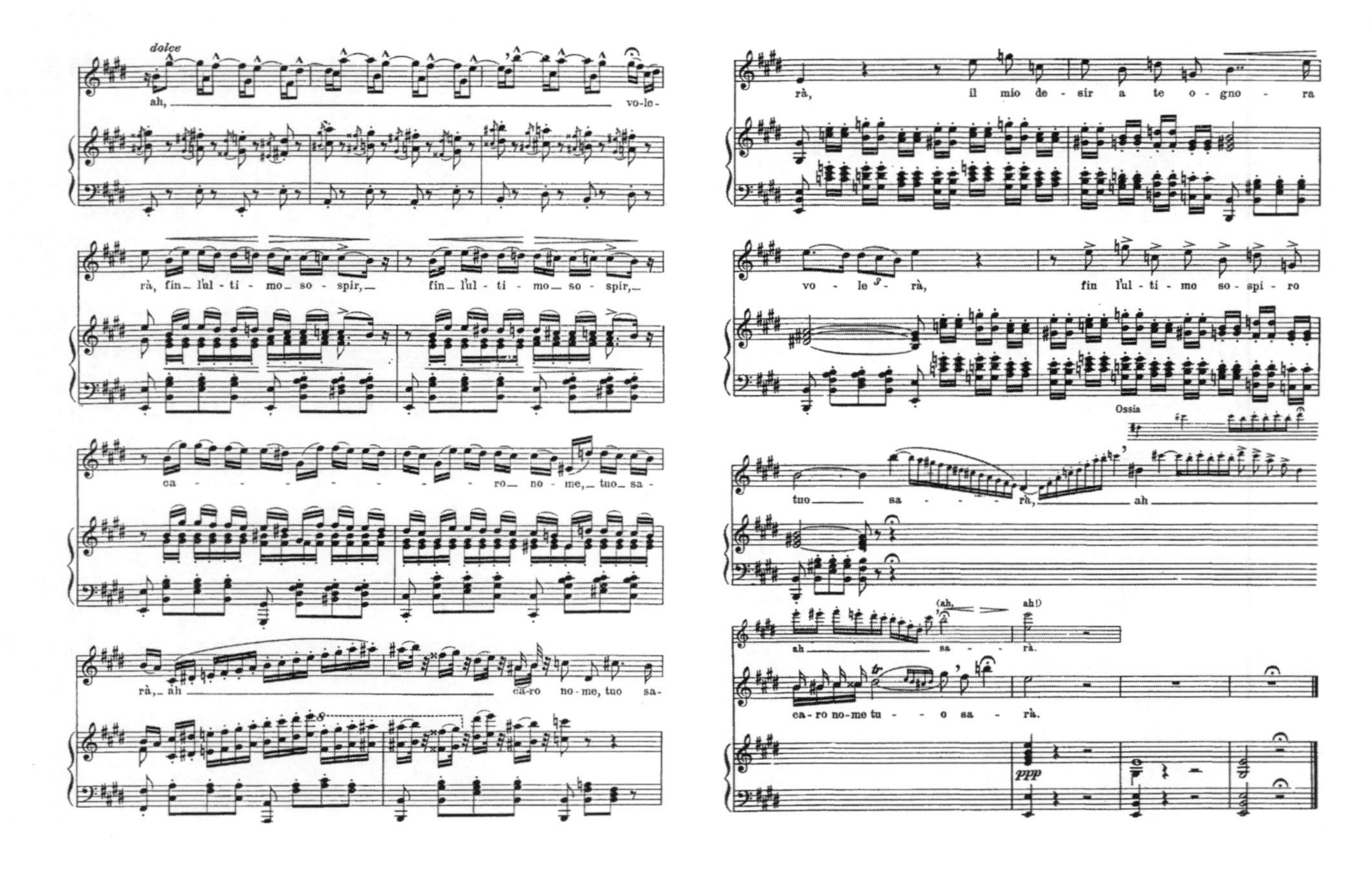
dolce
ah, — vo-le-
rà, fin_ l'ul - ti - mo_ so - spir,— fin_ l'ul - ti - mo_ so - spir,—
ca - - - - - - ro_ no - me,_ tuo_ sa -
rà,_ ah — ca-ro no - me, tuo sa-
rà, il mio de - sir a te o - gno - ra
vo - le - rà, fin l'ul - ti - mo so - spi - ro
Ossia
tuo — sa - - - rà, — ah —
(ah, ah!)
ah — sa - - rà.
ca - ro no - me tu - - o sa - rà.
ppp

人魚の魂・男の心臓

——『ウンディーネ』、『人魚姫』、『漁師とその魂』

須藤 温子

セイレン、メリュジーヌ、ウンディーネ、ニンフ、ローレライ、マーメイド。水の精は数多くの名をもち、女性であることが多い。彼女たちは「水の女（Wasserfrau）」と呼ばれ、古くから、往々にして人間の男性を誘惑し、破滅へ導く。(1)

古代の記録で最初に姿を現すのは、半人半鳥のセイレンである。ホメロス（Homēros, 生没年未詳）作『オデュッセイア』（*Odyssia*）、アポロニオス（Apollōnios Rhoduis, 紀元前二九五頃〜紀元前二一五頃）作『アルゴナウティカ』（*Argonautika*）、ギリシア神話、オウィディウス（Ovidius Naso, Publius, 紀元前四三〜紀元一八）作『変身物語』（*Metamorphoses*）では、セイレンは女性の顔、鳥の姿で、海上で歌い、船人を惑わせて襲う。その歌を聞けば全知を得る。オデュッセウスは漕ぎ手の耳に蝋をつめて船を漕がせ、自らの体を縛り歌声を聞いた。

半人半鳥のセイレンは、ローマ時代には有翼の女性の姿になる。古代ギリシア文化がキリスト教と混ざりあう過程で、男性を死に誘うその特徴は、聴覚から得る知性から視覚に訴える美しさにとってかわられ、(2)中世キリスト教世界では、美しい半人半魚の姿、いわゆる人魚に変容する。

【図１】教会の内陣アーチ部分にある人魚の彫刻、15世紀。櫛と鏡を持っている。Clonfert Cathedral, Clonfert, County Galway, Ireland

こうして人魚は、キリスト教世界にとっての外なる敵である異教を象徴するようになった。また同時に、内なる敵、つまり見せかけの美、肉体の権化として、七つの大罪のうちの一つである色欲を象徴するようになり、退廃的な誘惑者であるという寓意的解釈が浸透した。教会や修道院の装飾には、信徒の視覚に訴える警告として、鏡を手に髪をくしけずる人魚の姿が多く描かれた【図1、2】。(3)水の女が、鏡を持物とし、世俗の愛を象徴する異教の愛の女神ウェヌスと同じ扱いをうけたとしても不思議ではない。

中世ヨーロッパ各地に広まった伝承や民衆本のなかで、人魚はさらなる変化を遂げ、敬虔なキリスト教徒の美しい乙女となって現れる。[4] 水の精と人間の男性の異類婚姻譚は、フランス語圏ではメリュジーヌ伝説として、ドイツ語圏ではシュタウフェンベルクの騎士と水の精の伝説として語り継がれた。[5] ルネサンス期になると、医師であり哲学者のパラケルスス（Philippus Aureolus Paracelsus, 一四九三～一五四一）が『水の精、風の精、土の精、火の精、その他の妖精の書』（Lieber de nymphis, sylphis, pygmaeis et salamandris et de caeteris spiritibus, 一五六六、以下『妖精の書』）という妖精論を書いた。『妖精の書』には、人間と妖精の交流とその条件や禁忌が詳述されている。水、風、土、火の四元素をすみかとする物質存在である四元の精（Elementargeister）は、人間と同じような生活をする。長寿は全うするが、人間と違って魂をもたない被造物である。そのため死後は元の元素に戻る。ここでも水の精はセイレン、メルジーナ、ニンフ、ウンディーナと様々に呼ばれている。[6] パラケルススはシュタウフェンベルクの騎士と水の精の伝説に触れ、女の水の精が魂を得られる条件やタブーについて次のように記している。

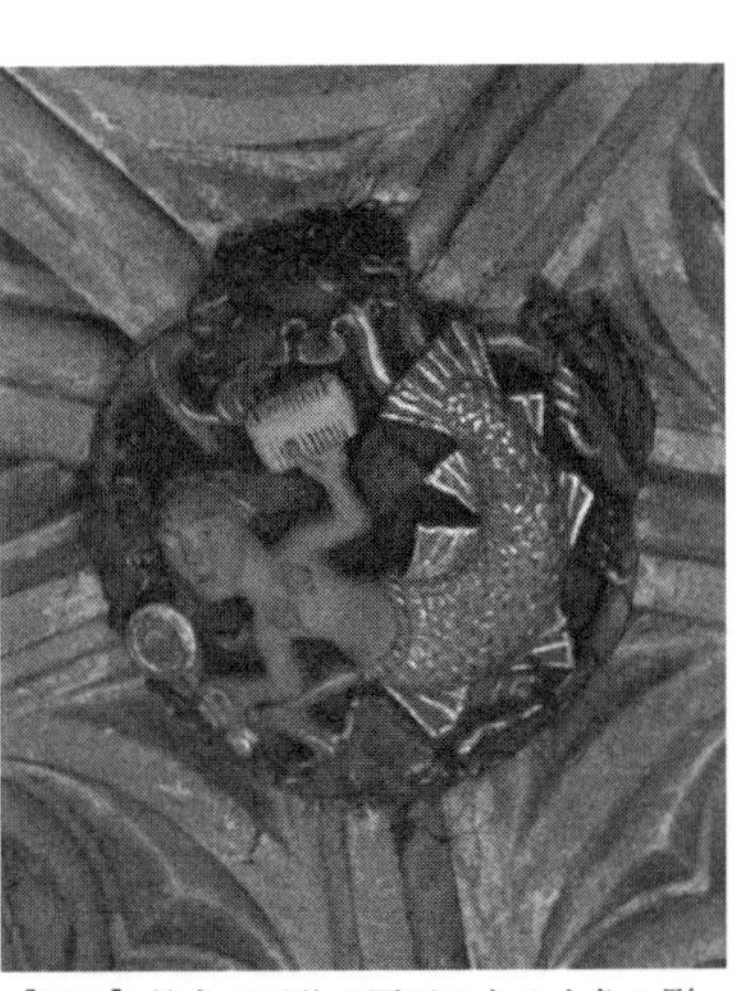
【図2】教会の天井の要石にある人魚の彫刻。櫛と鏡を持っている。Sherborne Abbey, Britain

水の精が人間の一人と愛で結ばれると魂を得るが、夫が水の近くで水の精を罵ったときには水の世界に帰り、二度と姿を見せない。しかし死別ではないため夫が再婚すれば夫は命を差し出さなければならない。水の精は夫婦の契りと義務があるので、最後の審判の日に姿を現す。水の女は水の精でありながら魂をもつ。[7]

パラケルススから影響を受けた自然神秘思想では、人間存在は精神（Geist）・魂（Seele）・肉体（Leib）からなる。

魂は精神と肉体とをつなぎ、死後も永遠の生命を保証される。[8] 他方、物質存在は精神と肉体をあわせもつが魂を欠いている。キリスト教化された水の精は、神の御前で人間と婚姻の契りを結べば魂を得る。それは、水の精が人間と同じように神の子として死に、救済されることを意味する。[9] 言いかえれば、魂をもつものだけが神によって救済されうるゆえに、水の精は魂を求めるという物語が成立するのである。

こうして、パラケルススの『妖精の書』をよりどころにする水の精の物語――ドイツ・ロマン派のフリードリヒ・ド・ラ・モット・フケー（Friedrich de la Motte-Fouqué, 一七七七～一八四三）作『ウンディーネ』（Undine, 一八一一）と、アンデルセン（Hans Christian Andersen, 一八〇五～一八七五）作『人魚姫』（*Den lille Havfrue*, 一八三七）では魂の獲得が、そしてオスカー・ワイルド（Oscar Wilde, 一八五四～一九〇〇）作『漁師とその魂』（*The Fisherman and His Soul*, 一八九〇）では魂の放棄が物語のテーマになっている。

一九世紀に成立したこれらの作品が、心臓を魂の座に据えたのは、古代文明以来長くヨーロッパに続く生命観と関係している。中世キリスト教の文脈においては神秘思想家のヒルデガルト・フォン・ビンゲン（Hildegard von Bingen, 一〇九八～一一七九）が「心臓は家であり、その中心に魂が住まう」とし、パラケルススも「魂の座、所在は人間の中央を占める心臓にある。魂は心臓の中で働いている霊、善悪の区別を知る霊を養う。魂は人間の中で、死と闘っている生命のある場所に住む」[10]と述べている。神学者トマス・アクィナス（Thomas Aquinas, 一二二五～一二七四）も、心臓を肉体と魂の統一体である人間の完全性を表す象徴とみなした。[11] さらに心臓はミクロコスモスとしての人間とマクロコスモスとしての世界や宇宙の中心をも象徴し、人と人、あるいは人と神が結ばれる場として、中世以降は宗教的にも世俗的にも愛を象徴するようになった。中世ヨーロッパ医学においても心臓は感情の中枢器官、つまり感情が生じ、思考をする場と考えられたことから、心臓の象徴としての心が身体を離れて心を捧げた人のところにとどまるという心身分離の観念が生まれた。これを最も早く文学的に表現したのは一二世紀の南フランスで活躍したトルバドゥールたちであった。[12] この文学的表現は、先にあげた三作品にも受けつがれ、誰に心臓を捧げるかで、誰を愛するかが表現される。その逆に心移り、すなわち捧げられ、とどまるはずの心臓が、別の誰かのところへ動き、所有されることで悲劇が生じる。ここで、心身分離が『ウンディーネ』、『人魚姫』、『漁師とその魂』においてどのように描かれているのかを考察しよう。

『ウンディーネ』

フケーがこの作品で描いたのは、魂をもつ「人間存在」と魂をもたない「物質存在」、キリスト教的秩序と自然の秩序が共存する世界で、水の精は乙女の姿で描かれ、人間と婚姻を結んだ後も自然を操る力をもち、言うに言われぬやさしい声で歌う。

水の王の娘ウンディーネは漁師夫婦に育てられ美しい娘に成長し、騎士フルトブラントに愛され結婚して魂を得る。そこに伯爵令嬢の養女ベルタルダが現れ、やがて騎士は令嬢に心移りする。[13] ある日、ウンディーネは夫に水上で罵られたため姿を消す。その後、騎士はベルタルダと結婚式を挙げるが、その夜、ウンディーネが屋敷の泉から現れて騎士に死の接吻をする。

ウンディーネは幼少時に洗礼を受けてはいるが、養父母の漁師夫婦には「暦にものっていない、異教の名前のように思われる」[14] 名前は両親から呼ばれていたのだからと言って改名を拒んでいる。結婚前は気まぐれで、ときおり粗暴でわがままで勝手、ひとを振り回す魅惑的な、いわば自然そのものの水の精であった。しかし、人間と結ばれて魂を獲得すると、彼女は変貌する。結婚式の翌朝に皆の前に現れると、「新妻があまりにも別人のように見えたので、一同はあっけにとられて」(U44) しまう。フルトブラントは妻の「今まで一度も見たことがないような奥深い、心からの愛情のこもった眼差し」に気づき、「自分がこの女に魂を与えたとすれば、きっと自分の魂よりも善い魂を与えたにちがいないと、ひそかに思わずにはいられなかった」(U44)。村の人びとはこの優しい女主人を慕い、結婚式を執り行ったハイルマン神父は一貫して「信心深い、誠のあるお方であった」（U89）と評価する。魂を獲得した結果、ウンディーネは敬虔なキリスト教信者に、夫には細やかな愛情を注ぎ、貞淑で心配りを怠らない愛すべき妻になった。魂の獲得について、彼女は次のように語る。

魂って重い荷物にちがいないわ。とても重いものにちがいないわ！　だって魂のかたちが近づいて来るだけで、心配や悲しみが影のように覆いかぶさってくるんですもの。あぁ、いつもはあんなに軽い、楽しい気分でいられたのに。（U42）

ウンディーネは魂のかたちが近づくと述べている。騎士の心が身体と離れて愛する女性のところに留まる、まさに心身分離のレトリックは、心配や悲しみといった、それまでにない感受性の深まりとともに表現されている。水の精は人間と結ばれることでもはや軽い楽しい気分だけではいられず、心配や悲しみがともなう深く強い愛情を抱く魂を心臓にもつようになる。「魂もあり愛も苦しみも抱く女」（U48）となった彼女は、自分の身に起こった変化を次のようにはっきりと述べている。

それに今ではわたしには誠実な魂があって、しんからひとを愛したり敬ったりできるようになりましたもの。それをおじいさんたちにわかりでもしたら、弱い目が涙できっとつぶれてしまいます。…愛情で高ぶっている、新しくいただいた（neugeschenkt）この心臓を、おじいさんたちに気づかれてはなりません。（U49f.）

彼女の心臓は、フルトブラントから新たに贈られた心臓であり、そこに愛で高ぶる誠実な魂が座している。魂を獲得した彼女と対照的な人物は、ベルタルダと、水の精でウンディーネの伯父キューレボルンである。ウンディーネは、魂があるにもかかわらず、傲慢で性根の悪いベルタルダに悲しげに問いかける——「あなたには魂があるの？　あなたは本当に魂をお持ちなの、ベルタルダ？」（U61）と。やがてベルタルダは夫婦の仲を裂き、フルトブラントの心を奪ってわがものとする。キューレボルンは「魂がなく、眼に見える外の世界を映すだけの、内面までも映す力がない、自然の鏡」ゆえに、「愛の苦しみと愛の喜びが互いによく似た優しい姿をしていて、親しい姉妹の仲であって、どんな力もそれを割くことができないのがわからない」（U70f.）。ウンディーネが得た深い内面は、神に対するあつい信仰心として、また同時に、苦しみと喜びという正反対の感情が常に同居する人間の複雑で深い愛情として表現されている。ギリシア以来の「甘く苦い愛」という文学的トポスが、こうして奥深く豊かな感情表現に高められているのである。[15]さらに、水上で夫に罵られたため水の世界に戻ったウンディーネは、キューレボルンに対して次のようにも言う。

こうして水の中に住んでいますけれど、わたしは魂をもってきたのです。だからこそ泣くこともできます。もちろんあなたには、この涙がどんなものか、まったくわからないでしょう。これは至福の涙です。誠実な魂が胸のなかに生きている者にとっては、どんなことでも幸福になりますもの。（U91）

ウンディーネの父親、水の王は娘がたとえ「魂をもつ人びとのさまざまな苦しみを受けることになろうとも」（U48）魂をもたせようとした。そのためには「人間の一人と愛でもってぴったりと結びつくほかない」（U48）。魂をもつ存在が味わう、苦しみと喜びが一体となった深い愛が涙を流させるのだが、魂のないキューレボルンにはこの至福の涙が理解できない。

中世の医学で心臓がひとの感情の中枢器官とみなされていたことは、すでに述べたとおりである。そして、涙は心臓に生じ、心臓と目は直結するもので、涙は感情の高揚により目からこぼれ落ちる心臓の血液であると考えられた。文学においても涙は心臓の描写とともに感情を表現し、一八世紀には啓蒙主義を背景に成立した感情主義

(Empfindsamkeit)にも結びついた[16]。感情主義とは頭(脳)と心(臓)の、理想と感情の調和をめざす運動であり、心臓に宿るとされた人間の感受性を高く評価した。友情や愛情表現としての口づけや涙による感情の表出が特に好まれた[17]。徳井淑子氏によれば、恋人たちは報われぬ恋のつらさを訴えて泣くのではなく、愛の深さを訴えて涙を流し、涙を流すことで愛は一層強くなるという。ウンディーネも愛の深さと誠実さを涙ながらに訴え続けた[18]。

フルトブラントは愛するウンディーネと結婚し、魂の宿る新たな心臓を与えたが、やがてベルタルダに心移りする。抑制のきかない自然そのもの、生命力に満ち、奔放で蠱惑的だったウンディーネは、結婚を機に一変した。彼女は敬虔で、思慮と愛情と貞節を兼ね備えた非の打ち所のない奥方になった。魂の獲得により、フルトブラントが秘かに恐れ続けていた妖精の痕跡、すなわち自然の根源的な力は無害化されるが、彼を虜にした水の精本来のエロス的な魅力も失われる。エロス的な恋人関係と、市民的でキリスト教的な夫婦関係は両立しない。聖女のような妻ウンディーネから官能的な充足を得られず、フルトブラントの心は別の女に動く。インゲ・シュテファンが指摘するように、フルトブラントは恋人としては英雄的で情熱的だが、夫としては愛に冷めていて不実である[19]。彼はベルタルダの誘惑に屈し、ウンディーネを棄てた。

【図3】『ウンディーネ』ジョン・ウィリアム・ウォーターハウス作、1872年、個人蔵。『ウンディーネ』の第18章「騎士フルトブラントの婚礼の有様」を題材にしている。夫が重婚のタブーを犯したため、沈痛の面持ちをしたウンディーネが泉から現れる場面。

誠実であれ、というウンディーネの懇願や警告もむなしく、ハイルマン神父の反対を無視して、フルトブラントはベルタルダと重婚する。重婚すれば、夫は水の精に命を差し出さなければならない。ハイルマン神父が、思い上って分別を失ったフルトブラントの未来を「婚礼(Trauen)と葬式(Trauern)とはそう縁のないも

【図4】『ウンディーネ』拡大部分（足元）。作中に小花の描写はないが、ウォーターハウスはウンディーネの足元に勿忘草とおぼしき青い小花を書きこんでいる。勿忘草は純真・真実の愛の象徴で、青色は誠実な愛を示す。

のでもない」（U92）と予言する。物語の最後では、重婚のタブーを犯した夫の命をウンディーネが奪いに泉から現れ、侍女たちに夫を「泣いて死なせた（totgeweint）」と言い残して去っていく【図3、4】。この謎めいた言葉を、涙と心臓と魂の関係をふまえて解き明かしてみたい。

「あの人たちは泉を開けました」と女は小声で言った。「それで私はここにいます。あなたはもうお命がございません。」騎士はとぎれとぎれに心臓が鼓動をうつなかで、こうなるより仕方がないのだと感じたが、両手で目を覆って言った。…「お前に接吻をしてもらって死ねたらね…。」愛おしさと死の近づきにふるえながら、騎士は女に身をまかせた。女は騎士にこの世ならぬ接吻をしてもはや騎士を離さなかった。男をひしと抱き寄せ、魂までも涙とともに流し去ろうとするかのように女は泣いた。その涙が騎士の眼に流れこみ、甘い悲しみのうちに胸いっぱいに波打つと、ついに騎士は息絶えて、美しい女の腕から寝床の枕の上に亡骸となってしずかに倒れた。

「あの方を涙で殺しました！」と女は控えの間で会った数人の召使にそう言い残し、驚く人びとの間を通り抜け、泉のほうへゆっくりと出て行った。（U96f.）

ウンディーネは魂の宿った新たな心臓から涙を流す。魂も涙とともに流れ去るほど、彼女の愛情は深い。その涙がフルトブラントの眼から心臓に流れこみ心臓を満たすと、フルトブラントは息絶えた。

水の精は本来の自然がもつ、能動的で破滅的な力で、フルトブラントを死に導く。官能的な死の口づけにたいしてフルトブラントは受動的で、すっかり身をゆだねている。水の精はエロスと死を同時にもたらしたのである。

『人魚姫』

『人魚姫』はアンデルセンが『ウンディーネ』にもとづいて創作した童話である。[20] しかし、『ウンディーネ』のような人間存在と物質存在の交流、もしくはキリスト教的秩序と自然秩序の交流はなく、二つの世界の間には深い断絶がある。魂をもたない物質存在は、魂を有する人間存在の下位におかれている。人魚の美しい歌声は人間には嵐の音にしか聞こえず、人魚が「上の世界（the upper world）」[21] とよぶ陸地にあがるには犠牲がともなう。

水の精は海底に住み、三〇〇年生きていられるが、一生が終わると水の泡になる。一方、人間の一生は短いが不死の魂（immortal souls）をもち、魂は水の精が「決して見ることのできない、未知の場所、天国にのぼっていく」（LM5）。人魚姫は不死の魂をもつ人間に強くあこがれ、美しい王子に恋心を抱く。人魚姫は祖母に「永遠の魂をさずかるための方法」（LM6）を教わると、それは『ウンディーネ』と同様、人間との婚姻により魂を獲得するというものだった。

> 人間のうちのだれかが、おまえを愛して、……神父さんがそのひとの右手をおまえの右手において、その人がこの世でもあの世に行ってもお前に誠実であると約束すると、そのひとの魂がおまえの体の中にするりと入り、将来おまえも人間の幸福にあずかることができるのだそうよ。そのひとはおまえに魂を与えながら、自分の魂もそのままもっているというのです。でもそんなことは決して起こりようがありません。（LM6）

キリスト教的秩序が支配的なこの作品では、水の精が本来持っていた自然秩序を支配する力は邪悪な魔力に貶められている。人魚姫が人間の世界で魂を獲得し、幸福にあずかろうとするさいに頼るのは海の魔女である。魚の尾が人間の脚になる魔法の水薬とひきかえに、人魚姫は海底一の甘い声を差し出さねばならない。そのうえ、王子に愛されて「結婚しなければ、不死の魂を得られないばかりか、他のひとと王子が結婚した翌朝には、お前（人魚姫）の心臓は破れ（your heart will break）、海の泡になってしまう」（LM8）。魔女は人魚姫に「その海底一甘い声で王子を魅了できると信じているんだろう」、声を失っても「お前の美しい姿や優美な歩きぶりや、ものを言う瞳できっと人間のハートはお前から離れられなくなるよ」（LM8）と言葉巧みだ。魔女が語る人魚は、美しい姿と歌声で官能的に人間を誘惑する色欲の象徴としての人魚そのものである。

【図5】ヴィルヘルム・ペーターセンの木版画による人魚姫の挿絵、1849年。挿絵の人魚姫の手に注目すると、一方の手は水辺から人間世界である陸地にかかっているが、もう片方の手は蝶に届いていない。さなぎから抜け出る蝶は、古代ギリシア・ローマの民間信仰でも死者の肉体を離れる不死の魂のアレゴリーであった。キリスト教美術では復活した人間の魂を象徴する。

人間存在の住むキリスト教的世界と、物質存在の住む自然界は、空間では陸地と海に、時間では昼と夜、日の出を境に二分されている【図5】。朝日が昇る前に魔女は魔法の水薬を調合し、人魚姫はそれを飲まなければならない。姉姫たちが姫を心配して波間に浮かぶのも月夜であり、姫は日の出とともに海の泡になる。

人魚姫は、魚の尾から人間の脚への、あるいは海の誘惑的な歌姫から陸の誘惑的な踊り子への肉体的変容を遂げる。しかしそれは肉体から肉体への移行にすぎず、結婚後のウンディーネにみられたような魂の獲得による内面の劇的な変化はない。そもそも人魚姫は王子と結婚することさえできない。

アンデルセンの書いた一五六作におよぶおとぎ話には、キリスト教の神の概念、プロテスタンティズムの倫理、ブルジョア階級の価値観が色濃く反映されている。[23] 被支配階級に属する主人公は、従順、謙虚、勤勉で、努力と忍耐をいとわず、自制的、自己犠牲的で、ブルジョワ階級の支配を正当化する倫理体系に適合する人物で、人魚姫はその典型である。

下層の魂なき物質存在の人魚姫は、救済される魂をもつ特権的な人間存在の一員になる一縷の望みに命を賭ける。彼女は人間世界の価値体系に自分を合致させるために、声を失い、真の姿を隠し、女奴隷の踊り子になる。物質存在あるいは奴隷を本当には受け入れることも認めることもしない世界に、本来の自己を否定して同化しようとするのだ。支配に対して従順で忠実、隷属的な家臣である限りにおいて、王宮は踊り子を寛容に受け入れるが、それは王子の結婚の対象となりうる対等な身分としてではない。階級差は決して解消しない。人魚姫は王子に「僕の小さな拾い子さん」（LM9）と呼ばれ、「王子の部屋の出入り口で、ビロードの褥で寝てよいという許しを得る」（LM9）。しかしそれが、女奴隷にたいする特別扱いの限界である。「王子は彼女を愛してはいたが、小さな子どものように愛しており、妻に迎えるという考えが頭に浮かぶことは決してなかった」LM9）。王子と結婚し、人間存在になって魂を得るという人魚姫の要求は、まったく身の丈に合わないものであった。

王子の心臓をわがものにできなければ、魂を獲得できない人魚の心臓は破裂する。そこで、姫の命を救おうと、姉姫たちは美しく長い髪の毛と引きかえに海の魔女から短刀をもらう。人魚姫は、自分の心臓が破裂し泡になるか、「王子を殺して海へ戻る」（LM12）か、つまり王子の心臓を突き刺して破裂させるかの選択を迫られる。「夜明け前に短刀を王子の心臓に突き刺し、その温かい血を脚にかければ、脚はまた一緒にくっついて魚の尾になり、もういちど人魚に戻れる」（LM12）。ここでの心臓は愛や魂の象徴ではなく、アニミズム信仰や原始宗教にみられる、生命の本質や源の象徴であり、この血なまぐさい魔術的行為は生命力の摂取を意味している。

しかし人魚姫は、そのような魔術的で夜の秩序が支配する海底世界には戻ろうとしない。真価を認められず、王子の命を助けた真実も明かされないまま、自分が泡になることを選択する。王子の命の代わりに命を投げ出すという究極の自己放棄が、被支配階級の真の高潔さと徳の高さとして認められ、人魚姫は空気の精に生まれ変わる。涙をもたなかった水の精は空気の精となってはじめて涙を流し、涙というものを知る。[24] 空気の精は、三〇〇年善行をつめば永遠の魂を授けられる。厳格な神は、人魚姫を一足飛びに不死の魂をもつ高貴な人間にではなく、まずは空気の精に生まれ変わらせる。人魚姫はいくぶん魂に近づけたというわけだ。逆説的にも、人魚姫の自己実現——本来の目的である不死の魂の獲得——は、徹底的な自己放棄を通して果たされるのである。[25]

『ウンディーネ』でみられた涙と心臓と魂の関係は、『人魚姫』において表面的な継承にとどまっている。

オスカー・ワイルド『漁師とその魂』

『ウンディーネ』は一八一一年に出版されると各国で翻訳され、[26]『ウンディーネ』から影響を受けた『人魚姫』も一八四六年にデンマーク語から英語に訳されると広く読まれた。[27]アンデルセンの『人魚姫』や『影』に影響を受けて、[28]オスカー・ワイルドは一八九〇年に『漁師とその魂』を発表する。世紀末を迎えようとしていた当時のヨーロッパでは、男性を破滅に導く艶めかしいファム・ファタル（femme fatale）という女性像が芸術作品に多く描かれた。リリス、ユーディット、サロメとならび、漁師を惑わし水底へ引きこむ人魚もそのひとりだった。[29]しかし、ワイルドが描いた人魚はただのファム・ファタルではなく、彼の生地アイルランドの伝説に登場する人魚の特性をおびている。[30]海に囲まれたアイルランドの人魚伝説は、漁師が人魚に惑わされるのではなく、人魚が漁師にとらえられるところから始まる。嘆願する人魚を漁師が虐待したり、人魚の愛を裏切ると、復讐の波が迫ってきて溺れ死ぬ。[31]『漁師とその魂』も、網にとらえた人魚を漁師が愛するところからはじまり、やがて漁師は人魚を裏切り、復讐の波に飲み込まれる。異教的要素とキリスト教的要素の混交はワイルドの作品の特徴で、[32]本作品においても自然世界には森の神ファウヌスや海の神トリトンが住み、漁師に捨てられた魂は異教の国々をさまよう。キリスト教世界が支配的な『人魚姫』に対し、『漁師とその魂』ではキリスト教世界は世界の一部でしかなく脱中心化している。

アンデルセンは支配階級の権力に阿（おもね）り、純粋で高潔なブルジョワの美徳を賛美したが、ワイルドは違った。[33]ワイルドの主人公は、アンデルセンの主人公のように支配階級や権力に隷属することでまやかしの希望を抱いたり、本来の自己実現を抑圧したりしない。特に『幸福の王子』、『若き王』、『星の子』、『漁師とその魂』の主人公たちは、社会的対立と矛盾をつきつける存在である。彼らは貧しい人たちに寄り添い、文明化された社会の見せかけの美しさが搾取の上に成り立っていることを悟り、財産や特権を放棄する。そして搾取を正当化する支配層や教会、社会の因習と対立し、不服従を貫く。[34] ワイルドの作品にはキリスト教的・社会主義的なヒューマニズムが息づき、主人公たちは清貧のキリストのように描かれる。そして、キリスト教的な色調と聖書風の言葉づかいが、貧困、不平等、富める者の偽善や格式ばった厳格な教会のしきたりに対抗するために用いられる。[35] ほとんどの物語はキリスト的な主人公の死で終わる。善良な彼らの死が社会を変えることも、その死が理解されることもなく、未解決の緊張状態を残して物語は閉じられる。

人魚があまたの犠牲をはらって人間界で魂を得ようとした『人魚姫』にたいして、この作品では人魚を愛した漁師が魂を捨てる。『ウンディーネ』と『人魚姫』に共通する、人間との結婚による水の精の魂獲得の物語は、この作品では人魚と結ばれるために人間が魂を放棄する物語に反転している。

漁師は海の王の娘の人魚を網でとらえ、愛するようになるが、魂がある限り人魚は人間を愛せないと言われる。そこで漁師は「魂などなんの役に立とう? 目に見えず、触ることも許されず、どんなものかもわからない」[36] と言って、人魚の愛を得るために魂を捨てるにはどうすればよいかを司祭にたずねる。司祭は、そのような考えは許しがたい罪で、海の一族は善悪の区別もつかない堕落した異教の徒、人魚のために魂も天国も捨てるというお前は地獄に落ちると、漁師を祝福することなく追い払う。

そこで漁師は魔女から手に入れた短刀で「魂の肉体である影」(FS90)を切り離す。魂は、世間はとても無慈悲なのでハートが欲しいと頼むが、漁師は「わたしのハートは恋人のものだ」("My heart is my love's")と言って魂を残して人魚のもとへ行く。人間界に置き去りにされた魂は、地上で略奪や殺人など悪行の限りをつくす。

この物語では、キリスト教において誘惑者とされる人魚こそが愛を貫いて死に、魂が悪徳に染まった誘惑者である。しかし教条主義の司祭には、魂が人間にとって最も尊く、肉体の愛は堕落したものであり、人魚と漁師は救済なき呪われし存在である。魂は「知恵の鏡」や「富の指輪」で誘惑するが、漁師は、愛は知恵や富よりも勝ると言って海から出てこない。荒野で悪魔の誘惑に屈しないキリストのような漁師ではあったが、魂の三度目の誘惑に屈してしまう。魂から踊り子の話を聞き、漁師は強い欲求に襲われ陸に上がる。魂は漁師の身体に入り、人魚は姿を隠す。一度体に入った魂はもう二度と追い出せない。魂に悪事をそそのかされた漁師は過ちを悔い、魂の言いつけに従わぬようオデュッセウスのように手を縛り、魂の言葉を語らぬよう唇を閉ざして人魚のいる海へ戻る。[37]漁師は愛のために教会にも社会にも背を向け、地上と海の境界にある岩の裂け目に網枝の家を建て、ひたすら人魚を求めて魂にそそのかされて自分が犯した悪行について告解しようとする。

漁師の人魚への愛は強く、魂の誘惑に耳を貸さないまま人魚を呼び続けること二年が過ぎる。ハートのない魂には愛が理解できない。「愛とは何ですか、あなたがこれほどまでに大切にする愛とは?」(FS127)魂は誘惑に屈しない漁師の「愛はわたしよりも強い」(FS128)と考え、誘惑をやめて心臓に入るのを求める。漁師はそれを許すが、魂は入れない。

「おお、悲しや!」魂は叫んだ。「あなたのこの心臓はすっかり愛で囲まれていて入れません」
「おまえを助けてやりたいのに」と若い漁師は言った。(FS128)

心臓は魂の座にもかかわらず、心臓が愛に囲まれていて入れない。人魚に与えたハートを魂にも与えるタブーを漁師が犯したとき、漁師の足元に人魚の亡骸が打ち寄せられ、漁師をのみこもうと海の波が近づく。漁師は死んだ人魚をかき抱き、愛する者との再会の喜びと死の苦しみにむせび泣きながらついに「告白(confession)」(FS129)の時を迎える。

「愛は知恵にまさり、富よりも貴く、人間の娘の足よりも美しい。火もそれを焼き尽くすことはできず、水もそれを冷ますことはできない。夜明けにお前を呼んだのに、お前は応じてくれなかった。月にはお前の名が聞こえていたのに、お前はわたしのことなど見向きもしなかった。それは、わたしが悪い男で、お前のもとを去り、わが身を苦しめて道を踏み外したからだ。だがお前への愛はいつもわたしとともにあり、つねに強く、悪に向いても善に向いても、愛はすべてに打ち勝った（nor did aught prevail against it.）。お前が死んでしまった今、わたしもお前と一緒に死ぬつもりだ。」

魂はここを去ろうと頼んだが、彼は聞き入れなかった。それほどに彼の愛は強かった。そして海はしだいに近づき、その波で漁師を包もうとした。最期が迫っていることを悟ると、彼は人魚の冷たいくちびるに狂おしい接吻を浴びせた。そのとき、漁師の中にあった心臓が破れた。そして満ちあふれる愛によって心臓が破れたとき（his heart did break）、魂は入り口を見つけて中に入りこみ、もとどおり漁師とひとつになった。（FS130f.）[38]

ウェルギリウスの「愛はすべてに打ち勝つ」（*Amor vincit omnia*）という言葉は『漁師とその魂』で高らかに宣言される。愛はすべてに優り、善悪を超え、魂に勝利する。「もっとも強力な情念たる愛」[39]が至上のものとして賛美されるのである。

漁師と人魚の再会と死に至る場面は、一三世紀後半に活躍した詩人コンラート・フォン・ヴュルツブルク（Konrad von Würzburg, 一二二五頃～一二八七）の叙事詩『心の臓の物語』（*Das Herzmaere*）のクライマックスに酷似している。『心の臓の物語』の愛し合う貴婦人と騎士は高貴なる心の持ち主である。聖地の旅の途上で焦がれ死んだ騎士の心臓は香油を注がれ、宝石で飾られた聖遺物箱の中に納められて貴婦人の元へ運ばれる。夫が恋人の心臓を奥方に食べさせ、肉の正体を明かすと、彼女の心臓も砕けてしまう。

「…あのいと優れたる騎士殿は、ミンネに死んだ心の臓をば、わたくしのもとへお送りになった。もしもわたしが、そのことを、心に留めぬとするならば、わたしは不誠実な女でしょう。あの方が苦しみのうちに亡くなられて、なお一日たりとも、わたくしが生きのびたとは悲しいこと！　わたしにたいして、誠実をつねに示されたあのお方が、死の淵を漂っておられるのに、わたしがひとりで生き延びるなど、まこと申して、もうこれ以上は許せませぬ。」あまりのことにご婦人は、よよと悲しみ身を震わせて、その美しい両の手を、組んで捩って泣くのであった。そして今や、ご婦人の体内の心の臓は、焦がるる苦痛に砕けたのである。これにて、若きご婦人は、その甘しき命に終止符を打ち、心一途の恋人から捧げられたるすべてのものに、重みにおいて劣ることなき、見事な報いを返したのである。[40]

一二世紀頃から知られる「心臓を食らう物語」は、一三世紀頃に騎士が高貴な既婚女性に捧げる愛の奉仕であるミンネと結びついた。ミンネの絆は強く、騎士と貴婦人は互いに恋するあまりに死の苦しみをこうむる。[41]『漁師とその魂』の漁師と人魚が愛に命を捧げた殉教者として賛美されたように、『心の臓の物語』においても純粋で清らかなミンネの中で滅びゆく恋人たちは、高貴なる誠実という最高のものに命を捧げた殉教者として賛美される。

では『漁師とその魂』の司祭は漁師と人魚をどうとらえているのだろうか。司祭は人魚を抱いた漁師の亡骸を波打ち際で見つけると、愛におぼれて神を見捨てた呪われし者たちなので、死体のありかが分からないよう、目印やその他一切のしるしをつけさせずに布さらしの野（Fuller's field）の片隅に埋めさせた。[42]三年後、祭礼の日に司祭が礼拝堂に行くと、祭壇が異様に美しく芳しい白い花に覆われていた。司祭は白い花に心を乱され嬉しさを覚えたが、なぜ嬉しいのかはわからなかった。そして神の怒りについて説教をする代わりに、われ知らずに愛という名の神（the God whose name is Love）について話す。愛という名の神とは、愛神エロスの母、海の泡から生まれ、水の精とかかわりが深い、愛と美の女神アフロディーテのことである。[43]

不毛の布さらしの野に咲いた美しい白い花は、愛を貫いて死んだ漁師と人魚の眠る場所を示すと同時に、彼らの生まれ変わりとして、この作品が収録された『柘榴の家』のタイトルにある柘榴同様、死と再生を象徴する。[44]しかし、物語は他のワイルド作品よろしく、二人の愛と死が現行の社会構造に影響を及ぼすことなく終わる。司祭は白い花が不毛の布さらしの野の片隅に咲いていたことがわかると、海や森に出かけ神の世界に住む一切のものを教会のしきたりに則って祝福するが、布さらしの野は再び不毛の野辺にかえり、海の者たちも姿を消す。教条主義的な教会と社会の因習を体現する司祭は、魂や愛がどのようなものかを知らず、愛の殉教者たちを理解しないまま、愛の真価を認めることはない。

このように、『ウンディーネ』と『漁師とその魂』は、愛する人が自分の心臓を所有するという、愛にかんする伝統的な文学表現を明確に継承しているといえる。心を贈る、心を奪われる、心が移る、心が破れるなどの文学的な言い回しは、強烈な感情のうちでも多くは愛にかかわるものであり、心が肉体にたいして着脱可能なもののように表現される。そのことは、心が肉化し可視化されて心臓になり、心の代わりに心臓をおいても意味が成り立つばかりか、伝統的な文学表現として確立していることも意味している。[45]近代文学において『ウンディーネ』と『漁師とその魂』はその最たる例である。騎士フルトブラントも漁師も別の者に心臓を与える不実を犯す。タブーを犯した彼らは死を予感する。パラケルススの『妖精の書』にあるように、「自らの命を与えなければならない」（/ so wirdt er sein Leben drumb mussen geben /）。彼らは水の精に心臓の代償として自らの命を差し出したのである。

【註】

（1）小黒康正『水の女——トポスへの船路』九州大学出版会、二〇一二年、一九頁参照。

（2）小黒、一九～二三頁参照。

（3）ジェイムズ・ホール『西洋美術解読事典　絵画・彫刻における主題と象徴』高階秀爾監修、河出書房新社、一九八八年（二〇一〇年、新装第四版）「淫欲」五六頁、「ウェヌス」五九～六〇頁、「鏡」八七頁、「虚栄」一〇六頁を参照。ウェヌスの持物は鏡である。ルネサンス期の寓意画では〈淫欲の擬人像〉とウェヌスとが同一視された。俗愛を象徴する現世のウェヌス（Venus Vulagris）は、虚栄の象徴である宝石を身につけることもある。鏡をもつことも多く、これは女性の虚栄と、またそれゆえの魅惑の力を象徴する。

（4）小黒、二六頁参照。

（5）須藤温子「婚礼に足——騎士シュタウフェンベルク伝説とその周辺」『西洋文学にみる異類婚姻譚』小鳥遊書房、二〇二〇年、六五～八三頁参照。

（6）Cf. Theophrastus von Hohenheim genannt Paracelsus: Liber de nymphis, sylphis, pygmaeis et salamandris et de caeteris spiritibus. Hrsg. von Robert Blaser. Bern 1960, p. 17. ウンディーナ（Undina）はラテン語で水を表す unda からのパラケルススによる造語である。

（7）*Ibid.*, p. 27f.

（8）近代以後のドイツ思想では、語源的に魂（Seele, soul）と生命（Leben）が対概念で、肉体（Leib, flesh）は生命に由来する。精神（Geist, spirit）と物体（corpus）が対概念で、身体（Körper, body）は物体に由来する。人間存在は近代一般の二分法でとらえられている。ヨラン・ヤコビ編『パラケルスス——自然の光』大橋博司訳、人文書院、一九八四年、二五三～二五五頁参照。

（9）清水恵「パラケルススのメルジーネ論——水の精の魂はいつ宿ったのか？＝いつ失われたのか？」『藝文研究』慶應義塾

大學藝文学會、第八十五号、二〇〇三年、二一八～二四〇頁、特に二三九～二四〇頁を参照。

（10）ヤコビ、二五三頁。

（11）Cf. Metzler Lexikon literarischer Symbole. (Hrsg.) Günter Butzer/Joachim Jacob, 2. Auflage. Stuttgart/Weimar (J.B. Metzler) 2012, p. 180.

（12）徳井淑子『涙と眼の文化史――中世ヨーロッパの標章と恋愛思想』東信堂、二〇一二年、二二〇頁参照。

（13）ベルタルダは赤子の時ウンディーネととりかえられた漁師夫婦の実の娘である。

（14）Friedrich de la Motte Fouqué: Undine. Stuttgart (Reclam) 2001, p. 18. 以下、本書からの引用は、本文中に略号Uとともに頁数を丸括弧に括って示す。訳出にはフケー『水妖記（ウンディーネ）』柴田治三郎訳、岩波書店、一九三八／一九九三年を参照した。

（15）伊藤博明『エンブレムへの招待――綺想の表象学』ありな書房、二〇〇七年、一〇～一一頁参照。

（16）文学的象徴としての涙には、涙が流れるきっかけを与えるさまざまな感情が読みとれる。感情の表出は涙にかんする固定表現で明瞭になる。たとえば、悲痛な涙（bitterliche Tränen）、血の涙（blutige Tränen）、大粒の涙（dicke Tränen）、熱い涙（heiße Tränen）、清らかな涙（reine Tränen）、美しい涙（schöne Tränen）、人知れずひとり静かに流す涙（stille Tränen）など。Cf. Butzer und Jacob, p. 449.

（17）感情主義は全ヨーロッパで起きた心性史および文学史上の運動で、イギリスとフランスから始まった。ドイツでは感情主義は、特に自己省察や自己表現の洗練と、心情と愛の活動を重んじる敬虔主義と結びついた。理性とのバランスのとれた情熱や、豊かな感情表現が感情主義の特徴である。Cf. Metzler Lexikon Literatur. (Hrsg.) Dieter Burdorf/Christoph Fasbender/Burkhard Moennighoff, 3., völlig neu bearbeitete Aufl. Stuttgart/Weimar (J. B. Metzler) 2007, p. 187f.

（18）キリスト教において涙を流すことは、神への献身や敬虔さを示す宗教的態度であった。一方、世俗の愛に涙を流すことは、愛するひとへの強い愛情の証であった。徳井、一七九～一八〇頁参照。

（19）Inge Stephan: Weiblichkeit, Wasser und Tod. Undinen, Melusinen und Wasserfrauen bei Eichendorff und Fouqué. In: Weiblichkeit und

Tod in der Literatur. (Hrsg.) Renate Berger/Inge Stephan. Köln 1987, p. 117-130.

（20）Cf. The Oxford Encyclopedia of Children's Literature, (ed.) Jack Zipes, Vol. 1., New York (Oxford University Press) 2006, p. 60.『人魚姫』は『アンデルセン童話集』第三集に所収。アンデルセンは一八四〇年にイタリアを訪問した際、フケーと親交を結んだ。

（21）Hans Christian Andersen: The Little Mermaid. In: Fairy Tales of Hans Christian Andersen, 1872 Champaign, Ill. [P.O. Box 2782, Champaign 61825] Projekt Gutenberg. eBook Collection (EBSCOhost), pp. 1-13, here p. 5. 以下、本書からの引用は、本文中に略号LMとともに頁数を丸括弧に括って示す。訳出には『完訳　アンデルセン童話集（一）』大畑末吉訳、岩波書店、一九八四年改訂第一刷／一九九八年、『人魚姫』、一一九～一五六頁を参照した。アンデルセンの童話が評判になると、一八四九年に挿絵入りで全五巻からなる童話集が出版された。岩波書店発行の『アンデルセン童話集』〔全七冊〕にも転載されている。ゲルト・ハインツ＝モーア『西洋シンボル事典――キリスト教美術の記号とイメージ』野村太郎・小林頼子監訳、八坂書房、二〇〇三年、「蝶」二〇六頁参照。『西洋美術解読事典』、「蝶」二二三頁参照。

（22）Cf. The Oxford Encyclopedia of Children's Literature, p. 60.

（23）ザイプスによれば、一八三五年から一八七五年にかけて書かれたアンデルセン童話で支配的なのは、「下層階級出身の人間を本当には受け入れることも認めることもしない社会体制のなかで、どうすれば是認され、同化し、溶け込めるのか」というアンデルセン自身が抱えていた問題であったという。ジャック・ザイプス『おとぎ話の社会史　文明化の芸術から転覆の芸術へ』鈴木晶／木村慧子訳、新曜社、二〇〇一年、一三四～一三五頁参照。

（24）Cf. LM 2, 12.

（25）ザイプス、一四四頁参照。

（26）アメリカではエドガー・アラン・ポー（一八〇九―一八四九）が一八三九年に『ウンディーネ』の書評を書いている。Cf. Edgar Allan Poe: Review of Undine. In: Burton's Gentleman's Magazine, September 1839, 5: 170-173.

（27）Masako Horiuchi: Wilde's Imagination in 'The Fisherman and his Soul'. – A Comparative Study with Hans Andersen –『昭和薬科大学

紀要』第三一号、一九九七年、一一～一七頁。

（28）Cf. Christopher S. Nassar: Andersen's "The Shadow" and Wild's "The Fisherman and His Soul": A Case of Influence. In: Nineteenth-Century Literature, Vol. 50, No. 2 (Sep., 1995). University of California Press 1995, pp. 217-224, here p. 217f.

（29）【図2】にもあげたラファエル派の画家ウォーターハウスの描いたセイレン、人魚、ニンフはファム・ファタルの好例である。

（30）『漁師とその魂』にみられるアイルランドのフォークロアの要素は人魚だけではない。魂と心臓の関係についても同様のことが言える。この作品は、ワイルドの父、医師で民俗学者でもあったウィリアム・ロバート・ワイルド（William Robert Willis Wilde, 1815-1876）が収集し、母ジェーンが編纂した『アイルランドの古い伝説と秘術と迷信』（*Ancient Legends, Mystic Charms, and Superstitions of Ireland*, 1887）にある『司祭の魂（*The Priest's Soul*）』という短い民話にも拠っている。民話の舞台は中世のアイルランドである。不死の魂の存在を信じない司祭が天使に死を宣告され、二四時間以内に魂を信じる子どもに会えなければ地獄に落ちると告げられる。司祭は魂を信じる子どもに会うと、心臓を小刀で刺して魂が肉体から離れ、神の御許に召されるさまを見てほしいと頼む。その子は跪いて祈ったのち、心臓に囚われた魂を解放するかのように「小刀を司祭の心臓に突き刺した。肉のすべてが切り裂かれるまで何度もくりかえし刺した。」（*The Priest's Soul*, p. 66.）司祭は息絶え、肉体からは白雪のような四枚の羽をもつ美しい蝶が舞い上がる。民話は「この蝶がアイルランドで最初に目撃された蝶とされ、いまではそれが死者の魂であることを誰もが知っている」という文で閉じられ、心臓が魂のありか、蝶が魂の化身であることが示される。Cf. *The Priest's Soul*, pp. 60-67.

（31）人魚は復讐の波による死をもたらすことから凶兆とされるにもかかわらず、アイルランドの神秘的な伝統の中では最も魅力的な存在であった。また、中世にヨーロッパの修道会がアイルランドで宣教活動を始めると、人魚は不用心な魂を惑わす誘惑者、あるいは虚栄の表象として、櫛と鏡をもつ官能的な姿で教会の内陣仕切り等に彫刻された。Cf. Maureen Murphy: Siren or Victim: The Mermaid in Irish Legend and Poetry. In: Donald E. Morse/Csilla Bertha (eds.), More Real than Reality: The Fantastic in Irish Literature and the Arts, Westport, CT 1991, pp. 29-39, here p. 30ff, 36,

(32) 一八六六年、少年であったオスカーは父親のアイルランド西部地方の調査旅行に随行し、異教的要素を含んだアイルランド独自の民衆カトリック（folk-catholic）の存在を知ったという。島原知大「オスカー・ワイルド〈漁師と魂〉論――〈柘榴〉の象徴的機能」、『英文学』第九十二号、二〇〇六年、早稲田大学英文学会、一～一一頁、特に一～三頁参照。

(33) Cf. Nassar, p. 218; ザイプス、一九九～二〇〇頁参照。

(34) ザイプス、一六四～一六八頁参照。

(35) ザイプス、一九〇～一九六頁参照。ワイルドの描く主人公たちは最初から聖人だったわけではない。彼らは貧しい人びとの過酷な現実にたいして無知であったり過ちを犯したりし、それを悟ったのちに聖人の様相を帯びるのである。「幸福の王子」は貧しい住人たちのことを知らず、生前の幸福はその無知によってもたらされていたし、戴冠式のきらびやかな装束や宝石に嬉々とする「若き王」はそれが貧しい者たちの命と引き換えにもたらされたことに気づいてはじめて拒絶する。美しいゆえに不遜な「星の子」は醜くなり世界をさすらった果てに王として認められ、『漁師とその魂』の漁師は魂の誘惑に負けるが、愛を貫き通す。

(36) The Fisherman and His Soul. In: The Works of Oscar Wilde. Vol. 3. New York 1980, p. 67-134, here pp. 76. 以下、本書からの引用は、本文中に略号 FS とともに頁数を丸括弧に括って示す。訳出には『オスカー・ワイルド全集 Ⅲ』西村孝次訳、青土社、一九八〇年。『幸福な王子／柘榴の家』小尾芙佐訳、光文社、二〇一七年、一六九～二三四頁を参照した。

(37) 『オデュッセイア』では、オデュッセウスがセイレンの歌声を聞くために船乗りたちの耳を蝋でふさがせ、自らを縄できつく縛らせたが、『漁師とその魂』では誘惑者は人魚ではなく魂であり、漁師は魂の言葉に従わないように自らを縄で縛る。

(38) 漁師の心臓が破れるこの場面は、『ウンディーネ』や『人魚姫』の最後の場面と似て異なっている。『ウンディーネ』では、水の女が騎士を抱きしめ死の口づけをして泣き、やがて騎士の心臓がとまる。『人魚姫』では人魚が王子に口づけし、人魚の心臓が破れる。

(39) 一五三一年にアウグスブルクで刊行された、アンドレア・アルチャーティ（一四九二～一五五〇）の『エンブレム集』には、二頭の獅子を手綱で御して車を走らせる愛神クピドを描いたエンブレムがあり、「最も強力な情念たる愛」というモットーが掲げられている。このモットーは先のウェルギリウスの『牧歌』第一〇歌にある「愛はすべてに打ち勝つ」に拠る。アンドレア・アルチャーティ『エンブレム集』伊藤博明訳、ありな書房、二〇〇〇年、一四七頁参照。

(40) 『コンラート作品集』平尾浩三訳、一九八四年、郁文堂、四一〜四二頁。コンラート・フォン・ヴュルツブルクの『心の臓の物語』は、ドイツ文学の中で心臓を食らう物語として最古のものである。『心の臓の物語』の原典は不明であるが、一三世紀に書かれたフランスの叙事詩『ギレム・ド・カベスタン』にその類型をみることができる。平尾、一七九頁参照。

(41) 平尾、四三頁参照。

(42) 布さらしの野(Fuller's field)は旧約聖書(列王記下一八:一七、イザヤ書七:三、三六:二)に登場する。旧約聖書には「布さらしの野へ行く大路に沿う上の池の水路」という決まった表現があり、上の池は、エルサレムの東の丘、ケデロンの谷にある泉ギホンをさす。ソロモンがこの泉で祭司に油を注がれる儀式を受けて王になったとされる。布さらしの野は粘土質のフラー土のため植物は育たないが、毛織物などの縮絨工(fuller)が油のろ過や染料の漂白に用いた。

(43) ギリシア神話の女神アフロディーテとローマ神話の女神ヴィーナス(Venus, ラテン語名ではウェヌス)は同一視されていく。ドイツでも、ミンネのアレゴリーにおいて、ヴィーナスとミンネ夫人(Frau Minne)が同一視される。

(44) 『漁師とその魂』はワイルドが生涯で二冊の童話集を出版したうちの、二番目の『柘榴の家』(*A House of Pomegranates*, 一八九一)に収録されている。評判の高かった一冊目の『幸福の王子』(一八八八)とは対照的に、『柘榴の家』は、初版の出版直後から表紙や挿絵が過度に審美的である、子供向けの話としては表現が官能的で華美であるという批判にさらされた。しかし、そうした批判は、初版の『柘榴の家』の表紙に描かれた孔雀と柘榴が象徴するものを理解していないためである。孔雀の肉は腐敗しないとする古来の考えにならい、キリスト教では孔雀を再生、不死、肉体の復活、キリストの復活の象徴とみなした。一方柘榴は、その種子の多さから生命力、多産、豊穣の象徴で、愛と美の女神アフロディーテの持物とされる。ギリシア神話では、ゼウスが巨人族ティタンの手からディオニュソスの心臓を取り戻したとき、心臓からたれた血から柘榴が生えたことや、ペルセフォネが冥府で柘榴の種を食べたため、一年のうち半年は冥府ですごさなければならなくなったことから、柘榴は再生の象徴にもなり、キリスト教においてはイエスの復活を象徴する。孔雀と柘榴はともに、再生や復活の象徴なのである。『柘榴の家』に収録された四編のなかには柘榴の家という題名の作品はなく、孔雀も柘榴も四編の物語に直接関係しない。孔雀はすべての物語の中に現れ、柘榴は『星の子』に登場する「柘榴の木の茂み」という表現以外は『漁師とその魂』に集中する〈魂がさまよう異国の地で、魂が実をもいで汁を飲む「柘榴」、「柘榴通り」、「柘榴の庭」〉。ワイルドも一八九三年六月に出版社に宛てた手紙の中で「わたしが柘榴を置いた〈漁師とその魂〉」と書いており、柘榴が象徴する再生と復活の物語は、『漁師とその魂』であるといえる。Cf.) Holland, Merlin/Hart-Davis, Rupert (eds.): The Complete Letters of Oscar Wilde, New York (Henry Holt and Company) 2000, p. 503, 567. 島原、「オスカー・ワイルド〈漁師と魂〉論」、一～三頁参照。『西洋シンボル事典』、「孔雀」一〇四頁、「柘榴」一三三頁参照。『西洋美術解読事典』、「孔雀」一一〇頁、「柘榴」一三九頁参照。Cf. Das Große Bildlexikon der Symbole und Allegorien. Matilde Battistini/Lucia Impelluso, Berlin (Parthas Verlag) 2012, Granatapfel, p. 369f.; Pfau, p. 471f.

（45）徳井、二二六頁参照。

聖心イメージとハプスブルクの聖人たち

――金羊毛騎士団を手がかりに

蜷川 順子

はじめに

ブルゴーニュのフィリップ（三世、善良公、一三九六年～一四六七年）が一四三〇年に創設した金羊毛騎士団は、ブルゴーニュのマリー（一四五七年～一四八二年）と結婚したハプスブルクのマクシミリアン（一世、一四五九年～一五一九年）にとって、軍事的というより文化的華麗さを代表する憧憬すべき存在であった。ブルゴーニュ公国滞在中に、騎士団に代表されるような軍事的でありながら文化的でもある多方面からの刺激を受けて、マクシミリアンは軍事にあけくれたその生涯に、神聖ローマ帝国君主の地位と治世を確固たるものとすることをめざし、文化事業にも心血を注いだ。ここでは、近世の聖心イメージの展開において、世俗領主が主導した特殊なものとして、彼が発注した『ハプスブルク家の聖人たち（皇帝マクシミリアン一世の親戚、婚戚、姻戚出身の聖人たち）』に見られる聖心イメージに注目したい。

ところで、一八五六年に教皇ピウス九世（一七九二年～一八七八年）がイエスの聖心の祝祭を普遍教会に拡張することを認可して以来、これこそが唯一無二の聖心だとする考え方がある。[1] しかしながら、この認可に至るまでの聖心崇敬の広がりに鑑みるならば、[2] 複数の聖心イメージを語ることができるだろう。というのも、イエスやマリアや聖人たちのものから、そのハート――ここでは精神的意味での心と身体的意味での心臓を含みもつ用語として用いる――を聖なる人物たちに捧げようとするキリスト教平信徒たちのものにいたるまで、中世以来さまざまなハート・イメージが祈りの場に登場していたためである。[3]

ハプスブルク家と関係する聖人たちに関して、各種のイメージ・ソースがあるが、ここでは、『ハプスブルク家の聖人たち』を図解するために考案され、刊行準備がなされた木版画シリーズにみられる聖心イメージを扱う。これらは一六世紀に試し刷りがなされただけで刊行されず、一七九九年になってアダム・バルチュ（一七五七年～一八二一年）によって新たに刷られ、はじめて書籍として刊行された。[4] 本稿では、ここに見られるいくつかの聖心イメージの意味と、それらが描かれた経緯をあきらかにしたい。

一　オーストリアのマクシミリアンと金羊毛騎士団

オーストリアのマクシミリアンは、一四七七年に行なわれたブルゴーニュのマリーとの結婚を機に、金羊毛騎士団のメンバーになった。彼が実際に騎士団に受け入れられたのは、翌年四月三〇日にブリュッへのシント・サルヴァトール聖堂で行われた総会においてであり、そのとき同時に第一三代目の総長に就任したのである。ゼーラントからエノーへ軍事移動する途中のブリュッへで行われた入団式の様子は『フランドル年代記』（ブリュッへ、公共図書館、ms. 437, fol.411v）の一葉に描かれている。聖堂内の身廊に設置された仮設台の上で、マクシミリアンの右側に立つアドルフ・フォン・クレーフェ（一四二五年～一四九二年）が先輩メンバーとして、剣で肩をたたく入会の儀式を執り行なっている。[5] アコレードあるいはリッターシュラーゲ（ラテン語：*benedictio militis*）とも呼ばれるこの儀式は、中世における騎士身分関係の儀式の中心をなす。騎士団の最年長のメンバーが左側に跪いて、一四七七年にナンシーの戦いで没したシャルル突進公（一四三三年～一四七七年）の首章を彼に渡している。この首章は、ブルゴーニュ公の城館から儀式の会場がある聖堂に行列をなして運ばれるまでの間、騎士団や宮廷関係者や同市市民たちに顕示され、ブルゴーニュ公から唯一の遺児マリーの夫オーストリアのマクシミリアンへの――騎士団のみならず領土や支配権――の移譲を、実際にというより象徴的に示すものとなった。[6]

マクシミリアンは、一四八一年五月六日には、セルトーヘンボスのシント・ヤンス大聖堂で開催された総会でも第一四代総長に選ばれたが、翌年予想だにしなかった形で、妻のマリーが、落馬がもとで急死してしまう。[7] 機に乗じてフランス王ルイ一一世（一四二三年～一四八三年）が領有権を主張してきたが、マクシミリアンは亡き妻の領土を守り続けた。彼はブルゴーニュ公国を支配するにあたって多くの困難に直面したものの、一四九一年五月二四日にメヘレンで行われた総会において、第一五代金羊毛騎士団総長のポストを息子フィリップ（四世、一四七八年〜一五〇六年、美公、カスティーリャ王潜称）に譲ることができた[8]。

その一方でマクシミリアンは、神聖ローマ皇帝であった父フリードリヒ三世（一四一五年〜一四九三年）の支援を受けて、一四八六年四月九日にアーヘンでローマ王（ドイツ王あるいはゲルマン王とも呼ばれる）冠を授けられた。フィリップ美公の名前でマリーの遺産を管理し続けたマクシミリアンだったが、執政の任期が終わった後、父が没した一四九三年にブルゴーニュを離れ、神聖ローマ帝国の支配者となったのである[9]。

設立当初の金羊毛騎士団には限られた数の騎士しか入団できず、はじめ二四人だったのが一四三三年には三〇人になっていた[10]。一四九七年にマクシミリアンは、オーストリアの騎士の制限数を引き上げて、ブルゴーニュと同じにするよう提案したが、これを認めさせることはできなかった[11]。一六世紀の最初の一〇年間には、抗いがたい政治的後退に苦しめられた。その最たるものは、一五〇八年にトレントで皇帝候補として戴冠し、シャルルマーニュ以来伝統となっていたローマでの皇帝冠戴冠をめざして南下していたときのことである。彼の行く手は、ヴェネツィアの妨害行為によって阻まれ、彼は他の皇帝が経験したような、教皇の手による戴冠をローマで受けることができなかった[12]。

皇帝という地位に対するさまざまな敵対行為を受ける中で、彼はその軍事的政治的強さを補うべく、文化的芸術的武装を模索し始めた。ブルゴーニュ宮廷の豪奢を体験したのち、一四九二年という早い時期に、彼は人文主義者ハインリヒ・ベーベル（一四七三年〜一五一八年）のすすめに応じて、口述する自らの伝記を書きとらせることにした[13]。一五世紀のブルゴーニュの伝統の中でも、よく知られたオリヴィエ・ド・ラ・マルシュ（一四二五年〜一五〇二年）のロマンス小説『不屈の騎士』（一四三八年）や、ジョルジュ・シャトラン（一四〇四／一五年〜一四七五年）らによって編纂された年代記が、より大規模なプロジェクトのモデルとなった。彼の死後も後継者たちによって引き継がれた事業もある[14]。

二　マクシミリアンと『ハプスブルクの聖人たち』

本論で扱う『ハプスブルクの聖人たち』もこうしたプロジェクトの一つである。これは他の系譜論的プロジェクトと連携して企画されたものである。言うまでもなく系譜論は、君主にとって正統性の源にして、宗主権や権威一般を支える自明の中核である。そして彼は、王朝の安定性と継続性を保証するためには系図が必要であることを痛いほど理解していたに違いない。[15] 一般的に述べるなら、高貴な名門や王朝の歴史は実際の系譜を超えて、その起源を発生譚や神話によって正当化し、解釈されるものでなければならず、このことがいかなるギャップや不連続性をもカバーすることになる。

マクシミリアンが彼の一門の系譜や係累の前史を掘り起こすための一種の宮廷研究所を創設したことは注目に値する。[16] ヨハンネス・シュタービウス（一四六〇年頃～一五二二年）、シュポンハイム修道院長ヨハンネス・トリテミウス（一四六二年～一五一六年）、ヤーコプ・メンネル（一四六〇年頃～一五二七年以前）やコンラート・ポイティンガー（一四六五年～一五四七年）らが、文書史料その他の証拠を集めて互いの発見を比較し、相互批評を試みている。シュタービウスは、トリテミウスが作成した系譜を根拠希薄だと批判して、良く知られた批判的カリカチュア【図1】を残している。ここではハプスブルクの鷲が、トリテミウスという修道院長兼系譜学者を象徴する僧衣から、獅子や否定的な意味をもつ蛇の頭部と共に現れている。[17] 上述の宮廷研究所で遂行された系譜研究は、後続の学者たちに影響を与え、やがてアカデミックな研究システムを発展させることになった。

【図1】シュタービウス《トリテミウスのカリカチュア》, 1515-1520, ウィーン国立図書館 cod. 3327, fol. 6r.

王朝の年代記五巻のうち第五巻をなす『ハプスブルクの年代記』は、ノアやトラヤヌス帝の神話的物語に言及し、またフランク王国との繋がりを作りだし、このような繋がりがマリー・ド・ブルゴーニュとマクシミリアンの結婚よりはるかに古くからあることを、確実なものにしようとしている。[18] この巻は二分冊になっていて、『ハプスブルクの聖人たち』の基本的発想を示す『系譜』では、ハプスブルク家の神聖性を例示して、神聖ローマ帝国の皇帝にふさわしい家柄であることを顕示しようとするのである。[19]

『ハプスブルクの聖人たち』は、一連の「マクシミリアンの系譜を拡張するような、先祖であってほしい、聖人であってほしい人物たち」の集合である。[20] メンネルが著し、ポイティンガーが監修し、皇帝マクシミリアン一世の注文と負担で制作されたこの作品は、メンネルの『系譜』にすでに記されているフランスやブルゴーニュとの繋がりを強調することを狙ったものである。

【図2】レオンハルト・ベック他《聖レミギウス》, 木版原板、24 x 21x2.3cm, アルベルティーナ、ウィーン.

『ハプスブルクの聖人たち』は、聖人を描いた一二三枚のプレートから成り立っているように思われるが、もともと予定されたのは一〇〇枚ではなかったかとシモン・ラシッツァーは推測している。[21] 一五一七年から一九年までの間に、レオンハルト・ベック(一四八〇年頃〜一五四二年)が八九枚の試し摺り木版画を制作した。[22] このセットには元来、マクシミリアンの一門に生まれた聖人たちのみが含まれることになっていた。しかしながら、実際には、一門には含められない人物のイメージも数点散見される。さらには、普遍教会で認められている規準に合わない地方の聖人のものも何点か入っている。一一六五年に時の皇帝の政治力で列聖されたとされる初代皇帝シャルルマーニュも含まれた。これらは、上述のようにバルチュが一一九の版木から新たに印刷して編集した出版物から知られ、版木などは現在

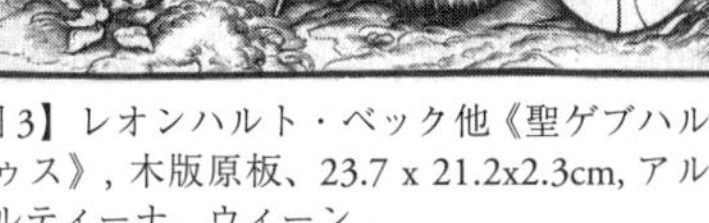

【図3】レオンハルト・ベック他《聖ゲブハルドゥス》, 木版原板、23.7 x 21.2x2.3cm, アルベルティーナ、ウィーン.

ウィーンのアルベルティーナ美術館に収められている。[23]

聖人たちの傍らに、当時人気のあった信心用モティーフも含まれている。たとえば、聖レミギウスのページにはヴェロニカ【図2】が描かれている。この像に対して、一二一六年にインノセント三世（一一六一年〜一二一六年）は特別な祈禱文を著わし、像を前にした祈りに最初の贖宥を認めた。[24] また無原罪の御宿りの概念は、一八五四年になってようやくピウス九世によって教義的に認められるものだが、これに関連した太陽を着た女【図3】のイメージが聖ゲブハルドゥスのページに見られる。一四八〇年頃に教皇シクストゥス四世（一四一四年〜一四八四年）は、この像を前にした祈禱文を著わし、贖宥を認めている。[25] さらに、聖心イメージを通して、本論の主題に出会うことになる。

三　聖心とハプスブルクの聖人たち

『ハプスブルクの聖人たち』の各画面中央には、屋内または屋外にいる聖人の姿が描かれ、その伝説または信心用イメージからよく知られたアトリビュートが置かれている。聖心は、聖女アマルベルガII、聖女アマルベルガIII、聖女エレントルーディスという三人の聖女たちの傍らに描かれている。架空のものである彼女たちの描写からは、衣装、髪型、周囲、紋章などのどれをとっても、いかなる時代考証も行うことができないように思われるが、最近の研究から彼女たちの歴史的背景を知ることができる。

『ハプスブルクの聖人たち』に描かれた三人のアマルベルガのうち、聖女アマルベルガI【図4】は、ヘントのア

【図5】レオンハルト・ベック他《聖女アマルベルガII》, 木版原板、23.7 x 21.1x2.3cm, アルベルティーナ、ウィーン.

【図4】レオンハルト・ベック他《聖女アマルベルガI》, 木版原板、23.7 x 20.9x2.3cm, アルベルティーナ、ウィーン.

マルベルガ（アマリア）と同定することができる。伝説によれば彼女は、フランク族の高貴な家の出身だとみなされるが、それ以上のことはわかっていない。(26) 聖女アマルベルガⅡ【図5】は、ロートリンゲン公ウィトガーの妻にして、ランデンのピピン（一世、五八〇年頃～六四〇年）の姪または妹であったモーボージュのアマルベルガである可能性が高い。この二人は、したがって、ハプスブルクの系譜にはっきりと組み込まれることができる。(27) しかしながら、修道女として描かれている聖女アマルベルガⅢ【図6】は、カロリング朝ともメロヴィング朝とも関係がないツヴェンティボルド王（八七〇年頃～九〇〇年？）の娘の支配地として知られるズュステレン（オランダ）のアマルベルガかもしれない。(28) しかしながら信頼できるアトリビュートがないため、彼女を特定することはできない。一五一九年にマクシミリアンが没したので、これらのイメージの考察のために用いることができる文書は残されていない。歴史家ヤーコプ・メンネルの構想も、この部分に関して不明瞭である。彼は、カールマンの妻アマルベルガ（祖母）と、ヘンネガウ伯ヴァンスバースの妻となった、彼女の娘のアマルベルガ（母）と、その娘アマルベルガが描かれているとした。(29) 別の箇所でメンネルは「ハスベゴウのアマルベルガ」に言及し、系統樹では「聖

【図6】レオンハルト・ベック他《聖女アマルベルガ III》,1517, 木版原板、23.9 x 21x2.3cm, アルベルティーナ、ウィーン.

【図7】レオンハルト・ベック他《聖女エレントルーディス》, 1517, 木版原板、23.8 x 20.9x2.3cm, アルベルティーナ、ウィーン.

ウィトガーの妻アマルベルガ」と書いている。[30] 木版画にある紋章が空想上のものでなければ、実際のところがわかるかもしれないのだが、これは実在しないものである。

ザルツブルクの聖女エレントルーディス【図7】は聖ルペルト（?〜七一七年）の姪で、彼が彼女をヴォルムスからザルツブルクに連れてきて、ノンベルクにあるベネディクト派の女子修道院の修道院長にした。伯父ルペルトは、ザルツブルク初の司教で、フランク王国メロヴィング朝の直系である。レオは、エレントルーディスが炎に包まれたハートのヴィジョンを見たという伝説に触れている。[31] おそらく、この木版画に基づいて、そのように記したのであろう。

聖心イメージがあるこれらの聖女は、フランク王国、すなわちフランスと繋がりがある。しかしながら、聖心イメージは、彼女たちのアトリビュートでもエンブレムでもなく、信心用の画像で、ネーデルラントやドイツで非常に人気があった。中世においては、フランスでは比較的数が少なかった。

聖心のことは、聖書のみならず、聖アウグスティヌスその他の文献テクストで言及されている。しかしながら、視覚イメージは異なる。現存するもっとも初期の作例は、コンスタンツ宗教会議（一四一四年〜一四一八年）の頃にまで遡ることができる。

この会議の決議の中には、よく知られたシスマの終焉以外に、ヤン・フス（一三六九年頃～一四一五年）が異端とされたことがあった。その理由の一つは、彼がウトラキスム（*sub utraque specie.* 聖体は二種類で行われるべきだという考え方）の立場を採ったことである。カトリック教会はコンコミタンスという、各聖体は両聖体を含みうるという考え方を主張したので、フスを断罪したのである。心臓は肉でもあり血でもあるため、ハート形は、この主張にとって適切な視覚イメージを提供した。[32]

ハート形を用いながら、宗教者たちは、そこに傷と血を添えることで、聖心を世俗のハートから慎重に区別しようとした。カリタスの描写においてさえ、ジョットは血管を目立たせた科学的あるいは医学的なイメージを用いた。[33] 世俗のハート・イメージは一三世紀頃に登場し、写本挿絵や壁画や木版画や象牙彫りやタピスリや絵画などで、トルバドゥールの歌やロマンスや道徳譚に多数添えられるほど人気を博した。[34]

マクシミリアンはマリーに宛てた手紙で、彼女にそのハートを贈ると述べている。『フランドル年代記』（ブリュッヘ、公共図書館、ms 437）の挿絵の中に、マリーとマクシミリアンが会っている場面があり（fol. 335v）、マリーに何か赤いものを差しだすマクシミリアンが描かれている。マリーの方は、当時結婚や婚約を典型的に表わしていたカーネーションの花を差しだしている。[35] この丸い赤いものをパリのクリュニー博物館に保管されている、一五世紀初頭のフランスまたはフランドルで制作された《愛の園》のタピスリに描かれているような典型的なハート形のものと比較するなら、これがマクシミリアンのハートを表わしたものだとわかる。[36]

聖心イメージは公式に教皇庁に認められたものではなかったが、上述のように、ネーデルラントにはあきらかにそれに関する信仰儀礼があった。ハービソンが指摘したように、ヤン・ファン・エイクのドレスデンの三連画は、聖心の典礼と関係している可能性が高い。[37] マクシミリアンが滞在していた頃には、その他の信心用イメージも多数見られたと思われ、マクシミリアンは聖心儀礼の広がりとその影響力に精通していたものと思われる。

【図 8】作者不詳《聖フランシスコ・ザビエルの像》17 世紀前期、神戸市立博物館

【図 9】イェルク・ケルデラー工房《聖女エレントルーディス》, 1516-1517, ウィーン国立図書館 cod. 2857.

四 『ハプスブルクの聖人たち』に見られる聖心イメージ

四―一、聖女エレントルーディスの場合

上述のように、伝説によれば、ザルツブルクの聖女エレントルーディスは、炎に包まれたハートのヴィジョンを見た(38)。ここで彼女は修道女として描かれ、膝のうえに聖なる書物を広げて祈禱室に座っている。彼女は、傷から血を滴らせながら空中に浮かんでいる傷ついたハートを眼前にしている。炎に包まれたハートには十字架が立っている。ハートの上に立つ十字架から思い出されるのは、ドイツ初のイエズス会の学校があったインゴルシュタットに見られる類似のイメージである(39)。イエズス会は一六世紀の後半には聖心崇敬を熱心に推し進め、おそらく同世紀に日本にもそのイメージは到達していたと思われ、一七世紀前期に日本で制作されたフランシス・ザビエルの肖像にそれが認められる【図8】(40)。しかしながら、このようなイメージは、イエズス会がそれを使い始める前からすでにあきらかに存在しており、『ハプスブルクの聖人たち』を構想したヤーコプ・メンネルは、このイメージを宮廷画家のイェルク・ケルデラー(一四六五/七〇年～一五四〇年)、あるいは「マリアツェルの画家」に注文している(41)。その線描【図9】において、画家はまる

で聖女のアトリビュートであるかのように扱っているが、後により物語的な場面へと移し変えられたのである。[42]

四―二 アマルベルガⅡ

アマルベルガⅡは、修道女というより、ロッジアのようなコーナーに置かれた椅子に座る、初老の貴婦人として描かれている。そこからは、堅固な城館を包む山並みを背にした風景が広がっている。描かれているのは、壁に現れた聖心イメージを前に、彼女が読書をやめた瞬間であろう。エレントルーディスの場合とは対照的に、イエスの両手、両足、心臓の傷だけが、三重円をなす放射光を背に浮かんでいる。同じタイプの二重円が、彼女の頭部の後ろに付けられている。

ところで、聖心イメージはハート形がもつ世俗的意味内容との関連で議論になっていたので、夥しい血がしたたり落ちる大きな傷をもち、世俗のハートと間違えられそうもない大きな血管の痕跡を上部に残していた。[43] 聖書はイエスの心臓の傷については何も語っていないけれども、槍が向かって左から脇腹を刺し（あるいは、時に、右からとして描かれる）心臓に達したかもしれないこと、槍はイエスが死んだことを確かめるためだけだったことを読みとることができる。[44] 胴体が消えているこのようなタイプの聖心は、ドイツだけではなくオランダでも見られ、カルトゥジオ会士ウィレム・ファン・ビボウトの二連画の表紙にあるような個人的イメージ【図10】や、祈りの言葉が書かれた木版画に

【図 10】マグダラのマリア伝の画家《ウィレム・ファン・ビボウトの二連画》, 1523, アムステルダム、個人蔵

見いだされる。さらに、南ドイツに広がっていた聖槍崇敬と結びつく、「聖槍図」と呼ばれるイメージも存在した。(45)

四―三 アマルベルガⅢ

アマルベルガⅢは修道女として描かれ、素朴なロザリオを軽く握っている。彼女もロッジアのような、あるいは建物の入り口のような所に立っていて、木々の間から城館が見える山地の風景を臨むことができる。彼女も頭の後ろに、三重円の放射光からなるニンブスをつけて、絵の中から観者の方を見つめている。彼女の右の方に、巨大な四角い柱の一部が見えていて、その上にある円形枠に虚構の紋章が描かれている。彼女の右の方には、奇妙なことに二本の円柱が立っていて、二本が平行に並んでいるようだが、奥の柱には台座がなく、宙に浮かんでいるように見える。二つの柱の間には、まるで空中の穴から現れたような聖心イメージが浮かび、空中の雲か、または様式化された花弁の描写を思い起こさせる、うねるような帯に囲まれている。

このハートは例外的である。イエスの聖心は聖餐と関係しているので、血を欠くことはないと思われる。しかしながら、ここに血はなく、異なるタイプの傷跡がある。これはイエスの聖心とは異なる聖母の聖心である可能性が高い。彼女のハートも、シメオンの預言で述べられたような彼女の悲しみゆえに、傷があるように描かれる。ここでのハートは、右側に傷があるが、血はでていない。左側には傷はない。一筋の雲がたなびき、その上に十字架が現れている。ハートの上にある二つの穴は大動脈と大静脈の断面だが、血は描かれていない。

聖母の聖心に関して、もっとも注目すべき作例は、ルーカス・クラーナハ（父）が一五〇五年に制作した木版画【次頁の図11】に見られる。これは、ザクセン選帝公フリードリヒ三世（賢公、一四六三年〜一五二五年）の注文で、ペスト撃退の図として描かれた。ここで、空中にいる天使たちが大きなハートが描かれた盾を支えもっている。このハートそのものの中に磔刑がある。地上には、左から右へ、ペスト撃退の祈願図によく描かれる聖セバスティアヌス、聖母、聖ヨハネ、聖ロクスが並んで跪き、神の恩寵を祈願している。(46)

【図 11】ルーカス・クラーナハ（父）《聖心（ペスト撃退図）》, 1505, アルベルティーナ美術館、ウィーン

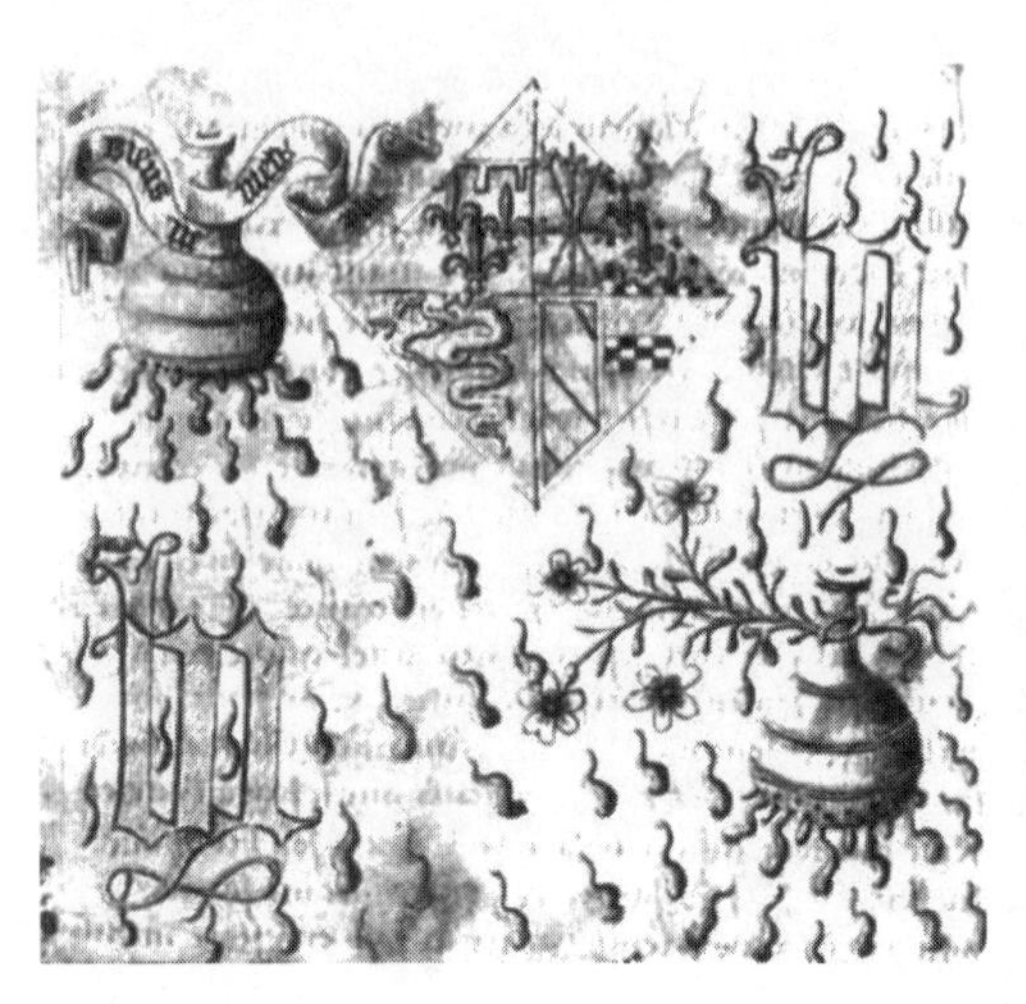

【図 12】作者不詳《ジョロと三色スミレ（マリー・ド・クレーヴのドゥヴィーズ）》, 1455-1456 パリ国立図書館 ms. fr. 25528, fol.1.

ハートの左半分は喜びで膨らみ、右半分は涙に覆われている。この形を聖霊や汗の形だという研究者もいるが、フランスの写本挿絵に見られる涙の形と比べることができる【図12】[47]。しかしながら、涙が流れる方向は、上下逆転していて、下から上へと流れているのは、マリアが下に跪いているからであろう。上部の血管からは、荊冠装飾を通して光線が放たれ、勝利を表わしている。喜び、悲しみ、勝利は、聖母の三玄義をなす。彼女の息子は、磔刑という究極の秘蹟として、彼女のハートの中にいるのである。

マクシミリアン、あるいはハプスブルクにとって問題なのは、このイメージが後にいわゆる「ルターの薔薇」のマークへと展開することである。このマークはマルティン・ルター（一四八三年～一五四六年）の著作の表紙に数多く見られるが、現存する最初の例は、一五二四年の刊行物にある[48]。しかしながら、ルターはこの出版物よりも前から、これを用いていた可能性があり、プロテスタントのバナーになったのは一五三〇年のことである[49]。そのため、このイメージは、ハプスブルクが使うには、あまりに危険を伴うものとなったのではないだろうか。

五　まとめに代えて

ハプスブルクのマクシミリアンは、彼がブルゴーニュのマリーと結婚した一四七七年に金羊毛騎士団のメンバーとなり、一四七八年から一四八一年の間に二度総長になった。彼にとってもっとも重要なことは、息子フィリップのために、マリーが遺した領土と騎士団内の地位を守ることにあり、フィリップは一四九一年に総長になった。継承と系譜はマクシミリアンにとって一種の強迫観念のようなものであった。彼がブルゴーニュに滞在している間、その華麗さが彼を魅了し、自らの系譜を調べて確定させるよう促し、その系譜の中でも彼は、フランスすなわちブルゴーニュとの繋がりを強化、顕示しようとしたのである。

彼は神聖ローマ帝国の皇帝に選ばれたので、彼の系統に如何に多くの聖人がいるかを示すことも重要であった。彼の注文で、ヤーコプ・メンネルは『ハプスブルクの聖人たち』の草稿を書き、何人かの芸術家たちが聖人像を描き、それに聖心を含む人気のある儀礼や贖宥イメージを添えた。

しかしながら、激動の時代にあってマクシミリアンは、すべてのイメージが必ずしもハプスブルクにとって適したものではないかもしれないことを、察知したのであろう。おそらくこのことが、体力の低下した晩年の彼が、かさむ戦費も見据えて、この作品の印刷を命じなかった理由の一つかもしれない。実際、この作品には、アマルベルガⅢのページにある聖母の聖心のような、ハプスブルクの敵であったプロテスタントの「ルターの薔薇」に応用されることで二律背反的になってしまう儀礼イメージが、含まれていたのである。

＊本稿は、二〇一八年九月二四日にウィーン大学で開催された、金羊毛騎士団に関する第五九回中欧ブルゴーニュ（一四～一六世紀）研究会での発表原稿および同研究会の研究誌に発表した以下の原稿に手を加えたものである。Junko NINAGAWA, "Sacred Hearts and the Saints connected with the members of the Order of the Golden Fleéce," *Publication du Centre Européen d'Études Bourguignonnes (XIVe-XVIe s.)*, 59, 2019, p. 251-270.

【註】

（1）*New Catholic Encyclopedia*, vol.12, eds. T. CARSON and J. CERRITO, Detroit, 2003 (1st ed., 1967), p. 491.

（2）拙著「ポンペオ・バトーニのイエスの聖心」『美術フォーラム』四一号、二〇二〇年、一一三～一一八頁。

（3）聖なる領域にも、さまざまなハート・イメージがみられる。たとえば、「神に捧げるハート」（ヒッポのアウグスティヌス、ジャン・ジェルソン他）、「神と交換するハート」（シエナのカタリナ他）、「示すハート」（ジャン・ユード他）、「ハートに書く、記憶する」（アンティオキアのイグナシウス他）などである。拙著『聖心のイコノロジー』関西大学出版部、二〇一七年、同編著『ハート形のイメージ世界』晃洋書房、二〇二一年をみよ。

（4）S. LASCHITZER, "Die Heiligen aus der »Sipp-, Mag- und Schwägerschaft« des Kaisers Maximilian I," *Jahrbuch der Kunsthistorischen Sammlungen des Allerhöchsten Kaiserhauses*［以下、*JKSAK* と略］, 4, 1886, p. 70-289, esp. p. 70. バルチュについては、保井亜弓「アダム・バルチュ――版画史家として、あるいは版画家として」『言語文化』三八号、二〇二一年、一〇八～一二五頁。

（5）*Das Berliner Stundenbuch der Maria von Burgund und Kaiser Maximilians*, ed. E. KÖNIG, with a contribution by F. ANZELEWSKY, "*Bella gerant alii, tu felix Austria nube (Anonym) Elle avoit son coeur en Germanie*," Berlin, 1998, p. 22.

（6）儀式の詳細については、*Der Übergang an das Haus Habsburg (1477 bis 1480)*, ed. S. DÜNNEBEIL, Frankfurt am Main, 2016 (Die Protokollbücher des Ordens vom Goldenen Vlies, 4), p. 22-31 and p. 105-174. しかしながら、マリーをはじめ宮廷の女性たちの席

は、身廊に沿って置かれた。*Ibid.*, p. 20.

（7）H. WIESFLECKER, *Jugend, Burgundisches Erbe und Römisches Königtum bis zur Alleinherrschaft 1459-1493*, Munich, 1971 (Kaiser Maximilian I: das Reich, Österreich und Europa an der Wende zur Neuzeit, 1), p. 88-96.

（8）W. BRÜCKLE, “Review of L’Ordre de la Toison d’or de Philippe le Bon à Philippe le Beau (1430-1505) : idéal ou reflet d’une société ? ; Ausstellung, Brüssel, Bibliothèque Royale, 27.9-14.12.1996,” *Kunstchronik*, 50, 1997, p. 510-520.

（9）WIESFLECKER, *Jugend*, p. 88-96; H. G. KOENIGSBERGER, *Fürst und Generalstaaten: Maximilian I in den Niederlanden (1477-1493)*, Munich, 1987 (Schriften des Historischen Kollegs, 12), p. 5-27.

（10）S. DÜNNEBEIL, “Die Entwicklung des Ordens unter den Burgunderherzögen (1430-1477),” in *Das Haus Österreich und der Orden vom Goldenen Vlies: Beiträge zum wissenschaftlichen Symposium am 30. November und 1. Dezember 2006*, Graz and Stuttgart, 2007, p. 13-36.

（11）L. AUER, “*Der Übergang des Ordens an die Österreichischen Habsburger,*” in *Ibid.*, p. 53-64.

（12）L. SILVER, *Marketing Maximilian: The Visual Ideology of a Holy Roman Emperor,* Prinston and Oxford, 2008, p. 12.

（13）*Ibid.*, p. 1; D. HAYTON, *The Crown and the Cosmos: Astrology and the Politics of Maximilian I*, Pittsburgh, 2015, p. 20.

（14）SILVER, *Marketing*, p. 1-40; HAYTON, *The Crown*, p. 14-36, esp. p. 21.

（15）B. KELLNER and L. WEBERS, “Genealogische Entwürfe am Hof Kaiser Maximilians I (am Beispiel von Jakob Mennels *Fürstlicher Chronik*),” *Zeitschrift für Literaturwissenschaft und Linguistik*, 37, no.3, 2007, p. 122-149; SILVER, *Marketing*, p. 41-76; HAYTON, *The Crown*, p. 14-36.

（16）*Ibid.*; KELLNER and WEBERS, Genealogische, p. 122-125; SILVER, *Marketing*, p. 41-76.

（17）S. LASCHITZER, “Die Genealogie des Kasers Maximilian I,” *JKSAK*, 7, 1888, p. 1-46, esp. p. 23; KELLNER and WEBERS, Genealogische, p. 125-127.

（18）*Ibid.*, p. 128 ff.

（19）D. MERTENS, “Geschichte und Dynastie - zu Methode und Ziel der ‘Fürstlichen Chronik’ Jacob Mennels,” *Oberrheinische Studien*, 7, 1988, p. 121-153.

（20）SILVER, *Marketing*, p. 37.

（21）LASCHITZER, Die Heiligen, p. 72.

（22）*Ibid.*, p. 70. ベックについては以下をみよ。“Images de Saints et Saintes. Plate 72. Sainte Madelberte ou Machtelberthe, vierge, abbesse de Maubeuge” by Hill Museum & Manuscript Library.
25 Aug. 2018 <http://cdm.csbsju.edu/digital/collection/ArcaArt/id/8926>.

（23）アルベルティーナ美術館のウェブサイトでは、関連する127点がヒットする。
23 Aug. 2018 <http://sammlungenonline.albertina.at/#58668444-9ccd-4dfb-a99f-864f584dc631>.

（24）聖レミギウスのページは、LASCHITZER, Die Heiligen, Tafel（以下T.）85. インノセント三世が作成した特別な祈りに対する贖宥については、H. BELTING, *Bild und Kult - Eine Geschichte des Bildes vor dem Zeitalter der Kunst*. Munich, 1990, p. 247-249; G. WOLF, *Schleier und Spiegel : Traditionen des Christusbildes und die Bildkonzepte der Renaissance*, Munich, 2002, p. 52-55 ; S. LEWIS, *The art of Matthew Paris in the Chronica majora*, Aldershot, 1987, p. 126.

（25）聖ゲブハルドゥスのページは、LASCHITZER, Die Heiligen, T. 38. このイメージに関連する贖宥については、S. RINGBOM, “Maria in Sole and the Virgin of the Rosary,” *Journal of the Warburg and Courtauld Institutes*, 25, 1962, p. 326-330.

（26）聖女アマルベルガⅠについては、LASCHITZER, Die Heiligen, T. 7; G. KASTER, “AMALBERGA, Übersicht,” and L. SCHÜTZ, “AMAKBERGA (AMALIA) von Gent,” in *Lexikon der christlichen Ikonographie*, vol. 5, eds. E. KIRSCHBAUM, W. BRAUNFELS, Freiburg im Breisgau, 1973［以下、*LCI* と略］, cols. 107-108; L. RÉAU, *Iconographie des Saints, 1:A-F*, Paris, 1958 (Iconographie de l’art chrétien, t. 3), p. 68 ; E. GORYS, *Lexikon der Heiligen,* Munich, 2004, p. 37.

（27）聖女アマルベルガⅡについては、LASCHITZER, Die Heiligen, T. 8. KASTER, “AMALBERGA,” in *LCI*, cols. 107-108; L. SCHÜTZ, “AMALBERGA von Maubeuge,” in *LCI*, cols. 108-109; RÉAU, *Iconographie*, p. 68-69.

（28）聖女アマルベルガⅢについては、LASCHITZER, Die Heiligen, T. 9; KASTER, “AMALBERGA,” in *LCI*, cols. 107-108; G. KASTER, “AMALBERGA (AMELBERGA) von Süsteren,” in *LCI*, col. 109; J. van CAUTEREN, *Süsteren, Ehemalige Stifts- und heutige Pfarrkirche St. Amelberga,* Regensburg, 2002. この教会の平面図にイエスの聖心への献堂が認められるのは、興味深い。 *Ibid*., p. 18-19.

（29）S. LASCHITZER, “Die Heiligen aus der Sipp-, Mag- und Schwägerschaft des Kaisers Maximilian I, II (Schuss.)［以下、Die Heiligen II と略記］”, *JKSAK,* 5, 1887, p. 117-262, esp. p.184-185, note 2.

（30）LASCHITZER, Die Heiligen II, p. 184-185, note 2; LASCHITZER, Die Heilige, p. 72-73.

（31）聖エレントルーデスは、以下にみられる。LASCHITZER, Die Heiligen, T. 32; J. BOBERG, “*ERENTRUDIS von Salzburg*,” in *LCI,* col. 164; RÉAU, *Iconographie*, p. 440.

（32）コンコミタンスに関する祈りがあるイメージについては、A. WALZER, *Das Herz. Eine Monographie in Einzeldarstellungen*, Biberach an der Riss, 1967, p. 26-30; C. RICHSTÄTTER, *Die Herz-Jesu-Verehrung des deutschen Mittelalters: nach gedruckten und ungedruckten Quellen dargestellt,* Paderborn, 1919, p. 3-55. コンコミタンスについては、*Dictionnaire de théologie catholique contenant l'expose des doctrines de la théologie catholique*, eds. A. VACANT *et al*., vol. 15, Paris 1909-50; J. MEGIVERN, *Concomitance and Communion: A study of Eucharistic Doctrine and Practice*, Fribourg, 1963; S. BECKWITH, *Christ's Body. Identity, culture and society in late medieval writings*, London and New York, 1993.

（33）E. BACCHESCHI, *L'opera completa di Giotto*, Milano, 1966. このようなハートの解剖学的イメージについては、C. G. SANTING, “'*And I Bear Your Beautiful Face Painted on My Chest.'* The Longevity of the Heart as the Primal Organ in the Renaissance,” in *Disembodied Heads in Medieval and Early Modern Culture*, eds. C. SANTING, B. BEART and A. TRANINGER, Leiden and Boston, 2013, p. 271-306, および同著者「受肉したハート――ハートに関する中世思想の特質」『ハート形のイメージ世界』; J. CLIFTON, “A Fountain Filled with Blood: Representations of Christ's blood from the Middle Ages to the eighteenth century,” in *Exh. Cat. Blood. Art, Power, Politics and Pathology*, ed. J. M. BRADBURNE, Munich, London and New York. p. 65-88, esp. p. 85, fig. 25

(José de Páez, *The Adoration of the Sacred Heart of Jesus with Saints*, Denver, Mayer Collection).

（34）たとえば、関連する写本挿絵は、*Le livre du coeur d'amour espris du Roi René*, Vienna, ÖNB, Cod. 2597, fol. 2r; CHRISTINE de PIZAN, *L'Épître de Othéa a Hector*, Paris, BnF, ms. fr. 606, fol. 6r（信奉者たちのハートを集めるウェヌス）; 関連する壁画として、アッシジのサン・フランチェスコ教会下堂の、ジョットによる「慈愛の寓意」の天井画に、世俗の愛のハートをもつ目隠しをしたクピドがみられる。関連する木版画は、レーゲンスブルクのマイスター・カスパール《愛の力》（男性のハートに対する女性の力の寓意的描写）、大判彩色木版画、ベルリンの銅版画館に、関連する象牙作品は、ロンドンのヴィクトリア・アンド・アルバート美術館にある、一三二〇年頃にパリで作られたミラー・ケースについては、*Exh. Cat. Images of love and death in Late Medieval and Renaissance art, The University of Michigan Museum of Art, 1975-1976*, Michigan, 1975, p. 112, PL. IV, fig. 74; パリのクリュニー博物館に保管されているタピスリにも関連する図像がある。A. WALZER, *Das Herz. Eine Monographie in Einzeldarstellungen*, Biberach an der Riss, 1969, the sheet (s. n.) between p. 20 and p. 21. 関連する絵画作品としては、ライプツィヒの造形芸術博物館にある《愛の魔法》がある。B. LYMANT, "Entflammen und Löschen, Zur Ikonographie des Liebeszaubers von Meister des Bonner Diptychons," *Zeitschrift für Kunstgeschichte*, 57, 1994, p. 111-122.

（35）このモティーフのある数多くの作例を、同時代のネーデルラント絵画にみることができる。たとえば、フランクフルトのシュテーデル美術館にある三連画の、おそらくヒューホー・ファン・デル・フースによって描かれた中央パネルの《聖母子》に見られる。幼児イエスが手にしているカーネーションは、結婚と何らかの関連があるものと考えられている。J. SANDER, *Hugo van der Goes: Stilentwicklung und Chronologie*, Mainz, 1992.

（36）註（5）であげたアンツェレフスキーの論文をみよ。

（37）C. HARBISON, *Jan van Eyck, The Play of Realism*, London, 1991, p. 148-150.

（38）RÉAU, *Iconographie*, p. 440.

（39）インゴルシュタットの勝利の聖母教会に同じような装飾パターンをみることができるが、それが、古くからの伝統的なものかどうかを調査することはできなかった。インゴルシュタット大学は、ランツフートのルートヴィッヒ九世によって一四七二年に創設された。イエズス会は一五四九年から同市で活動していたが、学生の聖母同信会が発足したのは一五七七年のことである。S. HOFMANN, *Ingolstadt / Maria de Victoria*, trans. by J. NITSCH, Munich and Zurich, 1986, p. 1.

（40）この画像は、神戸市立博物館のウェブサイトで確認することができる。23 Aug. 2018 <http://www.city.kobe.lg.jp/culture/culture/institution/museum/meihin_new/402.html>

（41）SILVER, *Marketing*, p. 37; LASCHITZER, Die Heiligen II, p. 127.

（42）Outline sketches, Vienna, ÖNB, cod. Vindob. 2857.

（43）N. BOYADJIAN, *The Heart: its History, its Symbolism, its Iconography and its Diseases*, Antwerp, 1980, p. 24.

（44）『ヨハネによる福音書』（一九：三四）に記されているように、聖書には名前があげられていないローマの兵士が、キリストの脇腹を槍で突いた。後年、槍を意味するギリシア語に由来するロンギヌスという名前で呼ばれた。J. HALL, *Dictionary of Subjects and Symbols in Art*, New York, 1974, p. 193.

（45）L. de GREEF, "Epilogue (of B. BAERT, The glorified body), Sacred Heart and Eucharistic host: the internalized image," in *Exh. Cat., Backlit Heaven: Power and devotion in the archdiocese Mechelen*, Mechelen, 2009, p. 146-152. 聖槍は必ずしもロンギヌスの槍とは限らず、聖マウリティウス他の槍に基づく場合もある。

（46）このイメージについては、D. KÖPPLIN, "Zeittafel zur Biographie Lukas Cranachs und zur religionspolitischen Geschichte," および "Cranachs Bildnis, seine Malerfreund und einige Auftraggeber, No.7," in *Exh. Cat. Lukas Cranach, Gemälde-Zeichnungen Druckgraphik*, vol. I, eds. D. KÖPPLIN and T. FALK, Basel and Stuttgart, 1974, p. 19-29 and p. 58-59 ; W. SCHADE, "Heiligenkult und Bilderglaube," in *Exh. Cat., Kunst der Reformationzeit*, Berlin, 1983, p. 106-107 ; P. STRIEDER, "Folk Art Sources for Cranach's woodcut of the Sacred Heart," *Print Review*, 5 [Tribute to Wolfgang Stechow], New York, 1976, p. 160-166, esp. 161 ; D. KÖPPLIN, "Kommet her zu mir alle, Das tröstliche Bild des Gekreuzigten nach dem Verständnis Luthers," in *Exh. Cat. Martin Luther und die Reformation in Deutschland, Vorträge zur Ausstellung im Germanischen Nationalmuseum Nürnberg, 1983*, ed. K. LÖCHER, Nürnberg, 1983, p. 153-199.

（47）PARIS, BnF, ms. fr. 25528, fol. 1r. 徳井淑子『涙と眼の文化史――中世ヨーロッパの標章と恋愛思想』東信堂、二〇一二年、二四～七二頁；*Charles d'Orléans, Poésies*, t. 1, eds. P. CHAMPION and H. CHAMPION, Paris, 1982-1983, p. 4 and p. 23；KÖPPLIN, Kommet, p.167は、聖霊の炎としている。STRIEDER, Folk Art Sources, p. 161は、滴り落ちる血だとしている。

（48）*Exh. Cat., Bibel, Thesen Propaganda : Die Reformation Erzählt in 95 Objekten, Staatsbibliothek zu Berlin-Preußischer Kulturbesitz*, Berlin, 2017, p. 112-113.

（49）ルターは、「ルターの薔薇」の形と色について、友人のラザルス・シュペングラーに宛てた一五三〇年七月八日付の手紙で説明している。M. LUTHER, *D. Martin Luthers Werke. Kritische Gesamtausgabe. Briefwechsel*, 18 vols. Weimar, 1930-1985. ここには聖母の聖心にはまったく触れられていないが、プロテスタント派が結成されたこの年に、意味内容を変えたのではないかと思われる。「ルターの薔薇」の成立事情については、拙著「「ルターの薔薇」の成立事情（講演録）」『関西学院大学キリスト教と文化研究《特集》宗教改革五〇〇年』一九号、一九～四四頁。

【参考文献】

徳井淑子『涙と眼の文化史――中世ヨーロッパの標章と恋愛思想』東信堂、二〇一二年。

蜷川順子『聖心のイコノロジー』関西大学出版部、二〇一七年。

蜷川順子「「ルターの薔薇」の成立事情（講演録）」『関西学院大学キリスト教と文化研究《特集》宗教改革五〇〇年』一九号、二〇一八年三月三一日、一九～四四頁。

蜷川順子「ポンペオ・バトーニのイエスの聖心」『美術フォーラム』四一号、二〇二〇年、一一三～一一八頁。

蜷川順子編『ハート形のイメージ世界』晃洋書房、二〇二一年。

保井亜弓「アダム・バルチュ――版画史家として、あるいは版画家として」『言語文化』三八号、二〇二一年、一〇八～一二五頁。

AUER, Leopold. "*Der Übergang des Ordens an die Österreichischen Habsburger*," in *Das Haus Österreich und der Orden vom Goldenen Vlies: Beiträge zum wissenschaftlichen Symposium am 30. November und 1. Dezember 2006*. Graz and Stuttgart, 2007.

BACCHESCHI, Edi. *L'opera completa di Giotto, Presentazione di Giancarlo Vigorelli. Apparati critici e filologici di Edi Baccheschi*. Milano,

1966.

BECKWITH, Sarah. *Christ's Body. Identity, culture and society in late medieval writings*. London and New York, 1993.

BELTING, Hans. *Bild und Kult - Eine Geschichte des Bildes vor dem Zeitalter der Kunst*. Munich, 1990.

BOBERG, J. "ERENTRUDIS von Salzburg," *LCI*, 1973. col. 164.

BOYADJIAN, Noubar. *The Heart: its History, its Symbolism, its Iconography and its Diseases*. Antwerp, 1980.

BRÜCKLE, Wolfgang. "Review of 'L'Ordre de la Toison d'or de Philippe le Bon à Philippe le Beau (1430-1505): idéal ou reflet d'une société?' Ausstellung, Brüssel, Bibliothèque Royale, 27.9-14.12.1996," *Kunstchronik*, 50, 1997, p. 510-520.

CARSON, Thoman, and Joann CERRITO, eds. *New Catholic Encyclopedia*, vol.12. Detroit, 2003 (1967).

CLIFTON, James. "A Fountain Filled with Blood: Representation of Christ's blood from the Middle Ages to the eighteenth century," in *Exh. Cat. Blood. Art, Power, Politics and Pathology*, ed. J. M. BRADBURNE. Munich, London and New York, p. 65-88.

D'ANJOU, René . *Le livre du coeur d'amour espris du Roi René*. Vienna, ÖNB, Cod. 2597.

DE GREEF, Lise. "Epilogue (of B. BAERT, The glorified body), Sacred Heart and Eucharistic host: the internalized image," in *Exh. Cat., Backlit Heaven: Power and devotion in the archdiocese Mechelen*. Mechelen, 2009. p. 146-152.

DE PIZAN, Christine. *L'Épître de Othéa a Hector*, Paris, BnF, ms. fr. 606.

D'ORLÉANS, Charles. *Poésies*, t. 1, ed. P. CHAMPION. H. CHAMPION Paris, 1982-1983.

DÜNNEBEIL, Sonja. "Die Entwicklung des Ordens unter den Burgunderherzögen (1430-1477)," in *Das Haus Österreich und der Orden vom Goldenen Vlies: Beiträge zum wissenschaftlichen Symposium am 30. November und 1. Dezember 2006*. Graz and Stuttgart, 2007.

DÜNNEBEIL, Sonja, ed. *Der Übergang an das Haus Habsburg (1477 bis 1480)* [Die Protokollbücher des Ordens vom Goldenen Vlies, 4]. Vienna, 2018.

Exh. Cat., Bibel, Thesen Propaganda: Die Reformation Erzählt in 95 Objekten, Staatsbibliothek zu Berlin-Preußischer Kulturbesitz. Berlin, 2017.

GORYS, Erhard. *Lexikon der Heiligen*. Munich, 2004.

HALL, James. *Dictionary of Subjects and Symbols in Art*. New York, 1974.

HARBISON, Craig. *Jan van Eyck, The Play of Realism*. London, 1991.

HAYTON, Darin. *The Crown and the Cosmos: Astrology and the Politics of Maximilian I*. Pittsburgh, 2015.

HOFMANN, Siegfried. *Ingolstadt / Maria de Victoria*, trans. by J. NITSCH. Munich and Zurich, 1986.

KASTER, G. "AMALBERGA, Übersicht," and L. SCHÜTZ. "AMAKBERGA (AMALIA) von Gent," *LCI*, cols. 107-108.

KASTER, G. "AMALBERGA (AMELBERGA) von Süsteren," *LCI*, col. 109.

KELLNER, Beate, and Linda WEBERS. "Genealogische Entwürfe am Hof Kaiser Maximilians I (am Beispiel von Jakob Mennels *Fürstlicher Chronik*)," *Zeitschrift für Literaturwissenschaft und Linguistik*, 147, 2007, p. 122-149.

KOENIGSBERGER, Helut Georg. *Fürst und Generalstaaten: Maximilian I. in den Niederlanden (1477-1493)* [Schriften des Historischen Kollegs, 12]. Munich, 1987.

KÖNIG, Eberhard, ed. *Das Berliner Stundenbuch der Maria von Burgund und Kaiser Maximilians*, with a contribution by F. ANZELEWSKY. Berlin, 1998.

KÖPPLIN, Dieter. "Zeittafel zur Biographie Lukas Cranachs und zur religionspolitischen Geschichte, and Cranachs Bildnis, seine Malerfreund und einige Auftraggeber, No.7," in *Exh. Cat., Lukas Cranach, Gemälde-Zeichnungen Druckgraphik*, vol. I, eds. D. KÖPPLIN and T. FALK, Basel and Stuttgart, 1974. p. 19-29 and p. 58-59.

KÖPPLIN, Dieter. "Kommet her zu mir alle, Das tröstliche Bild des Gekreuzigten nach dem Verständnis Luthers," in *Exh. Cat., Martin Luther und die Reformation in Deutschland, Vorträge zur Ausstellung im Germanischen Nationalmuseum Nürnberg, 1983*, ed. K. LÖCHER. Nürnberg, 1983. p. 153-199.

LASCHITZER, Simon. "Die Heiligen aus der »Sipp-, Mag- und Schwägerschaft« des Kaisers Maximilian I," *JKSAK,* 4, 1886, p. 70-289.

LASCHITZER, Simon. "Die Heiligen aus der Sipp-, Mag- und Schwägerschaft des Kaisers Maximilian I, II (Schuss.)," *JKSAK,* 5, 1887, p.

117-262.

LASCHITZER, Simon. "Die Genealogie des Kasers Maximilian I," *JKSAK*, 7, 1888, p. 1-46.

LEWIS, Suzanne. *The art of Matthew Paris in the Chronica majora*. Aldershot, 1987.

LUTHER, Martin D. *Martin Luthers Werke. Kritische Gesamtausgabe. Briefwechsel*, 18 vols. Weimar, 1930- 1985.

LYMANT, Brigitte. "Entflammen und Löschen, Zur Ikonographie des Liebeszaubers von Meister des Bonner Diptychons," *Zeitschrift für Kunstgeschichte*, 57 , 1994, p. 111-122.

MEGIVERN, James. *Concomitance and Communion: A study of Eucharistic Doctrine and Practice*. Fribourg, 1963.

MERTENS, Dieter. "Geschichte und Dynastie - zu Methode und Ziel der 'Fürstlichen Chronik' Jacob Mennels," *Oberrheinische Studien,* 7, 1988, p. 121-153.

Outline sketches, Vienna, ÖNB, cod. Vindob. 2857.

RÉAU, Louis. *Iconographie des Saints, 1:A-F* [Iconographie de l'art chrétien, t. 3]. Paris, 1958.

RICHSTÄTTER, Carl. *Die Herz-Jesu-Verehrung des deutschen Mittelalters: nach gedruckten und ungedruckten Quellen dargestellt*. Paderborn, 1919.

RINGBOM, Sixten. "Maria in Sole and the Virgin of the Rosary," *Journal of the Warburg and Courtauld Institutes*, 25, 1962, p. 326-330.

SANDER, Jochen. *Hugo van der Goes: Stilentwicklung und Chronologie*. Mainz, 1992.

SANTING, Catrien G. "'And I Bear Your Beautiful Face Painted on My Chest.' The Longevity of the Heart as the Primal Organ in the Renaissance," in *Disembodied Heads in Medieval and Early Modern Culture*, eds. C. SANTING, B. BEART and A. TRANINGER, Leiden and Boston, 2013. p. 271-306.

SCHADE, Werner. "Verehrung des göttlichen Herzens, 1505," in *Exh. Cat., Kunst der Reformationzeit*, Berlin, 1983, pp. 106-107.

SCHÜTZ, L. "AMALBERGA von Maubeuge," *LCI*, cols. 108-109.

STRIEDER, Peter. "Folk Art Sources for Cranach's woodcut of the Sacred Heart," *Print Review*, 5 [Tribute to Wolfgang Stechow], New York,

1976, p. 160-166.

SILVER, Larry. *Marketing Maximilian: The Visual Ideology of a Holy Roman Emperor*. Princeton and Oxford, 2008.

SMITH, Graham, ed. *Exh. Cat. Images of love and death in Late Medieval and Renaissance art, The University of Michigan Museum of Art, 1975-1976*. Michigan, 1975.

VACANT, Alfred, et al. eds. *Dictionnaire de théologie catholique contenant l'expose des doctrines de la théologie catholique*. Paris, 1909-50.

VAN CAUTEREN, John. *Süsteren, Ehemalige Stifts- und heutige Pfarrkirche St. Amelberga*. Regensburg, 2002.

WALZER, Albert. *Das Herz. Eine Monographie in Einzeldarstellungen. Das Herz im Christlichen Glauben*. Biberach an der Riss, 1967.

WALZER, Albert. *Das Herz. Eine Monographie in Einzeldarstellungen. Das Herz als Bildmotiv*. Biberach an der Riss, 1969.

WIESFLECKER, Hermann. *Jugend, Burgundisches Erbe und Römisches Königtum bis zur Alleinherrschaft 1459-1493* [Kaiser Maximilian I: das Reich, Österreich und Europa an der Wende zur Neuzeit, 1]. München, 1971.

WOLF, Gerhard. *Schleier und Spiegel : Traditionen des Christusbildes und die Bildkonzepte der Renaissance*. Munich, 2002.

図版出典、著作権許諾一覧

©Albertina, Vienna (Public Domain)【図11】

©BnF【図12】

©Universitatsbibliothek Heidelberg (Public Domain)

Laschitzer, Die Genealogie, p. 23【図1】.

Laschitzer, Die Heiligen, p. 101【図4】/ p. 103【図5】/ p. 105【図6】/ p. 151【図7】/ p. 163【図3】/ p. 257【図2】

Laschitzer, Die Heiligen II, p. 9【図9】

© 神戸市立博物館蔵【図8】

© 個人蔵【図10】

小道具、大道具、そして役者としてのハート

――西洋一五世紀後半～一七世紀前半の視覚上の作例を中心に

木村 三郎

イメージの中に描き出されたハートのモチーフは、多くの作例を指摘することができる。それ故に、本稿では、対象を西欧における一五世紀後半〜一七世紀前半にしぼり、この時代にこのモチーフを描き込んだ絵画・版画[1]を中心に考察を試みた。

ここでは、先行研究でしばしば試みられて来た図像解釈学をめざしてはいない。むしろ、それらが描き出されたイメージ上の役割に注目した。譬えていえば、一点のイメージを舞台の一情景と考え、その中で、大きさの異なった、諸々のハートのモチーフが果たす、さながら演劇的な機能の違いに視点を据えてみた[2]。造形意思についての分析であり、今後の研究の進展に、一つのたたき台を提供することを目的としている。

第二の論点として、ニュルンベルクを核としたヨーロッパにおける出版史からの視点を挿入し、ハートが描かれた版画が、どのように流通し、ヨーロッパ各国の表現に受容されたのか、についての経緯について補足したいと思う。

0　先行研究と問題の所在

この時代にしぼったところで、ハートをモチーフとした作例は少なくない。また、先行研究も多くのものが存在する[3]。それらを踏まえ、またそこで紹介されている諸作例を、大別し、以下のように類別した。

一、画面に描かれた主役の人物像を説明するための「小道具としてのハート」
二、画面に描かれた主役によって、寓意内容を伝えるための「大道具としてのハート」
三、寓意詩に導かれ、役者も演じるハート

I 画面に描かれた人物像を説明するための「小道具としてのハート」……名札として機能する小道具

I―1 神話上の人物の名札

【図1】は、ドイツのニュルンベルクで誕生し、活躍した版画家S・H・ベーハム[4]が、一五三九年に版刻した《ウェヌス》[5]である。画面中央に、横向きで描かれた女性が、右手には矢を持ち、着衣の裾を激しく揺らせながら、前に歩いて行こうとしている。背景には、若干の風景が描かれ、前景の足下には、牛が横たわり、左手には、焔が燃え上がるハートが描かれている。画面上部に、VENVSという記銘が明確に書込まれていて、この女性がウェヌスであることがわかる。この版画は、本来、単独で描き出されたものではない。黄道十二宮の、太陽や月を含む天体の星を描いた、男性像も含む、複数の人物像を扱った連作版画【図2】[6]の中の一つである。そこに、この場合、女性像の姿をした月とともに、ウェヌスが組み込まれているのである。やはり右上に、モノグラムが

【図2】H・S・ベーハム 1539 年、「黄道十二宮の中の七惑星」から

【図1】H・S・ベーハム《ウェヌス》1539 年、「黄道十二宮の中の七惑星」から

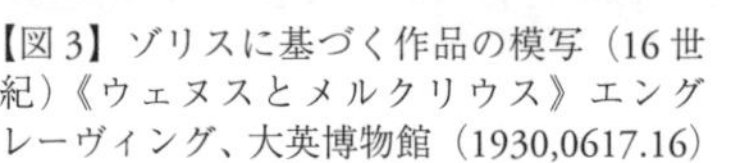

【図3】ゾリスに基づく作品の模写（16世紀）《ウェヌスとメルクリウス》エングレーヴィング、大英博物館（1930,0617.16）

【図4】J・サーレンダム（1565頃-1607）（版刻）、H・ホルツイス（下絵素描）、《ウェヌスとクピド》エングレーヴィング、紙1595年頃、20.7 X 14cm、大英博物館（D,5.236）

明確に読みとれる作例があり、左手に持ったハートは、右手に持った槍とともにこの人物像が誰であるのかを示す、いわば、「名札」としての機能を持っている。【図2】に見られる他の神々もそれぞれ、名札に相当する小道具を身につけており、たとえば、軍神マルスは、武具を身につけている。また、それぞれ、ラテン語でその名称が書込まれている。[7]

【図3】は、現在、大英博物館が所蔵する版画である。二点の作品が上下につながっているもので、上部にはウェヌスが描かれている。左手には矢、そして右手にはハートを持つ。下は、やはり名札として、二匹の蛇のついた杖を持つメルクリウス。それぞれ画面に人物の名称が、やはりアルファベットで明確に書かれている。こうした版画が四枚あり、それぞれに二人の神話人物が描かれているとされる。[8]ゾリスは、やはりニュルンベルクを中心に制作を行った版画家一族である。[9]この時代では、神話上の人物を特定する場合、よく使われた図示の方法であったといえる。

【図4】は、一六世紀末に、オランダの、H・ホルツイスが下絵素描を描いたものを、版画家サーレンダムが、紙に版刻したエングレーヴィングで、そこには《ウェヌスとクピド》[10]を描いている。上半身だけの姿のウェヌスが、左手で、手に矢を持った息子のクピドを愛撫しながら見つめていて、右手には、小さく、ハートがある。ウェヌスの右肩の上には、鳩が二匹描き込まれている。クロス・ハッチン

（右）【図5】F・ド・スルバラン《福者ホートン》画布・油彩 122x66 cm、1638-39年　カディス県立美術館
（上）【図6】F・ド・スルバラン作、ヌエストラ・セニョーラ・デ・ラ・デフェンシオン聖堂大祭壇画衝立を構成した作品群。カディス県立美術館学芸部が、再構成した展示。

グに優れたホルツィウスの技術が、この複製版画にもにじみ出している作例である。ギリシア・ローマ神話に登場する女性像でハートを手にした事例は、思いのほか多くはなく、この愛と美の女神だけである。

I―2　宗教上の人物の名札

クローズ・アップされた人物の手にハートが描かれる作例としては、一方で、【図5】を示すことができる。これは、神話上の人物ではなく、キリスト教世界の中の聖人である。

スペインの一七世紀の画家スルバランが、一六三八―三九年に描いたことが知られている《福者ホートン》である。右手にハートを持ち、左手は、胸に当てている。背後は洞窟の中を思わせる場所で、その暗い背景を前に、白色に近く輝くような僧衣が際立っている。この作品は、修道院にあった連作の中の一点である。(11) その中には、八人の聖人、福者が、それぞれ長身で描き出され、ともに画面一杯に、全身像のクローズ・アップ構図で描写されている。背景には町の建築物の一部も描き込まれているが、概して、背景は暗い部分が広く、それを背景にして、書物を読み、あるいは祈祷する宗教者たちが描かれている連作である。人物像は、大振りとはいえ、動きを押さえたこの

【図7】P・ド・シャンパーニュ《ヒッポの聖アウグスティウス》1640年、画布・油彩、78.7 x 62.2 cm、カウンティ美術館 (M.88.177)

【図8】M・ライモンディ《シエナの聖女カタリナ》、1500-27年頃、エングルーヴィング、8 x 43cm、メトロポリタン美術館 49, 97, 67

画家特有の清潔さを湛えている。【図6】には、現在所蔵されている美術館の展示の様子が理解できる。そうした中で、【図5】は、右手に持ったハートという、やはり、他の聖者、福者とは区別するための、「名札」であるハートを手にしている。(12)

【図7】には、机を前にして、黄金色にも近い豪奢な着衣に身を包んだ人物が、左上にある書見台においた書物を見ながら、右手には羽ペンを持っている。足元にも書物がある。書見台の上には、光が差し込み、画面左下の隅にある明るい部分には、veritasという文字が読み取れる。そして、左手には燃え上がるハート。この聖人について、しばしば、次の話がその典拠とされている。アウグスティヌスがカルタゴで学んでいた頃、放蕩に身を任せていたことを後悔し、神に向かって次のように言った。一六〇九年に刊行された、フランス語版の彼の著書『告白』の中には、次のように記されている。「あなたは私の心を、慈愛である愛の矢で貫かれました。」

炎が燃え出し、しかも矢に貫かれたハートの根拠がここにある。「聖アウグスティヌスがいっているように、炎のある蝋燭のついた心臓は、魂の中に吹き込まれた美徳によって、無知と不信仰の闇が一掃されることを意味している。(13)

【図 9】《聖フランシスコ・ザビエル像》17 世紀前期　紙本著色　61.0 × 48.7 cm、神戸市立博物館

【図 10】騎士ダルピーノ（版刻）《カトリックの信仰の擬人像》RIPA(C.), Iconologia, 1603, Roma,L. Faeji 刊行の図書の中の挿絵 p.151

【図8】は、メトロポリタン美術館所蔵の、一四世紀の聖女を描いた、M・ライモンディ作《シエナの聖女カタリナ》である。右手には、純血を表わす百合の花を持ち、左手には、ハートに十字架が刺さっている。(14)

【図9】は、我国にある作例である《聖フランシスコ・ザビエル》には、右手に、前作同様、燃え上がるハートが認められる。我国にもこの時代に、ヴィーリクスを初めとした西洋の版画が伝えられ、セミナリオで学んだ画家たちが描いた作例である。(15)【図8】との関係から、ハートに十字架を刺した描き方には、先行例があったことが理解できる。

Ⅰ―3　抽象的な観念を表わす擬人像の名札

この時代の図像集で最も基本的なものの一つに、チェザーレ・リーパ著『イコノロジーア』があることはいうまでもない。この書物は、抽象的なある観念を表わす擬人像を中心に据えた構成であり、この教父を直接扱った部分は見あたらない。しかし、たとえば、一六〇三年に刊行されたイタリア語版の同書（RIPA, 1603）のなかの、《カトリックの信仰の擬人像》（FEDE CATTOLICA）【図10】について書かれた部分に注目してみると、そこには、ハートの図示と言及がある。白い衣服をまとっ

【図12】騎士ダルピーノ（版刻）《率直の擬人像》同前、p.456

【図11】騎士ダルピーノ（版刻）《欺瞞の擬人像》同前、p.174

た女性で、頭に兜をかぶっている。右手は心臓の上にある点火された蝋燭（vna candela accesa sopra vn cuore）をもち、左手は古い律法の板と開いた書物を持っている。この書物は、聖書である。点火された蝋燭をともなった心臓は、信仰によって生じた精神のありかたを示しており、それは不信仰と無知の闇を払う[16]。

【図11】は、《欺瞞の擬人像》である。二つの顔をもつ女性で、その顔の一方は若く美しく、他方は年老いて醜い。乳房まではむきだしであり、両足は、鷲に似ており、蠍の尾もついている。右手に二つの心臓を持ち、左手は仮面を持っている。二つの心臓は、同一の事柄を欲する気持と欲しない気持の二面的な外観（le due apparenze, del volere, & non volere vna cosa medesima）を意味している[17]。

【図12】は、《率直の擬人像》である。衣服をまとった女性で、右手に白い鳩をもち、左手で、優美な身振りで心臓をさしだしている。この仕草は、その清廉さを示している（Il porgere il cuore, denota l'intergrita sua）[18]。

【図13】は、《悔恨の擬人像》である。この図の女性は、「粗衣をまとった女性で、悲嘆にくれ、口を開けて話そうとしている。天上に向けられた両眼からは、とめどなく涙が流れでている。頭には、尖った茨から成る冠を戴いている。左手で同じく茨の冠を戴いた心臓をもち（con la sinistra mano vn cuore parimenti coronato si spine）、右手を挙げて、その人差し指は天の方をまっすぐ示している。」罪人によって犯された罪過

【図 13】騎士ダルピーノ(版刻)《悔恨の擬人像》同前、p.74

【図 14】S・ヴーエ《天上の慈愛》1640年頃、画布・油彩、1,92 x 1,32 m. ルーヴル美術館　Inv. 8498

が指示されているのである。⒆

一方で、「慈愛」という抽象的な観念を表わす擬人像についても、リーパにはその像が「……片手に燃えるような心臓を持っている(co'l cuore ardente in mano)」こと、そして、それは、「慈愛が、神と被造物に対する、魂のうちの純粋で燃えるような愛情であることを示すためであり、心臓は、それが愛するときに燃える」からであると書かれている。⒇この一節を参考にしながら、フランスの一七世紀の画家、画家S・ヴーエが描いた作品が【図14】である。㉑

これらの抽象的な観念を表わす擬人像は、同一空間のなかに展示された人物たちではない。また、同一の紙面の中に比較されるヴィーナスやメルクリウスなどでもない。しかしながら、『イコノロジーア』と呼ばれる、事典に近い図書の中に描き込まれ、多くの擬人像の中の数点の挿絵である。あるいはそこから着想を得たタブローである。これらも、複数の類似した人物像を比較し、類別するためには、必ず必要とされる印であり、それ故に、いわば、多数の見知らぬ人が集まる会場で、参加者それぞれが胸に付ける名札と似た、造形上の機能を果たしているのである。㉒

II　画面に描かれた主役によって、寓意内容を伝えるための「大道具としてのハート」

II—1　宗教上の寓意のための大道具

II—1—1　ニュルンベルクとその周辺の画派の作例

ところで、本稿の議論は、ここでいささか趣を変えることとなる。たとえば、【図15】に示した作例には、同じようにハートを描いてはいるが、主要な登場人物の掌の中や、その近くのおかれているわけではないからである。従って、ここでは、このモチーフには、「小道具」という言葉は使えない。形も一気に大振りとなり、画面全体にとって、さながら舞台の大道具として機能しているといえる。人物の名札の役割を果たしているモチーフではないことは一目瞭然である。

この作例は、《聖心の中の幼な子イエス》と題され、一四六〇年頃に、ニュルンベルクで制作されたと想定される版画であり、町田国際版画美術館に収蔵されている[23]。橙色で塗り込まれたハートのなかに、幼子イエスが座っている。後ろにある十字架の上には、左右に開いた二つの手のひらが描かれている。また、ハートの下には、足の先が左右に分かれて描かれている。一方で、イエスに向かって、槍の先が、今にも顔をめがけて突き刺さろうとしているのである[24]。イエスの周辺にあるこうしたモチーフは、これがやがてイエスが磔刑に処せられることを連想させる、受難具を表わしているのである[25]。

【図15】《聖心のなかの幼な子イエス》
1460年頃、ペースト版画　74 X 53 cm
(紙・画) ニュルンベルク　町田国際版画美術館

ここには、幼子イエスと受難具がともに描き込まれている、ということは、鑑賞者は、幼子イエスを眺めながら、イエスが生涯の終わりに、五つの傷を受け、苦悩の姿をさらす瞬間を同時に連想する。見方を変えてみると、そこには、イエスが経験する時間の経過を凝縮した形で暗示しているとも言える。一点のイメージのなかに、異なった時点が同時に描き込まれているのであり、そこには、鑑賞者の想像力を刺激する物語への配慮が介在している。そのドラマの後景に、大道具であるハートが、物語の背景として機能しているのである。

【図 16】《受胎告知と幼子イエス》1500 年以前、ドイツ、350 X 260 cm

【図 17】《二人の天使の持つ布に描かれた聖心》1470-80 年頃、木版、72 x 51cm、南ドイツ Oberdeutsch　ミュンヘン、国立版画素描コレクション、マールブルク写真アーカイヴ

ちなみに、【図16】は、《受胎告知》を描いた版画[26]である。画面右下には書見台を前に座った聖母。左には天使。最下段に AVE MARIA GRACIA // PLE[...]NA（おめでとう、恵まれた方）（「ルカによる福音書」一～二八）の記銘がある。その上に、幼子イエスが、華やかに輝く光に囲まれて座っている。それを二重の円が囲み、誕生する幼子を祝福する図柄である。論者には、イエスを、こうした大道具である大きな円の中におさめて描き出す構図が、【図18】の原型になったのではないか、と考えられる。

【図17】は、一四七〇年から八〇年にかけて制作されたと想定されている《二人の天使の持つ布に描かれた聖心》を描く木版である。ここでは、ハートには傷がつきそこからは、涙のようなものが流れだしている。【図16】の、受難具で傷ついたハートの形が展開した作例の一つであろう。[27]

【図18】L・クラーナハ（父）《聖心の中の磔刑のキリストを崇敬する四聖人（疫病撃退図）》1505年、木版、第二ステート、38 × 28.4 cm、大英博物館（1927,0614.1）

以上の二例でもわかるように、一五〇〇年以前の、ニュルンベルグとその周辺では、ハートを大道具として扱った作例を多く指摘することができる。

【図18】は、画家としても著名な、L・クラーナハ（父）が、描いた大英博物館所蔵の版画である。[28] ハートは一層大きくなり、幼子イエスが、ここでは、磔刑のキリスト像に変容している。巨大なハートを載せた盾があり、丸太を削って作られた十字架がある。それを四人の天使が支えている。その中には磔刑のキリストが描かれ、下衣が激しい風にあおられている。ハートの下の地上には、前景左側に、聖セバスティアヌス、聖母、右側には、書物を開こうとしている聖ヨハネ、聖ロクスがいて、互いに向かい合っている。上半身裸の聖セバスティアヌスは、三本の矢を持ち、悪疫、飢饉、戦争から守り、ペストを撃退する。[29] 装飾性の高い帯にはVIGO/MATER/MARIA（処女・母・マリア）の記銘がある。前作との比較で見れば、やはり、一五世紀後半以来、ニュルンベルクを中心に制作されてきた、幼子イエスを包み込む大道具としてのハートを念頭に、クラナッハが、それを磔刑図にも応用した事例であると考えることができる。[30]

ここで、様式分析から、論点を変え、以上のハートのモチーフが、ニュルンベルクで生まれた版画制作、そしてそのための出版事情についての、経済史的な背景を概観しておきたい。鉱山業、精錬業の分野で、大きな投資がなされ、財政的にも技術的にも発展した都市であったニュルンベルクは、一三世紀末から、組織的にその貿易特権も広げ、その商人たちは、ヨーロッパの七つの都市で、関税義務を免除されていた。たとえば、オランダでは、南ドイツの商人の間で、ニュルンベルクの代理店は他を圧倒していた。一五世紀末には、たとえば、アントウェルペン駐在のドイツ商人の数は、ミュンヘン四人、アウグスブルク四七人、ニュルンベルクは七三人であった。ヴェネツイアにも「ドイツ商館」を持ち、交易も盛んで、中央ヨーロッパの市場で大きな勢力を持っていた。

一方で、ニュルンベルクにおける、最も重要な歴史的な意味を持つ存在である、出版業者であるA・コーベルガー（Anton Koberger）は、【図15、16、17】が制作された時期の前後であると思われる一四七〇年に、彼の最初の出版を刊行する。その時には既に、百人の職人と二四台の印刷機を所有していた、と版画史研究者として著名な著者ハインドが述べている。[31]やがて、彼の手彩色の聖書挿絵が、一四八三年に刊行される。続いて、インキュラブラの代表作である『ニュルンベルク年代記』が制作されるのが一四九二年である。コーベルガーが名づけ親となったデューラーが、この町で高度の水準の木版画を多数制作したことの背景にはこうした事情があった。

一方で、コーベルガーの従兄弟であるハンスが助手となり、ドイツ以外の諸国の代理人となり、上記のような主要都市との取引がなされていた。自社の出版物を、アントウェルペン、パリ、リヨン、そして、イギリス、イタリア、スペインとすら取引が行われていた。ニュルンベルクには運河はまだなかったために、その搬送は、荷馬車による運搬が普通で、製本されているものもいないものも、樽に詰めて、荷馬車で運ばれた。たとえば、パリ支店は、一四九九年頃が最盛期であり、ニュルンベルクからパリまでは、一〇日間を要したという。ニュルンベルクからの出荷量は莫大であった。[32]ウィルソンが指摘するこの出版史上の史実は、次章以降の分析にすこぶる刺激的である。[33]

II—1—2　アントウェルペン画派の作例

ところで、【図19】の《聖心の中の幼な子キリスト》は、【図15】と類似した構図を示していることがわかる木版画である。前作同様、画面には、手足に五つの傷が描き混まれているが、受難具だけでなく、アッシジの聖フランチェスコが、山中で、キリストが磔刑の際に受けたのと同じところに生まれた聖痕を暗示している。しかしながら、制作地は、ニュルンベルクとその周辺ではない。フランドルのアントウェルペンであるとされ、一六世紀に入った、一五一四〜四二年の間に制作されたであろうと推定されている。[34]前節での分析から、ニュルンベルクで制作され

【図19】《聖心の中の幼な子イエス》木版、手彩色、25 x 16.7 cm, 版元、アントウェルペン、P・デ・ヴァレ、1524-42年の間、ベルリン美術館・版画室（S.796）

【図20】A・ヴィーリクス《悪魔と世俗の女性に誘惑される心》エッチング、連作＜幼子イエスが清める人の心＞エッチング、1585-86年頃

【図21】同前《心を清めるイエス》エッチング、1585-86年頃

た、ハートを描いた作例の影響が、フランドルの都市にも届いていたことがうかがえる(35)。

【図20】に示したものは、A・ヴィーリクスが制作した連作版画「幼子イエスが清める人の心」である。ここに認められるハートは、やはり、画面の中央部に豊かな量感を持った大道具として描かれ、その周りを複数の人物が囲み、そこには物語が潜んでいることが予感される。この大道具は、道具であると同時に、芝居の舞台であると言った方が正確かもしれない。前景左手の手前には、背中に翼、右手に武具という恐ろしい顔をした奇怪な動物を連想させる悪魔がいる。右手の女性は、一六世紀頃に好まれたひだえりをつけた優美な世俗の存在である。人の心を誘惑していて、それを上から天使が不安気に見守っている。題して《悪魔と世俗の女性に誘惑される心》とされている。

【図21】では、イエスが箒を手にして、ハートの中で掃除をしている。イエスが、蛇や、ひきがえるとでも形容すべき不浄な小動物に象徴された人の罪を、ほうきで外に掃き出している。小罪がはきだされているのである。

【図22】になると印象が異なる。なぜならば、ハートから炎が燃え上がっているからである。先ず、ハートの周囲に華

【図22】同前《満ち足りて燃え上がる心の中にいるイエス》エッチング、1585-86年頃

やかな炎が燃え出し、上部からも火が吹き出している。イエスによって清められた心が純潔な状態になり、満ち足りた心が表現されている。心の中には立ったイエスがいて、手からは燃え上がる花が撒かれている。E・ビネも述べているように、ここではイエスは炎そのものと化しているともいえる。煉獄の炎のなかで浄化された心を象徴的に描いた形態である。

本稿では、この連作の全ての作品を図示することを控えたが、浄化された心のなかで、イエスが読書をしたり歌をうたったりする図柄が続いてゆく。要約していえば、ここには、誘惑に染まった心の中に自責の念が生まれ、やがてそこには、イエスが訪れ、霊感が与えられる。内省し、そして告解を経て最後には秘跡によって恩寵が与えられるという煉獄の諸段階が、さながら紙芝居のように易しく図示されているのである。[36]

Ⅲ　寓意詩に導かれ、役者も演じるハート

【図23】は、P・ヴォエリオ版刻《それは不可能なり》という宗教的寓意を表わす木版画である。G・ド・モントネーが、一五七一年に執筆刊行した『キリスト教的エンブレム』[37]の中にある挿絵である。画面には、前景右手に、跪き、冠をいただいた人物が、両手にハートを持ち、左上にある雲の方角を注視している。雲の右下には、ドラゴンとも見える悪魔が飛んでいる。ここでは、男が、一つのハートを神と悪魔の双方に捧げ物にしようとしている。この木版画のデザインにある、ハートと人物との関係は、本稿で紹介してきた類別では小道具と呼んでよい。しかしながら、登場人物の名札としては機能していない。むしろ、このイメージの中に描き込まれた主役である男性の、信仰に係わ

る心の有様を素朴に描いていると言える。

一方で、ハートというモチーフが果たす画面上の役割から考えると、一〇〇に及ぶ連作の中の、同じ版画家ヴォエリオの版刻である【図24】では、事情が変って来る。

ここでは、ハートの形は、大きくもなく、また、特に小さくもない。これは、右手の上にハートが描かれていても、顔を持った人物が手で持っているという、本稿で詳しく論じた名札に相当する小道具ではない。一方で、描かれた登場人物の背景に設置された大道具でもない。つまり、ハートというモチーフが果している機能から分析すると、本稿で分類を試みて来た二つの系列のイメージには分類できないのである。主役は何なのか。この【図24】だけを見ただけでは極めて曖昧で、それを判断することは難解[38]である。

EMBLEME CHRESTIEN 29
INPOSSIBILE EST
Voicy qui fait d'vn seul cœur deux offrandes:
Faisant partage entre Dieu & le diable.
O toy Chrestien, Dieu veut que tu entendes
Qu'il est ialoux, & n'est point supportable
De te souiller en chose abominable:
Car tu ne peux seruir à deux seigneurs.
Or Dieu veut tout, car n'estant partissable,
Des hommes veut & les corps & les cœurs.

【図23】P・ヴォエリオ版刻《それは不可能なり》銘文（モット）G・ド・モントネー執筆『キリスト教的エンブレム』1571年、ヨン、J・マルコレル刊行、挿絵 p.29

EMBLEME CHRESTIEN 30

DEVS SVPERBIS RESISTIT HVMILIBVS DAT GRATIAM.

Le cœur du Roy est en la main de Dieu,
Qui le conduit selon son bon plaisir.
Se plaindre donc du Roy, n'a point de lieu.
La cause en nous plustost deuons choisir,
Quand ne l'auons selon nostre desir.
France, à ton Roy vieil de sens, ieune d'aage,
Un regne heureux Christ donne & le loisir
De se monstrer treschrestien preux & sage.

【図24】P・ヴォエリオ版刻《主は汝の到来を守護し給う》銘文（モット）同前、挿絵 p.30

前章で使った「主役」という言葉を、この図の中でも使うことが可能なのか。先ず、この問題を念頭に置きながら作品分析を続けたい。以下は、付随して書かれているフランス語テクストを解読して得られた情報からの解説である。銘文（モット）を邦訳すると、《主は汝の到来を守護し給う》[39]である。画面の下には風景が拡がり、さまざまな城館が描かれている。国王が統治する町である。その上には、右手の親指と人差し指の間にハートが描かれている。そのハートの上には王冠が置かれている。雲の中から差し伸べられた手は、三位一体の父なる神を示す、西洋の初期キリスト教美術から続く表現法の一つである。(40) この挿絵ではそうした約束事が挿入されていて、王冠を戴いたことで示された国王の存在を、主が守護し給う、ということを意味している。この版画が制作された一五七一年に、フランス国王の立場にいるのは、シャルル九世（在位一五六〇～七四年）であり、神が守護し給う王を寓意しているのである。

しかし、このからくりは曖昧で難解である。むしろ、この版画を見た鑑賞者に、描かれた内容の謎解きを求め、添えられた寓意詩を読解することを迫っている、ということができる。小道具、大道具としてのハートは、文盲を大半とする社会層にも、紙芝居の語り手である神父やそれに代る人物が簡単な説明を加えれば、理解が得られるものであった。しかし、【図23】以降の作例は、そうしたものとは異なる。限られた知識層だけに理解を求める、さながら隠語の文化圏におけるハートである。あるいは、現代日本語でいう、知識階級という業界の用語と言い換えてもよい。

しかし、【図23】と比べ、何故に、【図24】では、突然、ハートが巨大化したのであろうか。それは、版画家ヴォエリオの出身が、現在のフランスのロレーヌ地方だったことがその一つの理由であったと思われる。【図15】や【図17】で示した、前世紀後半以降、ニュルンベルクで勢いを持っていた、キリスト教図像上の、大道具としてのハートの作例が、この地に認知されていたものと思われるからである。

ところで、このエンブレム集全体では、合わせて、一〇〇点の挿絵があり、それぞれに、新教の改革派の女流詩人G・ド・モントネーによる、上記のようなテクスト（寓意詩）が付けられている。従って、挿絵を参照する読者は、解説をなしているその詩の内容から、図の中のイメージを理解するわけである。

時間をかけて読解を試みることができる限られた知識層の人たちには、その意味は、曖昧ではなく、むしろ、図解をすることでより詳しい説話の一場面であることが理解できる。(41) 敢えて、主役の人物像を描かないことで、限られた身内の、宗教的党派の集団の中にいる鑑賞者の連想力を刺激することで、かえって、「王冠を戴いたハート」という寓意が、知的トリックとして機能しているといえる。

【図25】C・ド・パッス（父）版刻《人の魂と太陽》G・ローレンハーゲン著『寓意図像（エンブレム）集』1611年、ケルン、S・エリフェンス刊行、挿絵、p.43

こうした、不思議な形をしたハートの曖昧さを前面に押し出して、むしろその版刻の切れ味で自己主張する作例としては、【図25】の、C・ド・パッス（父）版刻の《人の魂と太陽》を挙げることができる。一六一一年に、版刻され、G・ローレンハーゲンが執筆し、ドイツのケルンで、一六一一年に刊行された『エンブレム集』(42)である。ここでは、手足を持った人物の形は消え、それが、ハートの中に見開いた眼が描き込まれるというモチーフとして登場してくる。左上には雲の中から、目鼻を持った太陽が光を浴びせている。

ここには、ハートと、他のモチーフ双方の間でやり取りが行われている。一見すると意味が曖昧でありながら、デザイン上の工夫が生まれているのである。ラテン語で書かれたタイトルと、フランス語タイトルの双方を持つこのエンブレム集の中にあるド・パッスが描いたこの図にも、フランス語の四行の短い寓意詩が添えられている。邦訳を試みると、

「あなたの心の中に、いつも一つの眼を持ちなさい。
大いなる太陽に眼を向けなさい。
それは、この世に現れる全てのものに光を与え、
栄光に充ちた瞬間を与えてくれるからだ。」(43)

多くのエンブレム集のテクストと同じく、倫理的な教訓をたれる形而上詩である。これは、一六三五年に英訳され、

【図26】版刻者不明、H・ヴォーン著『火花散る火打ち石』タイトル・ページ、1650年、ロンドン、H・ブルンデン刊行

そこには、詩が何行も追加されて、ロンドンで刊行される。(44)

最後に、もう一点、【図26】を紹介しておきたい。(45) ウィザーに遅れること十数年後の、一六五〇年に、やはりロンドンで刊行された図書の挿絵となるのが、イギリスの形而上詩では必ず引用されるこの作品である。H・ヴォーン著『火花散る火打ち石』のタイトル・ページに使われた燃え上がるハートである。

このハートは、心臓の形をとっているものの、表面は凹凸が強調されている。そのハートからは、水滴がほとばしっている。背景は空の中の情景であり、その中に描かれた雲の中から、右手が伸びて鋭い刃物が、ハートを突いたところなのであろうか。描かれた右手は神の意志である。それが、古代以来、ジュピターの名札でもあった稲妻(thunderbolt)(46)を手にし、硬直化しているかたくなな人の心に鋭く迫っている。その結果、信仰の火がともり、和らいだ心から喜びの涙がほとばしっているのである。(57)

それでは、この挿絵の中の主役は誰なのか。説明は容易ではない。かたくなな心を持った顔の見えない人物がやはり主役であろうか、あるいは、手を伸ばした神か。ここでは、双方を視野に入れた理解をしておきたいと思う。共演者となるモチーフとともに、顔のない役者を演じているともいえる。曖昧さを残しつつ、詩集を開いた読者を詩の内部に誘う詩人の企みをよしとしたいと思う。(48)

結論

本稿では、小道具、大道具、そして役者、というキーワードで、イメージの分類を試みた。ハートという一つのモチーフが、西洋の一五後半から一七世紀前半における版画、絵画の諸作品の中で果たして来た役割を整理してみた。一方で、西洋各国でそれらが受容されてゆく流通の過程を検証した。

【註】

（1）中世以前の作例は、分析の対象とすることを控えた。徳井（二〇一二）論文と、そこで引用されている論考が詳細に扱っている。

（2）通常は、象徴、シンボル、アトリビュート、アレゴリー、という言葉が用いられる。しかし、本稿でそれらを使用すると、概念規定が曖昧となり、不明確な意味を含む可能性が高いと考え避けた。

（3）主要な、図像学参考図書に書込まれた先行研究としては、以下の文献の関連ページがある。なお、＊のあるものは、キリスト教図像以外の神話、寓意等の図像についての記述も認められるものである。

DE PÉTITY, I, p. 172-174 (Coeur illuminé) ; KÜNSTLE , I, p. 615-618 (Das Herz-Jesus-Bild) ; PIGLER, I, p. 521-522 （Das Herz-Jesus) ; REAU, II-II, p. 47-51(Le Sacré Coeur Jésus) ; DE TERVARENT, 1997, p.130-132 (Coeur) * ; HENKEL und SCHONE, 1976, p. 1025-1035 ; SCHILLER, 1972, II, p. 184-197 (The Arma Christi) ; RED, *LCI*, II, 1990, p. 248-250 (Herz) * ; WALZER(A.) / RED, *LCI*, II, 1990, p. 252-254 (Herz-Jesus) ; LURKER, 1991,p. 298 (Herz) *.

一方で、論文、並びに研究書は、木村・二〇〇七（論文、13、17）／木村・二〇一八（第14章）の脚註に記述した。ここでは、そこで漏れた主要論考を追加する。

HARTIG(M.), « Das deutsche Herz-Jesu-Bild », *Das Münster*, 1948, 2, p. 76-99 ; SCHRADE(H.), «Das Herz in Kunst und Geschichte », *Das Herz, Eine Monographie in Einzeldarstellungen*, 1968, Biberach an der Riss, K. Thomae {WALZER. A. 4 vols.} ; BOYADJIAN(N.), *Le coeur, son histoire, son symbolisme, son iconographie et ses maladies*, 1980, Esco Books ; BOYADJIAN(N.),*The Heart : its History, its Symbolism, its Iconography and its Diseases*, 1980,Esco Books）：徳井・二〇一二：蜷川・二〇一七：植月・二〇一七。なお、ここには、神学上の分析を対象にしたものは省いた。

（4）SANDRART ; PELTZER, p.77 ; LE BLANC, *Manuel*, I, 1854, p. 241, no. 117 ; STEWART(A.), *DA*, III, p. 505-508

（5）LE BLANC, *Manuel*, I, 1854, p. 241, no.117

（6）作品は、https://historical.ha.com/itm/books/prints-and-leaves/hans-sebald-beham-six-of-seven-engravings-depicting-the-planets-with-their-zodiac-symbols-nuremberg-1539/a/6117-45250.s（2023-9-28 検索）元来は七点の連作であったが、現在知られているのは六点である。作品データについては、現在、デトロイト美術館所蔵の《ジュピター》について、4.5 x 2.9 cm、エッチング、laid paper という記述が参考になる。

（7）ベーハムが、町田国際版画美術館所蔵の《ホロフェルヌスとユディット》（一五三一年頃、エングレーヴィング）という宗教図像を扱った場合でも、同じ手法が認められる。主人公についてIVDITHという記銘を明確に彫り込み、一方で、小道具である剣とホロフェルヌスの生首を大きく描き込んでいる。

類似した作例としては、ツェルティス著『愛の四書』（一五〇二年）の挿絵にも、擬人像等に小道具を描き込んだ事例が認められる。PANOFSKY(E.), KLIBANSKY(R.) und SAXL(F.), *Saturn und Melancholy, Studien zur Geschite der Naturphilosophie und Medizin der Religion und der Kunst*, Ubersetzt von BUSCHENDORF(C.), Suhrkamp, (1964)1990, Zweite Ausgabe, p. 397-405；邦訳・クリバンスキー（R）、パノフスキー（E）、ザクセル（F）「コンラート・ツェルティスにおけるメランコリー」『土星とメランコリー——自然哲学、宗教、芸術の歴史における研究』晶文社、監訳・田中英道、邦訳・榎本武文、尾崎彰宏、加藤雅之、一九九一年（一九六四年）p. 253-258；藪田淳子「ドイツの風景画成立の人文主義的背景——コンラート・ツェルティス「恋愛四書」を中心に」『美術史論集』二〇一九年、一七、p.147-184

（8）https://www.britishmuseum.org/research/collection_online/collection_object_details/collection_image_gallery.aspx?assetId=89288001&objectId=1488747&partId=1(2023-9-28 検索)

（9）一族の間で知られている、V. Solis は、一五一四年に生まれ、一五六二年にニュルンベルクで死亡。N. Solis は、同市で一五四四年頃に生まれた。*DA*, 1996, XXIX, p. 43-44. V・ゾリスは多くの神話人物を描き、たとえば、ル・ブランは、一四六点の作品を列挙している。LE BLANC, *Manuel*, III, 1888, p. 552.

（10）LE BLANC, *Manuel*, III, 1888, p. 403-406；LIMOUZE(D.), *DA*,1996, XXVII, p.507

（11）ヘレス・デ・ラ・フロンテーラのカルトゥジア会ヌエストラ・セニョーラ・デ・ラ・デフェンシオン修道院付属聖堂の大祭壇画衝立からサグラリオ（聖体安置所）へと通じる廊下の壁面に掛けられていた。FRATI(T.), *L'opera completa di Zurbarán*,1973, Rozzoli,no,271, p. 104；雪山行二「スルバラン」『西洋絵画作品名辞典』三省堂、一九九四年、p. 338；DELENDA(O.), *Francisco de Zurbarán, 1598-1664*, I, Catálogo razonado y crítico, Fundación Arte Hispánico，I, 2009, no. 138, p. 432-433；II, *Los conjuntos y el obrador*, 2010, p. 181　なお、この作品についての情報は、武蔵野美術大学講師・楠根圭子氏のご教示による。

（12）「名札」の使いかたが、北方の影響であることは明らかであるが、セビーリャの町を初めとしたスペインにおけるヴィーリクス等の版画の影響については、木村・二〇〇七、三一五頁、参照。

（13）この典拠については、詳しくは、木村・二〇〇七、論文13「燃える心臓――シャンペーニュ、そしてヴーエ」p.276-285を参照されたい。この聖人を描き、やはりハートが明確に描かれたものとしては、A・ヴィーリクスの作例がある（8.1 x 5.9cm、MAUQUOY-H., II,1979, no.992)。ここでは、燃え上がるハートではなく、二本の矢が突き刺さっている。下記に論じる、キリストの受難具を連想したものであろう。

（14）HALL, p.59-60

（15）この作例における図像学上の解釈（煉獄論）については、拙論（木村・二〇〇七、論文17）を参照されたい。近年の研究成果としては、塚原晃「神戸市立博物館蔵《聖フランシスコ・ザビエル像》の保存状態と表現解釈」『研究紀要』（神戸市

立博物館）二〇一九年、第35号、p. 3-19

（16）RIPA, 1603, p.151-152 ; RIPA, 2012, p.186-187, 689-670, note no.20-24（PROCACCINI による、関連図像の詳細な分析がある。以下、同じ）; RIPA, 2017, p.13。ヨハネ福音9章が引用されている（「生まれつきの盲人をいやす」）。

（17）RIPA, 1603, p.173-175 ; RIPA, 2012, p. 212-214, 699-700 ; RIPA, 2017, p.151-152

（18）RIPA, 1603, p. 455-456 ; RIPA, 2012, p.538-539, 818 ; RIPA, 2017, p. 358

（19）RIPA, 1603, p. 73-74 ; RIPA, 2012, p.100-101, 655-656　RIPA, 2017, p. 82

（20）RIPA, 1603, p.63 ; RIPA, 2012, p.89 ; RIPA, 2017, 74

（21）木村・二〇〇七、p. 279-281 参照。

（22）拙著『名画を読み解くアトリビュート』（木村・二〇〇二）では、「アトリビュート」という単語を、広義で使っている場合もあるが、著者の立場では、この「名札」という意味で使われる場合が、最も適切であると思う。

（23）なお、本作品については、次の二点の展覧会カタログを参照『書物の森へ――西洋の初期印刷本と版画』一九九六年、佐川美智子他、（編）町田市立国際版画美術館、no.21, p.60-61.『The Body : 身体の宇宙 : the Human Body as a Microcosm : Art, Anatomy and Astrology』二〇一八年、藤村拓也、他（編）、同館、p.74-75、図38（本件については、藤村氏からのご教授があった）。

幼な子イエスがハートの中に描かれた作例についての、先行研究は少なくない。WALZER,（1967 既出）に指摘があり、蜷川・二〇一七、「聖心崇敬と聖心イメージ」p.163-178 には、その研究が紹介されている。制作年としては、一四六五年の作例が特定されている、マイスターES制作の《幼児キリストと受難具》がある（SCHILLER,1972, II, fig. 675)。

なお、次の展覧会カタログには、ニュルンベルクにおいて、一四五〇年～七〇年頃制作とされた一枚刷りの木版の作例について調査報告が盛り込まれている。

Einblattholzschnitte des 15. Jahrhunderts, 2019, München, Pinakothek der Moderne, Staatliche Graphischen Sammlungen, Deutscher Kunstverlag, no. 68(HOLZHERR, K.）.

（24）典拠の一つは、ヨハネ福音書（19・33～34）。「聖槍図」についての一般的な解釈は、HALL, p. 83 ; HALL, 邦訳、p.214

（25）受難具とともに描かれるキリスト像については、一五〇〇年頃の作例として、ブックスハイム祭壇画（ウルム）の作例、並びに、一五一九年とされる、ヴィンハウゼン修道院の祭壇画の作例が指摘されている。SCHILLER, 1972, II, fig, 668, 670.（ハートの中の、幼子イエスについては、fig. 675, 676）

この図柄の作例については、研究者フィールドが、次の文献で、一五〇〇年以前の、ドイツで制作された一枚刷り版画に限っても、一六点を図示している。FIELDS (R. S.),(ed. by), *German Single Leaf Woodcuts before 1500*, Abaris Books, 1990, Coll. The Illustrated Bartsch, no. 163 (Supplement), p.74-89. なお、本稿の執筆に多大な貢献をいただいた、ドイツ・ルネサンス美術史の専門家、大杉千尋氏（鎌倉女子大学講師）の調査によると、国立版画素描コレクション（ミュンヘン）には、上記の、研究者フィールドが採録していない作例が多く所蔵されている。

（26）FIELDS, 1990, p. 74

（27）https://www.bildindex.de/document/obj22007339　(2023-9-28 検索)

（28）メトロポリタン美術館蔵の作例 (27.54.24) には、記銘がない。

（29）KOEPPLIN(D.) und TILMAN(F.), *Lukas Cranach :Gemälde,Zeichnungen, Druckgraphik*, Birkhäuser, I,1974, 2. Aufl., no.7, p.58-59 ; ; FALK(T.) (ed.), *Sixteenth Century German Artists*, II. Bartsch, 1980, no. 11, p. 394, no. 76 (287)（聖セバスティアヌスではなく、聖ラウレンティス）／蜷川・二〇一七、二三五～二三八頁（疫病撃退図説）。

（30）クラーナハ、並びに、既に引用したベーハム等の木版画と宗教との関係については、森田安一『木版画を読む・・占星術・「死の舞踏」そして宗教改革』二〇一三年、山川出版社、第六章等を参照。

（31）HIND (A. M.), «Nuremberg», *An Introduction to a History of Woodcut, with a Detailed Survey of Work Done in the Fifteenth Century*, 1936, Constable, II, p.368-389（特に、p.p.370）. 関連した同時代の版画家、出版業者として、Spörer, Müller, Folzn などの名称を挙げている。

（32）WILSON (A.), *The Making of the Nuremberg Chronicle*, N. Israel, 1977, p. 18-19 ; 邦訳・ウィルソン（A）『ニュルンベルク年代記の誕生――ドイツ初期印刷と挿絵本の制作』一九九三年、雄松堂、河合忠信・雪嶋宏一・佐川美智子、p. 18

ニュルンベルクの一五紀における木版画制作一般については、既出のHINDの労作以降のものとしては、LARAN(J.), *L'estampe*, Presses universitaires de France,1959, I, p.15, note 3　一方で、我国における、近年の労作も参考になる。既出の、佐川（一九九六年）の研究以降では、『天文学と印刷：新たな世界像を求めて』二〇一八年、印刷博物館学芸企画室、トッパンアイデアセンター、五柳書院編集・制作、印刷博物館、安形麻里、松田隆美、他『インキュナブラの時代：慶應義塾の西洋初期印刷本コレクションとその広がり』慶應義塾図書館（編）、二〇一八年、三八～三九頁（安形）

（33）本稿で論じている時期から後のことであるが、デューラーが旅をした、ニュルンベルクからアントウェルペンへの往路には、二一日間を要した。その旅日記には、制作してあった作品を持参した事情が詳述されている。RUPPRICH(H.)(hrsg. von), *Dürer, schriftlicher Nachlass*, Deutscher Verein für Kunstwissenschaft , I, 1956／邦訳・デューラー（アルブレヒト）『ネーデルラント旅日記』（一九九六）二〇〇七年、邦訳・脚註、前川誠郎、岩波書店、岩波文庫。

たとえば、途中、フランクフルトからマインツまでは、ライン河を船で動いたこと（schieff von Frankfurth am sontag gen Menc,1956, p.149 ; 二〇〇七、四〇頁）、あるいは、版画も収納していたと思われる荷物は服箱（mein truhem, 1956, p. 174 ; 二〇〇七、一六八頁）を使っていたことなどが記されている。

この事実については、拙稿「フランシスコ・パチェーコ『絵画芸術（三書概要・抄訳・図像編全訳）、論考』スペイン・ラテンアメリカ美術史研究会（編・訳）」『地中海学研究』No. 43, pp. 55-62, 2020年、参照。

（34）本作品の右下に明記されている peter de Waale は、アントウェルペンにおける重要な出版業者である。VAN DER STOCK (J.), *Printing Images in Antwerp : the Introduction of Printmaking in a City: Fifteenth Century to 1585*, 1998, Sound & Vision Interactive , Coll. Studies in Prints and Printmaking, no.2, Translated from the Dutch by Beverley JACKSON, p.71-94.

（35）キリストの傷と薔薇、そして、若干のハート等のモチーフの使用例について、一五〇〇年前後におけるドイツ版画が影響を及ぼした。GUREWICH(Vl.), « Observation on the Iconography of the Wound in Christ's Side, with Special Reference to Its Position

», *JWCI*, 1957, 20, No.3/4, p. 358-362 ; SUNDMARK(S. F.), « The Rosary and the Wounds of Christ : Devotional Images in Relation to Late Medieval Liturgy and Piety », *Images and Objects in Ritual Practices in Medieval and Early Modern Northern and Central Europe*, 2013,Cambridge Scholars, ed. by KODRES(K.) and MAÄND(A.), p.53-67.

（36）Schola Cordis と呼ばれる、物語内容を描いた、ハートのエンブレム集がある。これは、この系列の一つとして位置づけることができる。

（37）MONTENAY(G. de), *EMBLEMES // OV DEVISES // CHRESTIEN // NES*, /[...] // 1571, Lyon, J. Marcorelle
https://gallica.bnf.fr/ark:/12148/bpt6k708280.image（2023-9-28 検索）

本書は、リヨンの出版業者J・マルコレルからの刊行。なお、一五八四年の版を、グラスゴー大学がネットに公開していて、挿絵の線刻の鮮明度が高い。しかし、版刻者がヴォエリオであるのかは、確定できない。
http://www.emblems.arts.gla.ac.uk/french/picturae.php?id=FMOb030（2023-9-28 検索）

それ故に、本稿では、不鮮明なものではあるが、フランス国立図書館所蔵の一五七一年版の挿絵を引用した。主要先行研究としては、IWAI(M.), *L'œuvre de Pierre Woeiriot (1532-1599)*, 1986, 2 vols.（パリ第四大学博士論文）；CHONÉ (P.), « Pierre Woeiriot », *Emblèmes et pensées symboliques en Lorraine (1525-1633)*, 1991, Klincksieck, p. 543-660；岩井瑞枝「ピエール・ヴォエリオ版刻『ジョルジェット・ド・モントネーのキリスト教的百エンブレム集』（一五七一）・・・宗教的プロパガンダとしてのエンブレム・・・」『版画史研究』一九九二年、No.1, p.76-114。岩井瑞枝氏は一五七一年版を基本としている。植月・二〇一七、【図8】も参照した。

（38）ここで指摘した「曖昧さ」は、エンブレム集の本質の一つである。エジプトにおける象形文字を一つの始まりとする造形表現が、一六世紀以降、西欧で大きなうねりを見せたことは周知のことである。

ALCIATI(A.), *Emblematum liber*, mit Holzschnitten von Jorg BREU, Augsburg, 1531. 復刻版　1977, Olms, Coll. Emblematisches Cabinet, no. 10, A・アルチャーティ『エンブレム集』二〇〇〇年、ありな書房、邦訳・伊藤博明

（39）本図には、以下の、寓意詩が付けられている。

«Le cœur du Roy est en la main de Dieu,
Qui le conduit selon son bon plaisir.
Se plaindre donc du Roy, n'a point de lieu.
La cause en nous plustost deuons choisir,
Quand ne l'auons selon nostre desir.
France, à ton Roy vieil de sens, ieune d'aage,
Un regne heureux Christ donne & le loisir
De se monstrer Treschrestien preux & sage.»

（40）RED , « Hand Gottes», *LCI*, I, (1970, 1990), p. 211-213 ; HALL, p. 144

（41）しかしながら、ここでは、ハートのモチーフが、このエンブレム集全体の中で果たす役柄について、単純化してしまうことは正しくない。なぜならば、一〇〇点の挿図の中には、人物が明確に主役として登場している場面の方が多いからである。その中の、連作の中の一情景が【図23】なのである。

（42）ROLLENHAGEN(G.), *NVCLEVS // EMBLEMATVM SE-// ECTISSIMORVM* [...] 1611,Coloniae, E Musaeo coelatorio Crispiani Passaei [...]
　この版画家については、LE BLANC, *Manuel*, III, 1888, p.147-150（特に、no.471）；鈴木・一九九四　VELDMAN(I. M.), *DA*, 1996, XXIV, p. 235. 一六世紀末から一七世紀にかけて多産な版画制作を行った一族の一人（一五六四〜一六三七）である。アントウェルペンで制作を始めたが、一五八九年のこの町で起こったスペイン兵の略奪行為のために、ドイツに避難し、一六一一年まではケルンで制作を行っている。大変広いジャンルの作品を制作し、ヨーロッパ中で認知された（VELDMAN)。関連文献は、PRAZ, *Studies*, p.476-477 ; HENKEL und SCHONE, 1976, p.1028-1029

（43）Tu dois tousiours auoir dedans ton coeur vn oeil //
Dresse fort attentif deuers ce grand soleil, //

Qui esclaire tous ceux qui viennent en ce monde, //
Les rendant capables d'une gloire seconde.

このエンブレム集には、少なくとも十点の版画にハートを使っている。ド・パッスが、ヴォエリオから影響を被っていたことがうかがえる。

（44）G・ウィザーが、ロンドンの、H・トートンから刊行する。デ・パッス版刻の版画は、恐らく、チャールズI世の時代に制作を行なっていた、Marshall, William の手が入って、再録されたと思われる。新たに書込まれた英語詩は、翻訳ではなく、多くの行が追加されている。

WITHER(G.), *A // COLLECTION // OF // EMBLEMS, // ANCIEN AND // MODERNE : With Metrical ILLVSTRATION, both //* Moral and Divine : And disposed into // LOTTERIES, // [...] London, Printed by A. M. for Henry Tauton, an 1 //[...] MDCXXXV (1635). p. 43 https://archive.org/details/collectionofembl00withe/page/n11（2023-4-7 検索）、復刻版では、WITHER (G.), *A Collection of Emblemes, Ancient and Moderne (1635)*, introd. by R. FRTEEMAN, bibliographical notes by C. S. HENSLEY, University of South Carolina Press, 1975, Coll. Renaissance English Text Society, no. 5, 6, p. 43。邦文で書かれた、版画史への優れた判断を示した好論としては、鈴木・一九九四。

（45）VAUGHEN(H.), *Silex scintillans : // or // SACRED POEMS // and // priuate Eiaculations* [...] LONDN Printed by T.W. for H. Blunden // [...] 1650. 邦訳は、ヴォーン（H）『ヘンリー・ヴォーン詩集 - 光と平安を求めて』広島大学出版会、二〇〇六年、吉中孝志訳・註。

先行研究としては、HÖLTGEN (K. J.), *Aspects of Emblem : Studies in English Emblem Tradition and the European Context*, 1986, Reichenberger, Coll. Problemata Semiotica, 2, p. 105-108 ; 邦訳・ヘルトゲン（K・J）『英国におけるエンブレムの伝統：ルネサンス視覚文化の一面』慶應義塾大学出版会、二〇〇五年、邦訳・川井万里子、松田美作子、125-130 頁

（46）HALL, p. 303 ; HÖLTGEN(K. J.), « Henry Vaughan's Silex Scintillans : Emblematic Tradition and Meaning », *Emblematica*,1989, IV, n° 2, Fall, p. 273-296. この論考では、雷電についての美術史的な分析が詳しい。一六世紀の神話学の基礎文献であるカル

ターリの挿絵（一六四七年版）も引用しながら分析を加えている。カルターリの一七世紀絵画への影響については、木村・二〇一八年、第五章を参照のこと。

（47）http://projectsilex.blogspot.com/2012/06/1-silex-scintillans-titular-emblem-and.html（2023-9-28 検索）「硬い心臓を打ち砕く」という文学上の寓意については、植月・二〇一七、にある詳細な分析を参照されたい。

（48）フランスで、一六〇〇～二五年頃に制作された、一種の民衆版画といえるカルタである、Jeu de cartes à devises sur le thème des variations du cœur（BnF蔵）は、五十数点のハートを描き込んだ連作である。本稿では詳述しないが、エンブレム集の一つであり、類別するとすれば、この第Ⅲ項目に位置付けられると思われる。

一方で、多数の版画の中に、ハートを描き込んである、一七世紀の事例として挙げられる、HAEFTEN(B. van), SCHOLA CORDIS // [...]ANTVERPIAE // Apud IOANNEM MEVRSIVM [...] 1635 https://archive.org/details/scolacordissivea00haef/page/n8（2023-9-28）にも、ハートが多く使われている、ハートの形態論からの類別は難しい。徳井論文（二〇一二）が扱った中世的な伝統を引き継いだ作例群であろう。

省略記号

DA：*Dictionary of Art*, Grove, ed. TURNER（J.）, 34 vols., 1996

DE PETITY：PETITY(J. R. de), *Le manuel des artistes et des amateurs, ou dictionnaire historique et mythologique des emblêmes, allégories, énigmes, devises, attributs & symboles* [...], 1770, Paris, Chez J. P.costard, 4 vols.

DE TERVARENT, 1997：DE TERVARENT(G.), *Attributs et symboles dans l'art profane, 1450-1600 : dictionnaire d'un langage perdu*, (1958-1964), Genève, Droz

HALL：HALL (J.), *Dictionary of Subjects and Symblos in Art*, 1974, Harper and Row, Coll.Icon

HALL, 邦訳：ホール『西洋美術解読事典』河出書房新社、一九八八、監修・高階秀爾、邦訳・高橋達史、他

HENKEL und SCHONE, 1976 : HENKEL(A.) und SCHONE(A.) (hrsg. von), *Emblemata : Handbuch zur Sinnbildkunst des XVI. und XVII. Jahrhunderts*, Metzler, (1967)1976, Erg. Neuausg.

Il. Bartsch : STRAUSS(W.L.)(ed.), Coll. *The Illustrated Bartsch,* 1978-, Arabis Books, 90 vols.

JWCI : Journal of the Warburg and Courtauld Institutes

木村・二〇〇二：拙著『名画を読み解くアトリビュート』二〇〇二年、淡交社

木村・二〇〇七：拙著『ニコラ・プッサンとイエズス会図像の研究』二〇〇七年、中央公論美術出版

木村・二〇一八：拙著『フランス近代の図像学』二〇一八年、中央公論美術出版

KNIPPING : KNIPPING(J.B.), *Iconography of the Counter Reformation in the Netherlands*, B.de Graaf, etc., (1939-42) 1974, 2 vols.

KÜNSTLE , 1926-28 : KÜNSTLE(K.), *Ikonographie der christlichen Kunst*, 2 vols., 1926(II)-28(I), Herder

LCI : KIRSCHBAUM SJ. (E.) (Herausgegeben von), *Lexikon der christlichen Ikonographie*, 8 vols. , Herder ,(1968-1976) 1990

LE BLANC, *Manuel* : LE BLANC(C.), *Manuel de l'amateur d'estampes*, 1854- 89, E. Bouillon,4 vols. (I : 1854 ; II : 1856 ; III : 1888 ; IV: 1889)

LURKER, 1991 : LURKER(M.), *Wörterbuch der Symbolik*, (1974), 1991, Coll. Kröners Taschenausgabe, no.464, Kröner,

MALE, *Trente* : MÂLE(E.), *L'art religieux de la fin du XVIe siècle, du XVIIe siècle et du XVIIIe siècle*, 1972,A.Colin（初出は、*Revue des Deux Mondes*, 1927, XXXIX, p.106-129 , 375-394 ; 単行本では 1932 ; 1951 revue et corrigée ; 参照は 1972）

MÂLE, XVII, 1984 : MÂLE(E.), *L'art religieux du XVIIe siècle, Italie-France-Espagne-Flandres*, 1984, A, Colin 基本的には、前記図書と同じであるが、タイトルが変更され、色彩図版が入り、CHAZAL(G.)が、脚注の見直しを行っている。

MÂUQUOY-H. : MAUQUOY-HENDRICKX(M.), *Les estampes des Wierix*, Bibliothèque royale Albert Ier, 4 vols., 1978-83 ; I (1978), II(1979), III(1: 1982 ; 2: 1983)

蜷川・二〇一七：蜷川順子『聖心のイコノロジー――宗教改革前後まで』二〇一七年、関西大学東西学術研究所研究叢刊55、

PIGLER : PIGLER(A.), *Barockthemen*, (1956) 1974, Akadémiai Kiado, 2d ed., 3 vols.

PRAZ, *Studies* : PRAZ(M.), *Studies in Seventeenth-Century Imagery,* second ed.increased, Storia e Letteratura, Coll. Sussidi Eruditi, 2 vols. I: 1964(no.16), II : 1974(no.17) (英語改訂版) ; ただし、伊語による初版は 1934

RÉAU, *chrétien* : RÉAU(L.), *Iconographie de l'art chrétien*, Presses Universitaires de France, 6 vols.. 1955-59 ; 復刻版　1974, Kraus.

RIPA, 1603 : RIPA(C.), *ICOLOLOGIA*, 1603, Roma, L. Faeij ; 復刻版　1984, G. Olms

RIPA, 2012 : RIPA(C.), *ICOLOLOGIA*, 1603, Roma, L. Faeij; 校訂版　2012 , G. Einaudi, Coll. I millenni, A cura di MAFFEI(S.), Testo stabilito da PROCACCIOLI(P.)

RIPA, 2017 : リーパ（チェーザレ）『イコノロジーア』邦訳・伊藤博明、(1603)2017、ありな書房

SANDRART ; PELTZER : SANDRART(J. von), *Teutsche Academie der edeln Bau-Bild und Mahlerey-Küsnte, Nürnberg*, 1675-79 ; 1925, G.Hirth's, 再版に、PELTZER (A.R.) による注解が加わる

SCHILLER, 1966 : SCHILLER(G.), *Ikonographie der christlichen Kunst*, Gütersloher Verlagshaus, G. Mohn, 1966-91 , 7 vols.

SCHILLER, 1972 : SCHILLER (G.), *Iconography of Christian Art* , L. Humphries, (1966)1972, 2 vols., trans. by SELIGMAN(J.)

鈴木・一九九四：鈴木繁夫「剽窃の倫理――ジョージ・ウィザーの『エンブレム集』とガブリエル・ロレンハーゲンの『エンブレムの種』における模倣と逸脱」『言語文化論集』（名古屋大学）、一九九四年、15(2), 31-52 頁

徳井・二〇一二：徳井淑子『涙と眼の文化史――中世ヨーロッパの標章と恋愛思想』東信堂、二〇一二年

植月・二〇一七：植月惠一郎「ハートのアート／アートのハート―― 形而上詩を中心に」『日本大学芸術学部紀要』二〇一七年、六六, 17-35 頁

【コラム】《心臓に毛の生えた》発表
——若桑みどりさんの思い出

木村 三郎

若桑みどりさんがご存命で、仕事の盛りでおられた頃の思い出である。思い返して見ると、遙か昔になる一九九六年五月のことである。研究対象の専門とする、ニコラ・プッサンが描いた《鹿児島で死んだ娘を蘇えらせる聖フランシスコ・ザビエル（別称、ザビエルの奇跡）》（ルーヴル美術館蔵）について論文を書いた時に、気づいたことがあった。多くの、ザビエルを描いた肖像を集めて見て、我国の神戸市立博物館に所蔵されている《聖フランシスコ・ザビエル像》（本書p.275、図9）の手には、「燃えあがるハート」があることが極めて特殊なことなのだ。調査を進める過程で、何故、ザビエルが手に燃える心臓を持っているのか、ということの種が見え始めていた。

新しい、イコノロジー解釈になるという予兆のようなものを感じたこともあり、美術史学会の全国大会発表の公募に手を上げることとなった。ただ、その時は、公募用の原稿がいたって未熟で、着想が具体化していなかった。簡単にいえば、「フランドルの版画家ヴィーリクスの影響」というような、原稿の大半が、先行研究で散々言われていた固有名詞を書込んだような代物であった。それが、大会の発表者を決める委員会で配布され、議論があったらしい。当然、このレヴェルの内容の発表に、今更学会の全国大会で何の意味があるのか、という見解が一部の委員から出た。至極ごもっともな御指摘であった。しかし、どういうわけか、委員会に座っておられた若桑みどりさんのご支援があったらしく、発表が承認されてしまったのであった。公募のための短い原稿に、「燃え上がる心臓」についての言及がわずかながら書かれていたことを、エンブレム論にも見識のあった若桑さんがお気づきになったのである。さすがであった。

しかし、大会プログラムが送られて来て驚いた。この大会で、委員の若桑さん御自身が、やがて本になって『聖母像の到来』の一部をなす、東西交渉史におけるイエズス会図像論の研究についての、やはり口頭発表をされることとなっていたのである。しかも、プログラムでは、小生の直後に予定されていた。

発表が決まってから、この燃えるハートの分析についての裏付けが脆弱なことに気を病むはめとなった。されど、会員三〇〇〇人規模の学会で、会場にも、一〇〇〜二〇〇人は座ることにもなる大会である。ましてや、学会で最も話題をさらっていた花形の女性教授に並んでの発表である。彼女の名前で集まる人の数は、予測がついた。

その後、手を抜くわけにもいかず、準備で、都内の図書館を走り回っていたときに、上智大学キリシタン文庫で、若桑みどりさんに遭遇した。その時に、実は、常任委員会ではこうした議論があったのよ、と話を聞かされたのである。

いつもそうなのだが、自分は、何かの仕事のゴールが見えてから、調査の集中度が高まる悪癖のある人間で、その時も、決定後の資料収集は格段に密度が高いものとなった。研究室の同僚であった植月惠一郎君と雑談していて、実は、英文学でも一七世紀では、Flaming Heart という言葉が重要なキーワードになっているということも、初めて知ったのである。

会場はお茶の水女子大学であった。発表要旨を御覧になった同世代の方――記憶が定かでないのだが、大高保二郎さんだったと思う――から、フランスの画家プッサンを専門とする若手が、南蛮美術でも一番有名な、教科書にもしばしば出て来る絵について発表するとは、とやはり心配してくださり、木村さん、大丈夫ですか、と言葉をかけていただいた。
されど、もはや逃げも隠れもできない精神状態で登壇した。居並ぶ学会の西洋美術史の長老が目の下に勢揃いであった。もういいや、なるようになれ、と腹をくって、発表を始めるに際して、頭をよぎるものがあって、一言、こう切り出した。

「ご来場の皆様がたの中には、木村が、フランス美術史を専門にしていることはご存じのかたもおられるかと思います。しかし、発表要旨をお読みになられ、その木村が、南蛮美術の著名な作品である《聖フランシスコ・ザビエル像》について発表をするということをお読みになって、驚かれ、またあきれられた方が多くおられたかのではないか、と思います。しかも、要旨には『燃えあがる心臓』について言及すると書いてあります。皆様方、さぞ、この男は、強心臓で、発表も《心臓に毛の生えた》発表に違いないだろう、と思われたのではないでしょうか」

幸い、胡散臭い眼で発表者を見ていた諸氏にも、笑を誘うことができて場の雰囲気もなごみ、その後の発表もどうにか終わらせることができた。無論、配布した発表要旨の内容は、数ヶ月前に書いた発表要旨とは裏付け部分が大幅に変っていた。続く若桑さんの発表は、無論、長年にわたるイタリアにおける聖母図像論を背景にした、高度な図像解釈であった。発表が全て終わったあと、若桑さんと坂本満さんと一緒に、お茶をご一緒したことも記憶に鮮明である。

しばらくたって、あの会場に座っていた方と話していて、「発表内容は忘れてしまったけれども、「《心臓に毛の生えた》発表」だったことは、はっきりと覚えています！」との感想をいただいたことがあった。この発表は学会誌『美術史』に掲載され、その後、改訂して『ニコラ・プッサンとイエズス会図像の研究』（中央公論美術出版、二〇〇七年）に再録してある。

駆け出しの大学院生の時、一九七四年前後だろうか、指導教官であった高階秀爾先生からの紹介をいただき、上野の東京芸大にあった、若桑さんの研究室をお尋ねした。美術出版社刊行の『プッサン』（フリードレンダー著）の邦訳をされていた若桑さんから、プッサン研究についての、励ましの言葉をいただき、その後も、好意的な御配慮を賜り、その学恩には消しがたいものがある。

しかし、世の中の移り変わりは激しく、若桑みどりさんが、二〇〇七年に早世された。七〇歳を越えていた方には、早世ということばは似合わないであろう。されど、輝いていた太陽のような存在が突然姿を消されたこと、それは、考えてもみないことであり、悲しみ以上に衝撃であり、間違いなく早すぎる死であった。

御逝去後の出版である『聖母像の到来』（青土社、二〇〇八年）に、同じ、一九九六年五月にお茶の水女子大学で発表された論考が入っている。故あって、その後、新聞に、この優れた著作についての書評を、書くこととなった（『山梨日々新聞』二〇〇八年一二月七日）。短い原稿ではあったが、万感のこもる小文となった。

考えて見れば、本論文集は、伊藤博明さん、須藤温子さん、お二方とも若桑さんと縁の深い方々である。植月惠一郎君も千葉大における、イメージ研究の場で学んだことのある研究者である。徳井淑子さんも小生と同世代であり、若桑美術史学の影響下で学んだ方であると思う。斉田正子さんは、東京芸大でオペラを学んでおられた頃の、若桑さんに、イタリア語を学び、図像学が何であるかを理解しておられる。いいかえれば、本論文集は、「若桑みどり・チルドレン」の作った書物、ともいえるのである。日芸で「ハートのシンポジウム」を開くことを言い出した一人として、その気持ちには、若桑さんへのそうしたオマージュがあった。

あとがき

須藤 温子

われわれが実際のハートの形とは異なる形を描き、当たり前のようにハートとして認識していることに疑問を抱いたのは、歴史家エルヴィン・パノフスキーだった。文学を専門としている私といえば、宗教画に描かれるハートの形が不思議でならなかった。ハートの上部部分が漏斗状になっており、そこから十字架や百合の花が顔を出したり、炎を出して燃えていたりしている。これをハートとして認識している文化があるのはなぜか、実はハートの表象は思っている以上に多様なのではないか？　この疑問を、日本大学芸術学部の所沢校舎（現在、江古田校舎に統合）にあった外国語研究室で、ヨーロッパ図像学の第一人者にして同僚の木村三郎教授にぶつけてみた。二〇一七年、授業開始前の明るい朝のことである。木村教授は早速、私に心臓専門医ボヤジアン博士の大型本の『ハート』を開いて見せてくださった。

こうして、二〇一八年一月二〇日土曜日に、『日本大学芸術学部シンポジウム　ハートの図像学――イメージからテクストへ――』（共催：日本大学芸術学部、芸術教養課程・音楽学科）が開催された。本書『ハートの図像学』はこのシンポジウムの発表をもとにしている。

シンポジウムの内容は以下の通り。（職位は開催当時）

基調講演：伊藤博明（専修大学文学部教授、思想史・芸術論）「ハートのエンブレム――ペトラルカからヴィーリクスまで」

第一部：

木村三郎（日本大学芸術学部教授、西洋美術史）「フランス近代における《慈愛の寓意》と燃え上がる心臓の図像について」（美術）

斉田正子（日本大学芸術学部教授、イタリアオペラ）「歌とクオーレ」（音楽）

第二部：

徳井淑子（お茶の水女子大学名誉教授、フランス服飾・文化史）「中世フランスの文学テーマ〈愛の嘆き〉とハートの形象化」（文学）

植月恵一郎（日本大学文学部教授、イギリス文学、自然文化誌）「燃え上がる心臓と燃えない心臓――一七世紀イギリス詩の場合」（文学）

須藤温子（日本大学文学部准教授、ドイツ文学、表象文化論）「ハートの争奪戦――『ウンディーネ』とその系譜」（文学）

司会：髙久暁（日本大学芸術学部教授、芸術学、美学、音楽評論）

シンポジウムには小鳥遊書房編集長高梨治氏と編集者林田こずえ氏がご参加くださり、書籍化をご提案くださった。また、全体討議で専門的で闊達な議論をしてくださった蜷川順子関西大学文学部教授にも特別寄稿をして頂いた。須藤が執筆した「ハートの文化史」については、日本大学芸術学部芸術教養課程二〇一八年度「芸術特殊研究――ハートの図像学」、二〇二〇年度に同じく「芸術特殊研究――ハート♥のイメージ文化論」をもとにしている。

シンポジウムの開催後、日本大学芸術学部の校舎移転、セメスター化に続き、未曾有のコロナ禍による大学業務の改変、と想定外の事態に見舞われ、出版が大幅に遅れてしまった。その間、編集長高梨さんをはじめ、執筆陣の諸先生方には大変なご迷惑をおかけしたが、それにもかかわらず、辛抱強くお待ちいただき、それどころか温かい励ましのお言葉も頂戴した。特に同僚の植月恵一郎教授の多大なサポートなしには、本書の完成はなかった。ここで皆さまに心より御礼申し上げたい。

最後に、わたしのことを「ハート先生」と呼んでハートを原稿にたくさん描いてくれた息子たち、頼母、美祈、長女東子、そして常にそばで支えてくれた夫香田芳樹に愛と感謝を込めて本書を捧げます。

二〇二一年三月三日　雛祭りの日に

編集後記

木村 三郎

Ⅰ．須藤温子さんとの出会い・・・そして別離

芸術学部外国語研究室では、ドイツ語担当の眞田収一郎教授が、定年で退官されたあと、その後任を公募した。須藤温子さん（と呼ばせていただきます）は、その多数の応募者のなかから、見事、選考に残られた。面接でのやり取りも、ドイツ語教育の経験が滲み出す秀逸なものであった。一方で、送られてきていた、ドイツ文学者カネッティに関する業績を中心とした博士論文の紹介があった。一方で、執筆された内容のところどころに、イメージ分析が書かれていること、また、その分析方法が、どこかで、図像学を学ばれていたにちがいない、という印象を持った。それもあって、面接では、物知り顔で「エクフラシス」ということばを引っ張りだして、やりとりしたことが思い出せる。決まれば、今後、議論が楽しみな方とご一緒できるだろうと、喜んだ。しかし、履歴書には、千葉大で、若桑みどり教授のゼミに出ておられた、などということは書かれておらず、不思議な思いであった。

教授会で専任人事が決まった後、研究室に来られ、雑談することとなって、初めて若桑ゼミの参加者であったことを知り、得心した次第であった。イコノロジーに理解を示し、学芸員資格も持ったドイツ文学者、これは、千葉大文

学部の優れた学則のもとでしかありえなかったことである。一方で、植月君（と呼ばせていただきます）が、やはり千葉大の、若桑教授が着任する以前の、英文学・水之江有一教授の環境で、イギリス文学とエンブレムとの相関研究に目覚めておられたことも、同じである。木村自身が、学部では、フランス語フランス文学を学んだ後に、大学院では美術史を専攻したという事実を重ねると、これは、幸運な出会いであった。日芸の同研究室は、芸術教養課程（通常の大学では、一般教育課程）の一部であるが、そこに、語学とイメージ分析に深い関心をいだく、三人の専任教員が在籍した、という事実は重かった。

されど、思いもよらぬことが起こった。須藤さんのご逝去である。本書のための、原稿をお送りしたあと、少し、仕事の仕方がいつもとは違うな、という思いはあった。しかし、令和三年の二月二十一日にいただいた、編集作業への気配りのあるメールは明晰なもので、変調は、感じられなかった。されど、翌月のメールへの返信はいただけなかった。二年前から、癌を患っておられたとは、ご主人から、コロナ禍の中の御葬儀の後、初めてうかがったことであった。言葉を失い、それは衝撃そのものであった。享年四八歳であった。主著、『エリアス・カネッティ――生涯と著作』（月曜社、二〇一九年）で、第十八回日本独文学会・DAAD賞を受賞された直後であった。本書の編著者、木村・植月の思いは、今は亡き、監修者・須藤さんへのオマージュと、その遺作を、是が非でも形にしたい、という強い気持であった。

Ⅱ．須藤・植月・木村が担った、仮想の図像学コース

芸術学部には八学科があるが、美術、デザイン、写真、映画、放送、という学科が、それぞれ、イメージの制作と研究をその本質の一つとしている環境である。のみならず、演劇には、舞台衣装研究という視覚分野があり、音楽でも、オペラには視覚的な部分がやはり重要である。一方で、文芸学科、大学院の同専攻、そして外国語教育では、伊

藤博明氏が担当するラテン語も開講されていて、言語研究を軸にした人材がいるわけで、図像学研究のための条件が揃っているわけである。その結果、図書館の開架書庫には、選書に努力をされてきた長い歴史から生み出された、高度の図像学文献がそろっている。

十進法の論理でいえば、美術・文学・哲学・心理学などを包み込む図像学関係図書は、通常は、それぞれ違った棚に配架される。しかし、日芸図書館事務方の、中本幹雄、荒井隆志、山崎恭子、満留円佳の各氏を中心とした英知は、本学部の特殊性をよく理解され、英断をされた。図像学図書のために、芸術学関係図書の中の総記にあたる、〔701・7〕というラヴェルの数値を提案された。その結果、同関係図書が同じ棚に論理的に集約され、以降、日芸ならではの配架システムの中に整備されている。

芸術学部には、東京芸大、京都市立芸大、金沢美術工芸大学などに設置されている「芸術学科」は、残念ながら、存在しない。されど、日芸に、図像学に関心を持つ三人の専任の専門家が在籍した意味は大きかった。それは、事実上、芸術教養課程に、図像学のコースが存在していたのに等しいのである。なぜならば、一方で、大学院前期造形専攻。後期芸術専攻には、図像学の専門家ともいえる、大西廣、伊藤博明、坂本満、森洋子、前田富士男、鷲見洋一、という、綺羅星のごとき講師陣が揃っていたからである。

一方で、小生の場合、大学院造形専攻の造形理論に進学して来る学生には、フランス美術史を専門とする場合でも、全員、須藤さんのドイツ語初級クラスを受講させた。無論、簡単に独文読解ができる水準には行くべくもない。しかし、須藤さんの御指導は、小生が使用した、研究テーマの画家についての、事典項目の読解法からたたき上げて行く方法と相乗効果を持つことが多かった。院生は、たとえば、フランス人画家のアングルを研究していても、ドイツ語の初等文法が終わる、その学年末には、西洋美術史研究では、使わざるを得ない、THIEME und BECKER 著の、Allgemeines Lexikon der bildenden Künstler を、手に取り、開くことについてのアレルギーが消えているのであった。

Ⅲ．学科の表現者諸氏とのコラボ（NAA）・・・八つのアート、そして、一つのハート

本書には、QRコードが記されていて（二〇六頁）、斉田さんの美声を堪能させていただける動画がスマホなどで視聴できる。これは、シンポジウムにご参加いただき、音楽学科・大学院音楽専攻の院生諸君たちとの歌声をご披露いただいたことの成果である。もともと、このシンポジウム企画のはじまりの一つには、木村が、若桑みどりさんのお教え子でもあった斉田さんと出会い、オペラと美術史との、通常授業内でのコラボを、すでに数回実施していた事実がある。バロック期に一気に発展するオペラの場合、モンテヴェルディの《オルフェオ》（一六〇七年）をはじめ、プッサンの描いた絵画作品《オルフェとエウリディーチェ》（ルーヴル美術館）などの、美術作品の主題と交錯するテーマが多い。音楽と美術史を学ぶ受講生諸君が、ともに必要とする講義内容を、同じ時限に、隣の、あるいは、すぐ近くの教室でやっているならば、一度、合同授業を同じ教室で試してみませんか、とお誘いした。御快諾いただき、実施して、それは、刺激的であった。双方にとっても、他大学ではできない貴重な経験となった。そのモチヴェーションを、須藤さんが牽引して、更に拡大して実施したのが、本シンポジウムであった。司会には、やはり、芸術教養課程の同僚であった音楽理論専門で、芸術学全般に詳しい、髙久暁教授のお力を借りた。

NAAと書いたのは、木村、植月も参加していた、芸術学部内部で、長期間、実施していた共同研究の仲間たちのことである。芸術のデジタル・アーカイヴ作成を軸に集まっていた参加者の主力は、デザイン学科の木村政司（シンポジウム開催時の学部長）、音楽学科の川上央（現学部長）、写真学科の高橋則英、演劇学科の丸茂祐佳の諸教授たちであった。その成果の一部は、日本大学デジタル・ミュージアムに公開されている。報告書も刊行されている。本シンポジウムの冒頭の挨拶は木村政司氏が引き受けてくださった。同氏からは、長い共同研究の、折々に、ポスター制作

をはじめ、様々な形でご支援をいただいてきた。グラフィック・デザインの卓抜な喚起力は、シンポジウム開催時期から、お助けいただき、本書の表紙のデザインをご担当いただいた笠井則幸教授の仕事に、十分にお分かりであろう。その意味で、本書は、日芸における、二〇〇九年以降の、学部外の一線の人材を巻き込んだ共同研究の総括としての意味を持っている。徳井淑子教授は、フランスの服飾史図像学の領域における主導的な立場におられ、日仏美術学会で長くご一緒してきた同志であった。蜷川順子教授は、美術史学会関西支部において、図像分析の権威であり、ご寄稿を喜んでお引き受けいただいた。

最後に、須藤さんのご遺稿については、ご主人の香田芳樹慶應義塾大学教授が、三人の幼い遺児を抱えながら、細心の献身をしていただいた。涙が滲む思いを禁じ得ない。シンポジウムの開催時からご参加いただき、波乱のあった編集の諸事をすべて了解され、実務を粘り強く担っていただいた、小鳥遊書房の高梨治氏の見識とご判断なくして、本書の実現はなしえなかった。

本稿は、植月君と協議し、ご意向を挿入しながら、木村の個人的な思いを尊重していただき、敢えて、木村の名前の稿とさせていただいた。

【マ行】

【ラ行】

【ワ行】

【ハ行】

【サ行】

【タ行】

主要人名索引

◉植月　惠一郎（うえつき　けいいちろう）

學習院大學大学院人文科学研究科イギリス文学専攻博士後期課程単位取得退学。日本大学特任教授。専門はイギリス文学（17 ～ 18 世紀）。欧米言語文化学会前会長、十七世紀英文学会元会長、イギリス・ロマン派学会理事。

○『西洋文学にみる異類婚姻譚』（共著、小鳥遊書房、2020 年）
○ *The Expanding World of the Gothic: From England to America*. (joint work, Asahi Press, 2020).
○『トランスアトランティック・エコロジー――ロマン主義を語り直す』（共著、彩流社、2019 年）

◉斉田　正子（さいだ　まさこ）

東京藝術大学博士後期課程修了 博士（音楽）、日本大学藝術学部音楽学科教授（定年退職）。専門は声楽（オペラ）。経団連国際教育財団評議委員、日本オペラ振興会（藤原歌劇団正団員・日本オペラ協会正会員）

○藤原歌劇団オペラ《椿姫》日本オペラ協会《天守物語》・新国立劇場《魔笛》など

◉蜷川　順子（にながわ　じゅんこ）

ヘント大学 Universiteit Gent, Faculty of Arts and Philosophy, Doctor in Art Science. 関西大学文学部教授を経て、現在、関西大学名誉教授、関西大学東西学術研究所客員研究員。専門は西洋美術史。美術史学会、常任委員。日本学術振興会、専門委員。

○『聖心のイコノロジー――宗教改革前後まで』（関西大学出版部、2017 年）
○『ハート形のイメージ世界――見えるものと見えないもの』（晃洋書房、2021 年（編集））
○『祈りの形にみる西洋近世――茨木の銅版画シリーズ〈七秘跡と七美徳がある主の祈りの七請願〉』（関西大学出版部、2023 年）

◉木村　三郎（きむら　さぶろう）

パリ第Ⅳ大学 Doctorat de IIIe cycle 修了。Docteur es lettres. 日本大学藝術学部教授を経て、現在、金沢美術工芸大学名誉客員教授。専門は西洋美術史。

○『西洋絵画作品名辞典』（三省堂、1994 年（編集委員））
○『ニコラ・プッサンとイエズス会図像の研究』（中央公論美術出版、2007 年）
○『フランス近代の図像学』（中央公論美術出版、2018 年）
○ « La source écrite du Miracle de saint François-Xavier de Poussin », *La Revue du Louvre et des Musées de France*, 1988, no. 5-6, p. 394-398

執筆者紹介

（掲載順）

◉須藤　温子（すとう　はるこ）

千葉大学大学院社会文化学研究科博士課程修了。博士（文学）。日本学術振興会特別研究員 DC2（千葉大学）、同 PD（東京大学）、立教大学ランゲージセンター教育講師を経て、日本大学藝術学部教授。2021 年逝去。専門はドイツ語圏文学、表象文化論。

○『エリアス・カネッティ――生涯と著作』（月曜社、2019 年）
○「婚礼に足――騎士シュタウフェンベルク伝説とその周辺」（共著、『西洋文学に見る異類婚姻譚』小鳥遊書房、2020 年収録）
○『ウィーン 1945–1966：オーストリア文学の「悪霊」たち』（共著、『日本独文学会研究叢書』114 号収録、2016 年）
○『エリアス・カネッティ伝記』（共訳、上下巻、上智大学出版、2013 年）

◉徳井　淑子（とくい　よしこ）

お茶の水女子大学大学院人間文化研究科博士課程単位取得満期退学。お茶の水女子大学名誉教授。専門はフランス服飾・文化史。

○『服飾の中世』（勁草書房、1995 年）
○『涙と眼の文化史――中世ヨーロッパの標章と恋愛思想』（東信堂、2012 年）
○『黒の服飾史』（河出書房新社、2019 年）
○『中世ヨーロッパの色彩世界』（講談社学術文庫、2023 年）

◉伊藤　博明（いとう　ひろあき）

北海道大学大学院文学研究科博士後期課程単位取得退学。埼玉大学教授、教養学部長、副学長を経て、現在、専修大学教授、文学研究科長。埼玉大学名誉教授、専門は思想史・芸術論。日本学術会議連携会員。

○『綺想の表象学――エンブレムへの招待』（ありな書房、2007 年）
○『ルネサンスの神秘思想』（講談社学術文庫、2012 年）
○『象徴と寓意――見えないもののメッセージ』（集英社、2018 年）

ハートの図像学
共鳴する美術、音楽、文学

2024年5月5日　第1刷発行

【監修者】
須藤温子

【編著者】
木村三郎、植月惠一郎

発行者：高梨 治
発行所：株式会社**小鳥遊書房**
〒102-0071　東京都千代田区富士見1-7-6-5F
電話 03 (6265) 4910（代表）／FAX　03 (6265) 4902
https://www.tkns-shobou.co.jp
info@tkns-shobou.co.jp

装幀：笠井則幸
印刷：モリモト印刷株式会社
製本：株式会社村上製本所

ISBN978-4-86780-025-6　C0070